A*ll*EMAND
LA GRAMMAIRE

Gérard Cauquil
Inspecteur pédagogique régional
Inspecteur d'académie

François Schanen
Agrégé d'allemand
Professeur émérite de l'Université Paul-Valéry
de Montpellier

@ Cet ouvrage de la collection Bescherelle
est associé à des **compléments numériques** :
un ensemble d'exercices interactifs
sur les principales difficultés
de la grammaire allemande.
Pour y accéder, connectez-vous au site
www.bescherelle.com.
Inscrivez-vous en sélectionnant
le titre de l'ouvrage.
Il vous suffira ensuite d'indiquer
un mot clé issu de l'ouvrage
pour afficher le sommaire des exercices.

Vous pourrez également utiliser librement
les ressources liées aux autres ouvrages
de la collection Bescherelle en allemand.

Coordination éditoriale : Claire Dupuis, **assistée de** Bénédicte Jacamon
Édition : Anne-Claire Brabant
Préparation de copie : Anne-France Poissonnier et Verena Briggs
Conception graphique : Marie-Astrid Bailly-Maître, Sterenn Heudiard, Sandrine Albanel & Nicolas Taffin
Mise en page : Sandrine Albanel & Nicolas Taffin

Typographie : cet ouvrage est composé principalement avec les polices de caractères Cicéro (créée par Thier
Puyfoulhoux), Scala sans (créée par Martin Majoor) et Sassoon (créée par Adrian Williams).

© HATIER – Paris – juin 2008 – ISSN 2101-1249 – ISBN 978-2-218-92620-4

AVANT-PROPOS

→ Cet ouvrage présente une **grammaire de l'allemand actuel, centrée sur les groupes syntaxiques**. Cette **nouvelle édition, entièrement revue**, s'affranchit de l'ordre alphabétique de la première édition au profit d'une présentation thématique.

→ Les contenus sont structurés en **paragraphes numérotés**, au sein de parties de couleurs différentes. Cette organisation facilite la circulation dans l'ouvrage. Elle permet aussi une consultation ponctuelle plus aisée à partir de l'**index** détaillé et des **renvois internes**.

→ Comme la première édition, cette refonte de la *Grammaire allemande Bescherelle*, s'adresse à un large public. Elle est :
– une **grammaire** de **réception** et de **production**, qui permet à l'utilisateur de découvrir les formes et structures de l'allemand afin qu'il puisse produire une langue correcte;
– une **grammaire** de **réflexion**, car elle s'attache à faire comprendre les mécanismes de la langue, plutôt qu'à faire appliquer des règles apprises;
– une grammaire dont la conception et la cohérence invitent à une **lecture en continu** et dont l'organisation favorise la **consultation ponctuelle**;
– une grammaire qui **réconcilie description et explication**, car elle donne au début de chaque chapitre, dans la rubrique «À savoir», les informations nécessaires à la compréhension de l'ensemble.

→ L'ouvrage tient compte de la réforme de l'orthographe de 1996, dont les règles, revues légèrement en 2006, sont obligatoires depuis 2005.

PETIT GLOSSAIRE

°   placé devant une syllabe : accent de groupe ou accent d'insistance, voire de contraste
'   placé devant la syllabe d'un mot isolé : accent de mot hors contexte

Sommaire

Les numéros renvoient aux paragraphes.

Introduction : une grammaire des groupes syntaxiques

1 Grammaire de classe de mots et grammaire de groupes

Une grammaire fondée sur les seules classes de mots (noms, verbes, adjectifs, prépositions, conjonctions, adverbes, etc.) est insuffisante pour décrire, comprendre et apprendre correctement l'allemand et le français. Dans nos langues, en effet, les mots ne fonctionnent concrètement que dans le cadre de groupes syntaxiques.

Soit l'énoncé déclaratif :

> Das kleine Pferd begeistert den jungen Reiter.
> *Le petit cheval enthousiasme le jeune cavalier.*

Cet énoncé est constitué de deux groupes membres qui assurent dans le groupe verbal la fonction de sujet et d'objet. Ces groupes sont des groupes nominaux qui ont pour base Pferd et Reiter. Or ce ne sont pas seulement les bases (ici les noms Pferd et Reiter) qui sont sujet et objet. Au passif, c'est l'ensemble du groupe das kleine Pferd qui devient membre du groupe prépositionnel complément d'agent et c'est l'ensemble du groupe nominal objet d- jung- Reiter- à l'accusatif qui devient sujet grammatical au nominatif.

> Da**s** klein**e** Pferd-**ø** begeistert de**n** junge**n** Reiter-**ø**.
> → De**r** junge Reiter-**ø** wird/ ist von de**m** kleine**n** Pferd-**ø** begeistert.
> *Le jeune cavalier est enthousiasmé par le petit cheval.*

2 Définition du groupe syntaxique

L'expression **groupe syntaxique** désigne un ensemble d'éléments significatifs qui sont en relation avec une unité lexicale appelée **base**.

– Schweine (*des cochons*) est un groupe nominal ; la base est Schwein-, la marque de catégorie est **-e** ;

– da**-s** klein**-e** Pferd**-ø** (*le petit cheval*) est un groupe nominal ; la base est Pferd-, les marques de catégorie sont **-s -e -ø**, le membre est klein ;

- stolz auf ihn (*fier de lui*) est un groupe adjectival; la base est stolz qui n'a pas de marques de catégorie, le membre est le groupe prépositionnel auf ihn;
- zu meinem Onkel (*chez mon oncle*) est un groupe prépositionnel; la base est zu qui n'a pas de marque de catégorie, le membre est le groupe nominal meinem Onkel;
- mit mir heimgehen (*rentrer à la maison avec moi*) est un groupe infinitif; sa base est heimgeh-, **-en** est la marque de catégorie, le membre est le groupe prépositionnel mit mir;
- ohne lange zu warten (*sans attendre longtemps*) est un groupe prépositionnel; sa base est ohne, le membre est le groupe infinitif lange zu warten;
- dass er schon lange da ist (*qu'il est là depuis longtemps*) est un groupe conjonctionnel; sa base est dass, le membre est le groupe verbal er schon lange da ist.

REMARQUE

Comme le montrent les exemples ci-dessus, **le terme « groupe » ne signifie pas qu'il est constitué obligatoirement de plusieurs mots écrits,** bien que les groupes concrets que l'on rencontre dans la syntaxe allemande comprennent le plus souvent plusieurs mots. Schweine (*des cochons*) est un **groupe nominal**, car il est constitué de la base lexicale Schwein- et de la marque de catégorie -e.

LA CONSTITUTION DU GROUPE SYNTAXIQUE

3 La base lexicale

Tout groupe syntaxique a obligatoirement une **base** qui est constituée à son tour d'au moins un **lexème** simple ou complexe.

Par exemple, le groupe nominal die große Tür (*la grande porte*) a une base simple (Tür), et le groupe nominal die kleine Zimmertür (*la petite porte de la chambre*) a une base complexe (Zimmertür).

C'est la classe de mot traditionnelle à laquelle appartient la base du groupe qui donne son nom à l'ensemble du groupe.

4 Les huit groupes syntaxiques

Ils sont dénommés d'après les termes traditionnels des classes de mots:

- le **groupe verbal**;

  L'énoncé déclaratif Am 20. März haben wir eine schöne Reise gemacht. (*Le 20 mars, nous avons fait un beau voyage.*) est

constitué du groupe verbal : Am 20. März wir//eine schöne Reise gemacht haben.
– le **groupe nominal** ;
   die große Tür unseres Hauses, *la grande porte de notre maison*
– le **groupe adjectival** ;
   sehr klein, *très petit*
– le **groupe infinitif** ;
   den Wagen in die Garage stellen, *mettre la voiture au garage*
– le **groupe participe** ;
   schon lange geplant, *projeté depuis longtemps*
– le **groupe prépositionnel** ;
   in meinem Dorf, *dans mon village* ; seit langem, *depuis longtemps* ; um mitzukommen, *pour nous accompagner*
– le **groupe conjonctionnel** ;
   weil er angekommen ist, *parce qu'il est arrivé*
– le **groupe adverbial**.
   morgen Abend, *demain soir* ; recht bald, *très bientôt*

5 Les groupes syntaxiques avec ou sans marques de catégorie grammaticale

Certains groupes syntaxiques ont obligatoirement des **marques de catégorie grammaticale**, alors que d'autres ont une base invariable, c'est-à-dire ni conjuguée, ni déclinée.

Le **groupe verbal** a une base lexicale qui porte toujours les **marques de catégorie** du mode, du temps, de la personne, du nombre, de la voix et de l'aspect-phase.

Dans Sie sind spät angekommen. (*Ils sont arrivés tard.*), la base lexicale est ankomm- ; les marques de l'indicatif présent 3e personne du pluriel actif accompli sont portées par la forme verbale composée angekommen sind.

Le **groupe nominal** est constitué d'une **partie variable** (séquence significative) qui comprend les marques de catégorie du genre, du nombre et du cas d'une part, de la définitude d'autre part.

Dans die große Tür unseres Hauses (*la grande porte de notre maison*), la base est Tür, les marques de catégorie sont d'une part la séquence -ie -e -ø et d'autre part le d- de l'article défini.

▶ Le **groupe infinitif** a la marque de l'infinitif -(e)n.

> nach Hause kommen, rentrer à la maison
> (→ 374-375)

▶ Les **groupes participaux** ont les marques du participe 1 -(e)nd ou du participe II (ge)...(e)t/en.

> das Buch zusammenfass-end, résumant le livre;
> kurz gesagt, dit en peu de mots;
> schön gelegen, joliment situé
> (→ 390-394)

▶ Le **groupe adjectival** n'a de marques de catégorie qu'**occasionnellement**, car il ne participe au marquage que du groupe nominal quand il est membre placé à gauche de la base: die sehr kleine Tür, la porte très petite.

▶ Les trois autres groupes – **prépositionnel**, **conjonctionnel** et **adverbial** – ont des bases **invariables**, c'est-à-dire ni déclinables, ni conjugables.

6 Le classement des groupes syntaxiques

On peut donc classer les groupes syntaxiques selon la **variabilité de leur base**. Ce critère des marques de catégorie permet de distinguer trois types parmi les huit groupes syntaxiques :

– les groupes dont la base est **toujours** munie **explicitement ou implicitement de marques de catégorie**. Ce sont les groupes verbal, nominal, infinitif et participe ;

– le groupe adjectival dont la base est munie **occasionnellement de marques de catégorie** ;

– les groupes dont la base est **toujours un lexème invariable** : ce sont les groupes adverbial, prépositionnel et conjonctionnel.

REMARQUE

Dans la définition des groupes syntaxiques, les points de vue sémantique et fonctionnel ne sont pas premiers. Dans le groupe verbal wir sind gesund, la base syntaxique munie des marques de catégorie est sind ; elle n'est évidemment pas le noyau le plus important du point de vue du sens. Dans le groupe conjonctionnel dass er kommt, la base syntaxique du groupe est dass, mais dass n'est sûrement pas le noyau sémantique le plus important, puisqu'il n'a pas de sens informatif (de désignation/référence dans le monde).

7 Les membres du groupe syntaxique

▶ En plus de la base obligatoire et des marques de catégorie éventuellement obligatoires, le groupe syntaxique peut avoir des satellites ou **membres**. Ceux-ci ont **toujours la forme d'un des huit groupes syntaxiques**.

Ainsi:

– les groupes sujet et objet, qui sont membres du groupe verbal suivant, sont des groupes **nominaux**.

>**Das kleine Pferd** begeistert **den jungen Reiter**.
>*Le petit cheval enthousiasme le jeune cavalier.*

– le groupe complément de manière dans le groupe infinitif qui suit est un groupe **prépositionnel**.

>**mit Vorsicht** fahren, *conduire avec prudence*

– le groupe relatif, qui est membre dans le groupe nominal suivant, est un groupe **verbal**.

>Der Mann, **der aus der Kälte kam**.
>*L'homme qui venait du froid.*

▶ La forme du groupe membre peut être imposée par la définition même du groupe d'accueil. Ainsi, un groupe conjonctionnel aura toujours comme membre obligatoire un groupe verbal (weil **er übermorgen ankommt**, *parce qu'il arrive après-demain*), alors que le groupe prépositionnel n'aura jamais comme membre un groupe verbal: von der Stadt, *de la ville* (membre: groupe nominal), von klein auf, *depuis tout petit* (membre: groupe adjectival).

8 Description du groupe syntaxique

Pour décrire tous les groupes syntaxiques, trois termes techniques suffisent:

– la **base**, toujours constituée au moins d'un lexème simple ou complexe;
– les **marques de catégorie**, constituants obligatoires des groupes qui ont des catégories;
– les **membres**, éventuellement obligatoires ou le plus souvent facultatifs et dépendant de facteurs syntaxiques, sémantiques et communicatifs.

Dans l'énoncé déclaratif Peter kommt morgen. (*Pierre viendra demain.*), on a un groupe verbal qui s'analyse comme suit:

– la base: komm-;
– les marques de catégorie explicites: absence du -e- du subjonctif, absence de l'alternance o/a que l'on aurait au prétérit, présence du -t qui marque la 3e personne du singulier, absence des formes composées que l'on aurait aux formes du parfait et du passif;
– les membres: le groupe nominal sujet Peter et l'adverbe complément de temps morgen.

LES GROUPES AVEC MARQUES DE CATÉGORIE

Le groupe verbal

9 Définition du groupe verbal

Le groupe verbal correspond à ce que les grammaires usuelles appellent « proposition grammaticale ». Il s'agit du groupe syntaxique qui constitue la phrase verbale avec tous ses satellites ou membres grammaticaux, y compris le sujet.

▷ Le groupe verbal comprend toujours une **forme conjuguée du verbe**. Dans l'ordre de base régressif dans lequel le déterminant précède le déterminé, cette forme conjuguée est en position finale : Peter eine Französin geheiratet **hat**.

▷ Cette structure avec le **complexe verbal** en position finale est la plus neutre du point de vue communicatif. Quand – en contexte et en situation – le groupe verbal constitue un énoncé, la forme variable du verbe occupe les première, deuxième ou dernière positions (→ 188-217).

> Peter **hat** eine Französin geheiratet.
> *Pierre a épousé une Française.*
> → **Hat** Peter eine Französin geheiratet?
> → Ob Peter eine Französin geheiratet **hat**?

10 Complexe verbal = base lexicale + marque des six catégories

▷ Le groupe verbal a toujours une base qui est le **verbe principal simple ou complexe**. Il porte également les marques des **six catégories grammaticales** appelées :

- **temps** (présent, prétérit, parfait...) ;
- **mode** (indicatif, subjonctif I et II) ;
- **aspect** ou **phase** (non-accompli ou accompli, avec éventuellement le prospectif) ;

> Er schafft es. Er wird es schaffen.
> *Il réussit. Il réussira.*
> Er hat es geschafft. Er wird es geschafft haben.
> *Il a réussi. Il aura réussi.*

- **personne** et **nombre**, qui sont deux catégories marquées ensemble ;
- **voix** (active, passive, pronominale).

Les marques de ces catégories sont réparties sur les diverses formes de la **conjugaison verbale**. Elles sont accrochées à l'ensemble des formes simples et/ou complexes que peut prendre le lexème verbal avec ses auxiliaires éventuels.

> Peter ruft/ rief/ hat gerufen/ wird rufen/ ist gerufen worden.
> *Pierre appelle/ appela/ a appelé/ appellera/ a été appelé.*

11 Membres obligatoires et/ou facultatifs du groupe verbal

Outre la base (verbe principal) et les marques de catégorie, le groupe verbal a habituellement des **membres** (en fonction de sujet, d'objet ou d'attribut, de circonstanciel, etc.) qui ont toujours la forme d'un des huit groupes syntaxiques. Parmi ces membres, on distingue :

– les membres **obligatoires** du point de vue syntaxique ;
  par exemple, le groupe nominal à l'accusatif dans Es gibt **viele arme Leute**. (*Il y a beaucoup de pauvres gens.*) est obligatoire, car Es gibt ne peut pas s'employer sans objet.

– les membres **facultatifs**.
  Par exemple, le groupe nominal objet à l'accusatif dans Er trinkt **Mineralwasser**. (*Il boit de l'eau minérale.*) est facultatif, car Er trinkt peut s'employer sans objet.

En principe, le nombre de ces membres n'est pas limité, mais les exigences de clarté et de compréhension font que, dans l'acte de communication, on ne peut pas accumuler les informations à l'infini.

Es	gib-	-t	viele arme Leute	in dieser Stadt.
membre sujet obligatoire	lexème-base	marque de catégories	membre objet obligatoire	membre complément facultatif

Il y a beaucoup de pauvres gens dans cette ville.

12 Différents groupes verbaux

On distingue encore :

– les **groupes verbaux relatifs** (les relatives) qui ont la forme variable du verbe en dernière position et un pronom anaphorique (de reprise) en première position ou dans le premier groupe membre ;

> die Leute, **die da waren**,
> *les gens qui étaient là*
> die Leute, **deren Kinder singen sollten**,
> *les personnes dont les enfants devaient chanter*
> die Leute, **von denen gesprochen wird**,
> *les personnes dont il est question*

– les **groupes verbaux** qui s'ouvrent sur un pronom non-anaphorique en w- ou d-;

> **Wer** zuletzt lacht, lacht am besten.
> Rira bien qui(conque) rira le dernier.
> **Die** Glück haben, riskieren nichts.
> Ceux qui ont de la chance ne risquent rien.

– les autres groupes verbaux membres d'un groupe d'accueil (dits **groupes verbaux dépendants**). Ils peuvent avoir la forme variable du verbe en première, deuxième ou dernière position.

> Und er sagte: « **Komm doch!** »
> Et il dit: « Viens donc! »
> Er sagte, **er sei schnell hingefahren**.
> Il dit qu'il s'y était rendu promptement.
> **Wäre sie gekommen**, so hätten wir ihren Geburtstag gefeiert.
> Si elle était venue, nous aurions fêté son anniversaire.

Une alternative de construction du dernier exemple serait Wenn **sie gekommen wäre**... Le groupe verbal serait membre d'un groupe conjonctionnel à base wenn.

Le groupe nominal

13 Base du groupe nominal

Le groupe nominal a comme base un nom ou une **nominalisation** simple ou complexe (→ 218).

> das **Obst**, les fruits; frisches **Obst**, des fruits frais;
> dieses frische **Obst**, ces fruits frais;
> frisches **Obst** vom Markt, des fruits frais du marché;
> das **Obst**, das aus Spanien importiert wird,
> les fruits qui sont importés d'Espagne;
> Wir essen **Obst**. Nous mangeons des fruits.

14 Quatre catégories du groupe nominal

Le groupe nominal a obligatoirement les marques de **quatre catégories**, réparties sur la séquence significative déterminant + épithète(s) + nom (→ 319-334). On distingue:

– les marques amalgamées du **genre** (masculin, neutre, féminin), du **nombre** (singulier, pluriel) et du **cas** (nominatif, accusatif, datif, génitif);

– au début du groupe, les marques (articles ou autres déterminants) renseignant sur la **définitude** (défini ou indéfini, déterminé ou indéterminé, identifié ou non-identifié).

d-**as**   frisch-**e**   Obst-**ø**   vom Markt
défini   groupe adjectif membre   lexème-base   groupe prépositionnel membre
les fruits frais du marché

15 Membres du groupe nominal

Le groupe nominal peut avoir des membres qui, selon leur nature et leur fonction, apparaissent:

– **à gauche de la base:** groupe nominal au génitif préposé, groupe adjectival ou groupe participe en fonction d'épithète, comme frisch- dans l'exemple précédent (→ 335-338, 341-342);

– **à droite de la base:** groupe nominal juxtaposé ou au génitif (die Stadt **Berlin**/ das Haus **meines** Freundes, *la ville de Berlin/ la maison de mon ami*), groupe prépositionnel, groupe infinitif, groupe conjonctionnel, groupe verbal relatif, comme le groupe prépositionnel vom Markt dans l'exemple précédent (→ 335-338, 341-342).

Le groupe infinitif

16 Base du groupe infinitif

Le groupe infinitif a comme base un **complexe verbal à l'infinitif**. La marque -(e)n est raccrochée soit au verbe principal, soit à l'auxiliaire. Elle porte sur l'ensemble du groupe infinitif, c'est-à-dire sur la base avec ses membres éventuels.

Sie will **in vierzehn Tagen wieder gesund sein**.
Elle tient à être rétablie dans quinze jours.
Was will sie? *Que veut-elle?*

Le groupe infinitif in vierzehn Tagen wieder gesund sein est objet dans le groupe verbal qui a comme base will.

Beide haben beschlossen, **die Sache noch einmal zu versuchen**.
Les deux ont décidé de faire une seconde tentative.

Le groupe infinitif die Sache noch einmal zu versuchen est objet dans le groupe verbal qui a comme base beschließ(en).

Um **es kurz zu fassen**: **So etwas** kann ich nicht **tun**.
Pour le dire brièvement: je ne peux pas faire une chose pareille.

Le premier groupe infinitif es kurz zu fassen est membre du groupe prépositionnel dont la base est **um** ; le deuxième groupe infinitif so etwas tun est objet dans le groupe verbal dont la base est (nicht) kann.

17 Catégories du groupe infinitif

Alors que le groupe verbal a six catégories grammaticales, le groupe infinitif n'en a, en général, que deux :

– **l'aspect** non-accompli ou accompli ;

    nein sagen, *dire non*   nein gesagt haben, *avoir dit non*

– **la voix** (active ou passive).

    Sie kann **das Haus verkaufen.**   Das Haus kann **verkauft werden.**
    Elle peut vendre la maison.   *La maison peut être vendue.*

18 Fonctions du groupe infinitif

Le groupe infinitif assure souvent les mêmes fonctions grammaticales que le groupe nominal.

    Er wollte nur nicht **nein sagen.**
    Il ne voulait surtout pas dire non.

Le groupe infinitif est **objet** dans le groupe verbal dont la base est woll(te).

    Es ist verboten, **den Rasen zu betreten.**
    Il est interdit de marcher sur la pelouse.

Le groupe infinitif est **sujet** dans le groupe verbal dont la base est verboten ist.

Le groupe participe

19 Le participe I (présent)

Éventuellement accompagné de membres, il a la marque -end.

Du point de vue des catégories grammaticales, il a une valeur **active** et **non-accomplie**.

    das **uns umgebende** Leben,
    la vie environnante/ qui nous entoure
    Er saß **Pfeife rauchend** im Sessel.
    Il était assis dans le fauteuil à fumer sa pipe/ fumant sa pipe.

20 Le participe II (passé)

Éventuellement accompagné de membres, il a la marque (ge)...(e)t/en.

▶ Du point de vue de la catégorie de la voix, sa valeur est **active**, **passive** ou **pronominale**.

> der ins Wasser gesprungene Hund = der Hund, der ins Wasser gesprungen ist (voix active), *le chien qui a sauté à l'eau*
>
> der vom Auto gezogene Wohnwagen = der Wohnwagen, der vom Auto gezogen wird (voix passive), *la caravane tirée par la voiture*
>
> die gut informierten Leute = die Leute, die **sich** gut informiert haben, *les gens qui se sont bien informés* (voix pronominale)
> *ou* = die Leute, die gut informiert worden sind,
> *les gens qui ont été bien informés* (voix passive)

▶ Du point de vue de l'aspect, la marque du participe II peut avoir une valeur:

– d'**accompli** (généralement à l'actif et au pronominal);

– de **non-accompli** (par exemple, au passif: der vom Auto gezogene Wohnwagen).

21 Fonctions du groupe participe

Le groupe participe assure souvent les mêmes fonctions grammaticales que le groupe adjectival (→ 398-403).

LES GROUPES AVEC MARQUES DE CATÉGORIE OCCASIONNELLES

22 Base du groupe adjectival

Adjectif ou élément adjectivé, la base du groupe adjectival participe au marquage du groupe nominal quand elle est épithète à gauche de la base nominale.

> der **sehr bekannte** Sänger, *le chanteur très connu*;
> die **damaligen** Zustände, *les conditions à cette époque*

Dans toutes les autres fonctions que le groupe adjectival peut assurer dans un groupe d'accueil, l'adjectif reste invariable.

Statut de la gradation

La gradation (degré 1 : comparatif : (¨)er et le degré 2 superlatif : (¨)st-) (→ 438-446) n'est pas à proprement parler une catégorie grammaticale du groupe adjectival, ni même de l'adjectif. En effet, tous les adjectifs ne sont pas gradables. D'autre part, il existe aussi des adverbes gradables comme bald, gern, oft. Enfin et surtout, la gradation dépend du sens que l'adjectif a dans son contexte.

> die goldene Uhr = die Uhr aus Gold,
> la montre en or (non-gradable)

> das goldene Zeitalter : ein goldeneres Zeitalter,
> l'âge d'or (gradable)

LES GROUPES À BASE SYNTAXIQUE INVARIABLE

Les groupes dont la base syntaxique est indéclinable (et donc sans marque de catégorie) sont les **groupes prépositionnel**, **conjonctionnel** et **adverbial**.

Membre du groupe prépositionnel

Le groupe prépositionnel a toujours comme **membre obligatoire un groupe autre qu'un groupe verbal** :

– un groupe **nominal** ;

> **in** meinem Zimmer, dans ma chambre ;
> meiner Meinung **nach**, à mon avis

– un groupe **adverbial** ;

> **nach** rechts, à droite

– un groupe **adjectival** ;

> **seit** langem, depuis longtemps ;
> **von** klein **auf**, depuis tout petit

– un groupe **infinitif**.

> **ohne** lange zu zögern, sans hésiter longtemps

25 Base et membre obligatoire du groupe conjonctionnel

Le groupe conjonctionnel a pour base une **conjonction dite de subordination** (on dit aussi parfois une subjonction) et son **membre** est **obligatoirement un groupe verbal** (→ 558-580).

> Der Junge weinte, **weil er das Spiel verloren hatte**.
> *Le garçon pleurait, parce qu'il avait perdu la partie.*

26 Base du groupe adverbial

Le groupe adverbial a pour base un lexème invariable autonome qui a une fonction

* **informative**:
– adverbe de temps;

> **morgen früh**, *demain aux aurores*

– adverbe de lieu;

> das Haus **dort oben**, *la maison qui est là-haut*

– adverbe de manière.

> Er spielt **gern**. *Il aime jouer.*

* **communicative** ou **pragmatique** (→ Les particules, 604-638):

> Der ist **ja eben auch nicht so** dumm, wie er aussieht!
> *C'est qu'à l'évidence, il n'est pas si bête que ça!*

27 Groupe réduit à sa base et groupe avec membre

Le groupe adverbial (comme le groupe adjectival) est souvent réduit à sa base (c'est-à-dire employé sans membres), alors que le groupe prépositionnel et le groupe conjonctionnel ont nécessairement au moins un membre, même si parfois une partie de ce membre est élidable.

> weil er zu Hause ist **und (weil er) arbeitet**
> *parce qu'il est à la maison et qu'il travaille*

En comparaison avec les groupes dont la base est toujours munie de marques de catégorie, les groupes prépositionnel, conjonctionnel et adverbial ont donc une base sans marques de catégorie.

L'oral et l'écrit

Besc
her
elle

ALLEMAND

Les numéros renvoient aux paragraphes.

L'accentuation

28 L'allemand, une langue fortement accentuée

En français, l'accentuation est peu marquée. Le francophone accentue habituellement la dernière syllabe prononcée d'un mot, d'un groupe ou d'un énoncé :

> Ce type m'é°nerve. Il m'é°nerve, ce °type !

L'allemand est en revanche une langue fortement accentuée. Chaque mot de plus d'une syllabe a potentiellement un accent qui porte en général sur la **première syllabe**.

REMARQUE

Le signe ' indique que cet accent est **potentiel**, c'est-à-dire considéré hors contexte, sur le mot pris isolément.

> 'Vater, *père* ; 'Großvater, *grand-père* ; 'Urgroßvater, *arrière-grand-père*

Quand il est réalisé en contexte, cet accent **met en relief une syllabe** par un changement de rythme, accompagné d'une montée ou d'une descente de la mélodie et souvent (mais pas toujours) par un renforcement du volume sonore.

Le signe ° devant une syllabe indique que l'accent est réalisé en contexte.

> der °Vater, *le père* ; der °Großvater, *le grand-père* ; der °Urgroßvater, *l'arrière-grand-père*

29 Trois types d'accent

C'est en fonction de leur portée, et non par les moyens de réalisation (changement de hauteur, de rythme, de volume sonore) que l'on distingue trois accents :

l'accent de **mot,** c'est-à-dire d'unité lexicale ;

> 'Vater, *père* ; 'Schule, *école* ; Gym'nasium, *lycée*

l'accent de **groupe syntaxique** ;

> das Haus des °Vaters, *la maison du père*   ganz °gut, *très bien*
> groupe nominal   groupe adjectival
>
> zur °Schule gehen, *aller à l'école*   kurz ge°sagt, *en bref*
> groupe infinitif   groupe participe II
>
> eine Reise nach °Wien, *un voyage à Vienne*
> groupe prépositionnel

l'accent d'**insistance** ou de **contraste**.

> °Einer für °alle, °alle für °einen. *Un pour tous, tous pour un.*

L'ACCENT DE MOT

30 Accent potentiel du mot,
réalisé comme accent de groupe

L'accent de mot est prévu par la langue, il n'est pas libre. **Potentiel**, il n'est
réalisé en contexte que s'il est accent de groupe syntaxique.

Le mot 'Haus a un accent potentiel de mot.

Dans zu °Haus(e), cet accent est réalisé comme accent d'un groupe **prépositionnel**.

Dans zu °Haus(e) bleiben, il fonctionne comme accent d'un groupe **infinitif**.

Dans das Haus meines °Vaters, l'effet de l'accent du groupe nominal qui est
sur °Vaters réduit l'accent potentiel de Haus à un simple effet rythmique.

REMARQUE

Il faut donc connaître les accents potentiels des unités lexicales, mais aussi et surtout les
accents des groupes syntaxiques. Ces accents sont **démarcatifs**, car ils permettent de délimiter des ensembles de construction ou de sens.

31 Place de l'accent de mot

L'accent des mots allemands porte en général sur la **première syllabe** et, plus
rarement, dans les mots dérivés, sur les **deuxième** ou **troisième syllabes**.

> das °Leben/ er°leben/ über°leben,
> la vie/ vivre un événement/ survivre

Les mots dérivés

32 Définition du mot dérivé

Les mots dérivés sont des **unités lexicales** qui peuvent être décomposées
dans la langue d'aujourd'hui en un radical lexical et, au moins, un préfixe ou
suffixe qui ne fonctionnent pas seul.

> [be + 'nachricht + ig]   en,   informer
> préfixe   radical lexical   suffixe   marque de l'infinitif
>
> [Ver + 'anstalt + ung]   en,   manifestations
> préfixe   radical lexical   suffixe   marque du pluriel nominatif

33 Syllabe accentuable du radical

Dans les mots dérivés allemands, l'accent porte, sauf exceptions, sur la
syllabe accentuable du radical.

L'accent ne porte donc pas sur :
- les **préfixes verbaux** (particules verbales inséparables) be-, emp-, ent-, er-, ge-, ver-, zer- ;

    'gehen, *aller* ; be'gehen, *commettre (un crime)* ;
    ver'gehen, *passer* [temps]

- les **particules verbales mixtes** quand elles sont inséparables durch-, hinter-, über-, um-, unter-, voll-, wi(e)der- ;

    jn hinter'gehen, *rouler qqn* ;
    etw. über'gehen, *sauter (un passage en lisant)* ;
    etw. um'gehen, *contourner qqch.* ; unter'halten, *entretenir* ;
    voll'bringen, -'enden, -'führen, -'strecken, -'ziehen, *accomplir/exécuter*

- les **suffixes allemands** comme -bar, -chen, -e, -el, -en, -er, -ern, -haft, -ig, -isch, -heit, -keit, -lein, -lich, -nis, -sal, -sam, -schaft, -tum, -ung ;

    'fahrbar, *carrossable* ; das °Mädchen, *la fille* ;
    die °Gabel, *la fourchette* ; das °Leben, *la vie* ; 'lebhaft, *vivace* ;
    die °Lebhaftigkeit, *la vivacité* ; die °Freiheit, *la liberté* ;
    'Fräulein, *mademoiselle* ; 'neulich, *récemment* ;
    das °Schicksal, *le destin* ; 'langsam, *lentement* ;
    der °Reichtum, *la richesse* ; die Be°kanntschaft, *la connaissance* ;
    die Be°deutung, *la signification*

- les **terminaisons grammaticales** -e, -em, -en, -er ou -es.

    die [Zer + °stör + ung] **en**, *les destructions*
    préfixe   radical   suffixe   terminaison
         du dérivé   marque du pluriel nominatif

    die Sta°tut**en** d**es** Ver°band**es**, *les statuts de l'association*

34 Mots étrangers

Contrairement au français, les mots **étrangers** gardent en allemand l'accentuation de leur langue d'origine.

⌐ 'Badminton, 'Cocktail, differen'ziell, Ex'zess, 'bravo

▶ Certains suffixes d'origine **latine** ou **romane**, voire **française**, portent toujours l'accent : -'abel, -'age, -'(i)al, -'and, -'ant, -'anz, -'ar, -'är, -'at, -'ei, -'ell, -e'ment, -'esk, -'esse, -'euse, -'(i)ade, -'ibel, -'ie, -'ier [iːr], -'ier [je], -'ier(en), -i'sier(en), -ifi'zier(en), -'ine, -i'on, -'ist, -i'tät, -'tion, -'tiv, -'os/'ös, -u'al, -u'ell, -'ur...

Bla'mage, Par'tei, Kla'vier [iːr], Ban'kier [je], re'gieren, Re'gierung, Universali'tät, Na'tion, na'iv, Na'tur...

▶ **L'addition d'un suffixe** (y compris de plusieurs syllabes comme les suffixes inaccentués -iker, -ikus, -ika) ou d'une terminaison allemande à un mot étranger d'origine latine ou romane ou parfois d'une autre origine entraîne, suivant le mot dérivé, le **déplacement de l'accent** sur la syllabe qui précède ce suffixe ou cette terminaison.

Mu'sik, 'Musiker, musi'kalisch, musique, musicien, musical
Demo'krat, Demokra'tie [t], demo'kratisch,
démocrate, démocratie, démocratique
Eu'ropa, Euro'päer, euro'päisch, Europe, Européen, européen
A'merika, Ameri'kaner, ameri'kanisch, amerikani'sieren,
Amérique, Américain, américain, américaniser
'Luther, 'lutherisch, Luthe'raner, Luther, luthérien, Luthérien

Ce déplacement d'accent se fait parfois **quand on passe du singulier au pluriel**.

Di'rektor, Direk'toren, directeur(s) ;
Pro'fessor, Profe'ssoren, professeur(s) ;
'Doktor, Dok'toren, docteur(s) ; 'Atlas, At'lanten, atlas ;

Les mots composés

35 ## Définition du mot composé

Les mots composés sont des **unités lexicales** qui se décomposent, dans la langue d'aujourd'hui, en au moins deux parties pouvant fonctionner seules.

das °Feuerwerk = (das) 'Feuer + (das) Werk
le feu d'artifice   nom   nom
taubstumm = taub + stumm
sourd-muet   adjectif adjectif

36 ## Place de l'accent dans le mot composé

L'accent d'un mot composé du type **déterminant + déterminé** porte sur le déterminant (avec la possibilité de faire ressortir par le rythme l'accent du déterminé).

die Zuckerdose = 'Zucker + dose
la boîte à sucre/ le sucrier   déterminant déterminé
Stu'dentenzimmer, chambre d'étudiant ;
'Fernsehappa(')rat, appareil de télévision ;
'Krankenhausperso(')nal, personnel d'hôpital ;
Ge'burtstags'feier, fête d'anniversaire ;
'Fahrkostener'stattung, remboursement des frais de déplacement.

Certains mots composés ne portent pas l'accent sur le premier terme. Ils présentent une structure différente de la structure déterminative et l'accent est surtout démarcatif. Il peut s'agir :

– d'une structure **additionnelle** ;

Süd'westen, Sud-Ouest ; schwarz-weiß-'rot, noir-blanc-rouge ;
he'rein, entrez ; vo'ran, en avant ; da'hin, vers là-bas

– d'une structure de **groupe lexicalisé**.

(Das Fest) Aller'heiligen, la Toussaint

Aller'heiligen est un groupe nominal figé au génitif : l'accent est celui du groupe nominal.

Apfel'sine = Apfel aus China, orange

Ce groupe lexicalisé porte l'accent d'un groupe prépositionnel dont aus a disparu.

Einmal'eins, tables de multiplication ; Mutter'gottes, mère de Dieu ;
wo'rauf, sur quoi ; neben'an, à côté/ voisin ; sowie'so, de toute façon

Une accentuation différente permet parfois de marquer une différence de sens.

'Abteilung, segmentation ; Ab'teilung, département
un'möglich, impossible [pas croyable] ; 'unmöglich, impossible [qui ne peut exister]

37 Accent des particules verbales séparables

Les particules verbales séparables (→ 78-79) comme ab-, an-, auf-, aus-, bei-, ein-, nach-, wieder-, zu- ont un accent, même quand elles ne sont pas séparées du radical verbal.

'anfangen, commencer ; Er fängt früh °an. Il commence tôt.
'einfahren, entrer ; die °Einfahrt, l'entrée (pour les véhicules)

Les particules mixtes (→ 91-93) durch-, über-, um-, unter-, voll- portent l'accent quand elles sont **séparables**.

'durchschneiden, couper en deux ; der °Durchschnitt, la moyenne
'überlaufen, déborder ; 'umwerfen, renverser
'untergehen, se coucher (soleil) ; 'volltanken, faire le plein (d'essence)

Si la particule verbale séparable est elle-même constituée de plusieurs termes, son accent de démarcation porte sur le **dernier terme**.

hin'ab/ hin'ein/ her'aus/ her'unter
vor'aussagen, prédire mais im °Voraus, par avance
vor'an/ vor'bei/ da'ran/ da'rauf/ zu'vor/ zu'recht/ zu'sammen

L'ACCENT DE GROUPE

→ Liste des dénominations des groupes syntaxiques: 1-27

Le groupe verbal

38 Accent principal du prédicat verbal

Le groupe verbal est un groupe syntaxique dont **la base est un verbe**. Nous l'entendons ici au sens de proposition grammaticale, sujet grammatical compris (→ Définition, 9).

Le groupe verbal porte toujours au moins un accent qui est, sauf intention particulière, l'**accent principal du prédicat verbal**, également appelé **rhème** (opposé au thème, → 190). Dans les exemples suivants, la limite entre thème et rhème est figurée par // et le rhème se trouve à droite.

La structure sémantique du prédicat est **régressive**, c'est-à-dire qu'elle se lit de droite à gauche à l'inverse de la structure progressive du français: einen °Wagen kauf(en), *acheter une voi°ture*. On retrouve cette structure régressive par exemple dans le nom composé allemand (où le déterminant précède le déterminé). En traduction française, c'est l'inverse (→191): die °Gartentür, *la porte du jar°din*.

Soit l'exemple:

> Wir hatten °damals//einen °Wagen gekauft.
> *Nous avions à l'époque acheté une voiture.*
> ..., weil wir °damals//einen °Wagen gekauft hatten.
> *... parce que nous avions à l'époque acheté une voiture.*

- Dans cet exemple, le groupe verbal a comme base kauf- qui, avec l'auxiliaire hatten, porte les marques de catégorie caractéristiques de la forme du plus-que-parfait. Le **prédicat du groupe verbal** correspond à ce qui reste quand les marques de catégorie sont enlevées. Ici, c'est: einen °Wagen kauf-.

- **L'accent principal du prédicat** verbal porte sur la syllabe accentuée du groupe membre qui, dans la structure régressive, détermine en premier la base verbale. Ici, il porte donc sur le groupe nominal einen °Wagen qui détermine kauf(en).

- Si le prédicat verbal ne comprend pas de membre, l'accent porte sur la base verbale elle-même, c'est-à-dire sur le verbe principal et non sur les auxiliaires.

> Er °schwieg. *Il se taisait.*
> °Schweigen Sie! *Taisez-vous!*
> Sie haben ge°schwiegen. *Ils se sont tus.*

Comment trouver l'accent principal du prédicat verbal?

Après avoir enlevé les marques de catégorie et avoir placé le verbe principal (sous forme d'infinitif) au départ de la structure de détermination régressive (de droite à gauche), on dégage le prédicat verbal:

°Fußball und Com°puterspiele liebte er//°leidenschaftlich.

Il avait une grande passion pour le football et les jeux informatiques.

Le prédicat verbal est leidenschaftlich lieb(en). L'accent du groupe verbal porte sur le premier groupe qui détermine la base verbale lieb(en).

Les exemples suivants permettent d'identifier différents types de prédicats verbaux.

EXEMPLES	PRÉDICATS VERBAUX
°Dann gehen wir//zur °Schule. *Alors nous irons à l'école.*	zur °Schule geh(en)
Er fängt °an. *Il commence.*	°anfang(en)
Er fängt//°heute an. *Il commence aujourd'hui.*	°heute anfang(en)
Er fängt °heute//sehr °früh an. *Il commence aujourd'hui aux aurores.*	sehr °früh anfang(en)
Er fängt °morgen//mit seiner neuen °Arbeit an. *Il commence demain son nouveau travail.*	mit seiner neuen°Arbeit anfang(en)

Accent des autres groupes de type verbal

Pour tous ces groupes, la règle de l'accent de groupe est la même que celle énoncée précédemment (→ 39).

Bitte °aussteigen. *Tout le monde descend.*
groupe infinitif

..., weil er das nicht//a°llein schaffen konnte.
groupe infinitif [prédicat verbal: a°llein schaff(en)]
..., *parce qu'il était incapable de réussir cela tout seul.*

Wir stürzten ihnen °nach,
den °Mann//seinem °Schicksal überlassend.
groupe participial I [prédicat verbal: seinem °Schicksal überlass(en)]
Nous nous précipitâmes à leur suite, abandonnant l'homme à son sort.

Ich weiß, dass er//aus der °Stadt stammt. *Je sais qu'il vient de la ville.*
groupe conjonctionnel

Ich °weiß nicht, wo du//°wohnst. *Je ne sais pas où tu habites.*
groupe verbal interrogatif indirect

die (°)Bank, auf der er//°saß, ... *le banc sur lequel il était assis...*
groupe verbal relatif

Denkst du °nicht, <u>er könnte das//a°llein schaffen</u>?
<small>groupe verbal avec forme variable en deuxième position, membre objet de **denk-**</small>
Ne penses-tu pas qu'il pourrait y arriver tout seul?

Es wäre °schön, <u>könnte er das//a°llein schaffen</u>.
<small>groupe verbal avec forme variable en première position alternative de construction à un groupe conjonctionnel avec **wenn**</small>
Ce serait bien, s'il pouvait y arriver tout seul.

Le groupe nominal

41 Rappel de définition

Le **groupe nominal** est le groupe syntaxique dont la base lexicale est :
– un **nom** ;

> °Apfel, das Wort °Apfel, der rote °Apfel, der Apfel der Er°kenntnis, der (°)Apfel, dem wir unser °Leben verdanken
> pomme, le mot pomme, la pomme rouge, la pomme de la connaissance, la pomme à laquelle nous devons notre vie

– une **nominalisation**.

> das Hin und Her, le va-et-vient

42 L'accent du groupe nominal

Le **groupe nominal** a **au moins un accent**, qui, sauf intention contrastive, est celui du **dernier groupe** qui le constitue.

Ainsi in den guten (°)Händen seiner °Eltern, aux bons soins de ses parents est un groupe prépositionnel dont la base est in, dont le membre est le groupe nominal den guten Händen seiner Eltern, dont la base lexicale est à son tour Händ-.

Ce groupe nominal a, en plus de ses marques de catégorie, deux membres : l'un à gauche (c'est l'adjectif gut-) et l'autre à droite, qui est lui-même un groupe nominal au génitif : seiner Eltern.

Ce groupe nominal complément du nom a un accent qui sert de démarcation à l'ensemble : den guten Händen seiner °Eltern.

À défaut de ces groupes constituants à droite, c'est la base nominale elle-même qui est accentuée.

> Er ist in guten °Händen. Il est en bonnes mains.

Les autres groupes

43 Accent du groupe prépositionnel

Le groupe prépositionnel (→ 491) est normalement **accentué sur le groupe qui en est membre.**

> Er eilte nach °Hause.
> Il se dépêcha de rentrer à la maison.

C'est l'accent du membre nominal Hause qui est l'accent de tout le groupe prépositionnel.

Mais quand le membre est un **pronom**, l'accent du groupe prépositionnel est généralement sur la base prépositionnelle.

> Sie kam °zu uns.
> Elle vint chez nous.

Si l'accent portait sur °uns, il s'agirait d'un accent contrastif: chez °nous, et pas chez d'autres.

44 Accent du groupe adjectival

Le groupe adjectival (→ 423) porte un accent démarcatif sur le **dernier constituant à droite**.

> Der <u>auf seine (°)Kinder sehr °stolze</u> Vater...
> groupe adjectival épithète

> Der °Vater, der <u>auf seine (°)Kinder sehr °stolz</u> war, ...
> groupe adjectival attribut

> Der °Vater, <u>sehr (°)stolz auf seine °Kinder</u>, ...
> groupe adjectival apposé

> Le père (qui était) très fier de ses enfants...

45 Accent du groupe adverbial

Le groupe adverbial qui se caractérise par une base lexicale invariable a l'**accent sur son constituant le plus à droite** ou, à défaut d'un tel constituant, sur la base lexicale.

> sehr °gern, très volontiers
> zu °spät, trop tard
> oben °links, en haut à gauche
> et non °oben, °links (deux groupes)
> morgen °früh, demain matin
> et non °morgen, °früh (deux groupes)

links im °Schlafzimmer
à gauche dans la chambre à coucher
im (°)Schlafzimmer °links
dans la chambre à coucher à gauche

▶ L'accent peut aussi porter sur les différents éléments du groupe de l'adverbe en fonction du mot sur lequel on veut insister. Il devient alors accent d'**insistance**.

im Zimmer neben°an
dans la chambre voisine
et non neben (°)an(,) im °Zimmer
à côté(,) dans la chambre

L'ACCENT D'INSISTANCE OU DE CONTRASTE

46 Place de l'accent d'insistance ou de contraste

Contrairement aux accents d'unités lexicales ou de groupes qui ne sont pas libres, l'**accent d'insistance** ou **de contraste** peut porter sur n'importe quel élément, même si celui-ci est habituellement inaccentué. Cette accentuation permet d'insister sur un élément ou de le mettre en contraste avec d'autres éléments possibles. Elle a donc une fonction distinctive et prime sur les autres accents proches qu'elle réduit souvent à un effet rythmique.

Ins °Tor sollst du schießen!
C'est au but qu'il faut tirer! (et non dans les tribunes)

Il s'agit d'un accent d'**insistance** et de **contraste** qui porte sur l'accent du groupe prépositionnel (dont l'unité nominale Tor porte déjà l'accent).

Aufge°schoben ist nicht aufge°hoben.
Ajourné n'est pas supprimé.

Il s'agit d'un accent d'**insistance** et de **contraste** qui met en relief la différence entre les deux termes alors que les accents des unités lexicales seraient 'aufgeschoben et 'aufgehoben.

°**Er** ist es gewesen.
C'est lui le coupable. (pas un autre: exclusion implicite)

°**Du**, geh ins (°)Kino, wenn du (°)willst, °**ich** bleibe hier.
Toi, va au cinéma, si tu veux, moi, je reste ici.

Der °**eine** geht, der °**andere** kommt.
L'un s'en va, l'autre vient.

°**Alle** reden vom Wetter, °**wir** nicht.
Tous parlent de la météo, pas nous.

Kompo°**niert** ist schon alles, aber ge°**schrieb**en ist noch nichts.

Tout est composé, mais rien n'est écrit.

°Freikarten gibt es hier zu Lande °**keine.**

Des places gratuites, il n'y en a pas ici.

▶ ATTENTION L'article défini marqué par un accent contrastif a la valeur d'un démonstratif.

°**Die** Hose möchte ich (= °**die**se Hose).

C'est ce pantalon que je veux.

L'INTONATION

L'intonation et les modelés accentuels

Les accents de mots et de groupes comme les accents de contraste et d'insistance ont un rôle clé dans le tracé mélodique que l'on appelle **intonation.** Quand ils sont réalisés, ils sont au centre de **modelés accentuels** constitués de deux parties : un changement de tessiture de la voix (montée, descente) et un placement postaccentuel (haut, bas ou moyen). Ces divers modelés accentuels structurent l'information et renseignent, surtout à la fin d'un énoncé, sur l'**attitude de communication** : simple énonciation, déclaration, question, injonction, exclamation. Chaque attitude générale de communication peut être au service de divers actes de paroles.

▶ La voix descend en fin de phrase : c'est une déclaration.

Ich gehe °mit ins °Kino. *Je t'/vous accompagne au cinéma.*

▶ La voix monte en fin de phrase : c'est une question.

Gehst du °mit ins °Kino? *Tu m'/nous accompagnes au cinéma ?*

▶ La voix descend puis remonte pour rester en quelque sorte suspendue : c'est une exclamation, question étonnée ou une demande de confirmation.

W°as? °Du gehst mit ins °Kino?!

Comment ? Tu nous accompagnes au cinéma ?!

L'orthographe et la ponctuation

48 La nouvelle réforme

Le 1er août 1998 est entrée en vigueur une **réforme de l'orthographe** de l'allemand dont les règles remplacent celles de 1901. Après une période de transition, pendant laquelle l'ancienne orthographe était acceptée, elle a été confirmée en 2005 avec quelques aménagements de détail.

Les objectifs de cette réforme étaient de simplifier et de rationaliser les règles en réduisant les cas particuliers. Dans ce chapitre, on ne signalera que les points essentiels de l'orthographe courante qui ont été corrigés et qui ont été revus pour quelques détails en 2006.

49 Les principes de l'orthographe

L'orthographe allemande repose principalement sur la **correspondance entre les sons** (phonèmes) **et les graphèmes** (les lettres ou groupes de lettres de l'écriture). Mais elle est aussi conditionnée, comme l'orthographe française, par d'autres facteurs :

– **l'étymologie**, c'est-à-dire l'origine des unités lexicales, par exemple les mots étrangers et savants ;

– **la grammaire**, par exemple les classes de mots : la base nominale (nom et nominalisation) prend une majuscule et l'adjectif une minuscule ;

– **l'histoire, la logique, l'analogie** : der Runde Tisch (*la table ronde*) s'écrit avec deux majuscules comme un titre complexe ;

– **la visualisation** qui fait, par exemple, ressortir la différence entre das Lied (*le chant*) et das Lid (*la paupière*).

Il existe ainsi huit représentations graphiques du son /k/ :

kalt, Mo**kk**a, E**ck**e, **C**lown, **Ch**arakter, **Q**uarantäne, A**x**t [ks], Ta**g**

Inversement, la lettre **g** peut représenter jusqu'à cinq sons :

/k/ Tag – /g/ gab, Dogge – /ʒ/ Genie – /ç/ wenig (= ich!)
et une partie de /ŋ/ jung.

Le groupe de lettres **sch** peut représenter un son (**schön**, *beau*) ou deux (**Häs-chen**, *petit lapin*).

LA CORRESPONDANCE ENTRE LES SONS
ET LES LETTRES

50 L'alphabet allemand

Il comprend vingt-sept lettres qui existent sous forme de minuscules et de majuscules, sauf le ß (ess-tsett) qui n'existe que comme minuscule (die Straße *mais* DIE STRASSE):

a	A	j (iott)	J	s	S
b	B	k	K	ß (ess-tsett)	
c (tse)	C	l	L	t	T
d	D	m	M	u (ou)	U
e (é:)	E	n	N	v (faou)	V
f	F	o	O	w (vé:)	W
g (gué:)	G	p	P	x	X
h (ha:)	H	q (khou)	Q	y (upsilonn)	Y
i	I	r	R	z (tsett)	Z

À ces vingt-sept lettres, il faut ajouter les trois voyelles infléchies (avec deux points sur la voyelle): ä *(é, ê)* – ö *(eu, œu)* – ü *(u comme dans* butte *ou* but), Ä – Ö – Ü.

Les voyelles longues et brèves

L'environnement graphique fournit très souvent des indications sur la qualité des **voyelles**. Il indique notamment si la voyelle a, ä, e, i, o, ö, u ou ü est brève ou longue.

51 Signaux de voyelles longues à l'écrit

Sont longues en syllabe accentuée:

▶ La voyelle qui, dans la racine lexicale, n'est suivie à l'écrit que d'**une seule consonne**

> der **A**bend, *le soir;* das R**a**d, *la roue/ le vélo;* die **Ä**ra, *l'ère;*
> die Di**ä**t, *le régime alimentaire;* **e**del, *noble;* der W**e**g, *le chemin;*
> der Pla°n**e**t, *la planète;* **o**ben, *en haut;* der **O**fen, *le fourneau;*
> der Ch**o**r, *le chœur;* **ö**de, *désert;* sch**ö**n, *beau;*
> das **U**fer, *le rivage;* der H**u**t, *le chapeau;* die M**u**se, *la muse;*
> die Na°t**u**r, *la nature;* **ü**ben, *exercer;* l**ü**gen, *mentir;*
> das Me°n**ü**, *le menu;* das Mole°k**ü**l, *la molécule*

et la voyelle i dans certains mots étrangers.

> die °Diva, die °Iris, die °Krise,
> das Ven°til, die Mu°sik

▶ La voyelle qui est suivie, dans la même syllabe, d'un h non-prononcé. (La présence du h évite le plus souvent d'avoir une succession de deux voyelles brèves.)

> na**h**en, *approcher*; beja**h**en, *dire oui*; das **Reh**, *le chevreuil*;
> dre**h**en, *tourner*; dro**h**en, *menacer*; der Flo**h**, *la puce*;
> die **Kuh**, *la vache*; die Schu**h**e, *les chaussures*; fä**h**ig, *capable*;
> die Hö**h**e, *la hauteur*; frü**h**, *tôt*

On trouve aussi la lettre h exceptionnellement après une diphtongue considérée dans tous les cas comme longue.

> lei**h**en, *prêter* (≠ Laien, *les amateurs*); die Rei**h**e, *la rangée*;
> verzei**h**en, *pardonner*; wei**h**en, *consacrer* (Wei**h**nachten, *Noël*)

Ce h se trouve encore devant les consonnes l, m, n, r.

> die °Da**h**lie, *le dahlia*; sich bene**h**men, *se comporter*;
> bege**h**ren, *désirer*; ho**h**l, *creux*; der So**h**n, *le fils*;
> das Hu**h**n, *la poule*; die Ä**h**re, *l'épi*; die Hö**h**le, *la caverne*;
> fü**h**len, *sentir*; die Bü**h**ne, *la scène*; fü**h**ren, *conduire quelqu'un*

▶ La voyelle suivie, dans la même syllabe, d'un e non-prononcé, notamment s'il s'agit du graphème ie (pour le -i- **long**)

> das Li**e**d, *le chant*; ri**e**chen, *sentir (odeur)*;
> das Ti**e**r, *l'animal*; si**e**, *elle/ ils*

et dans les suffixes accentués -ie, -ier, -ieren et -ierung.

> die Batte°r**ie**, *la batterie*; die Lotte°r**ie**, *la loterie*;
> die Ma°n**ie**, *la manie*; das Schar°n**ier**, *la charnière*;
> mar'sch**ieren**, *défiler*; pro'b**ieren**, *essayer*;
> re'g**ieren**/ die Re'g**ierung**, *gouverner/ le gouvernement*

▶ ATTENTION Si -ie (ou -ee) doit être suivi d'un -e, -en, -e, -es, -ell, le -e- n'est écrit et prononcé qu'une fois : das Kn**ie**, die Kn**i-e**, *le(s) genou(x)*.

▶ La voyelle redoublée dans de petites séries de mots aa, ee, oo.

> das H**aa**r, *la chevelure*; das P**aa**r, *le couple*;
> die F**ee**, *la fée*; der Schn**ee**, *la neige*;
> die Ar°m**ee**, *l'armée*; das Kli°sch**ee**, *le cliché*;
> das Varie°t**ee**, *les variétés (le spectacle)*
> das B**oo**t, *la barque*; das M**oo**s, *la mousse*; der Z**oo**, *le zoo*

52 Autres emplois des signaux de voyelles longues à l'écrit

Les différents **signaux de voyelle longue** servent souvent à **différencier visuellement** à l'écrit des éléments homophones (c'est-à-dire qui se prononcent de la même façon).

> das L**i**d, *la paupière*; das L**ie**d, *le chant*
> s**i**e, *elle/ ils*; s**ie**h, *vois*
> das Vita°m**i**n, *la vitamine*; die M**i**ne, *la mine/ l'arme*;
> die M**ie**ne, *la mine/ la figure*
> l**ee**ren, *vider*; l**eh**ren, *enseigner*
> die W**aa**ge, *la balance*; der W**a**gen, *la voiture*; w**a**gen *oser*

53 Voyelles longues suivies exceptionnellement de plusieurs consonnes

Il s'agit le plus souvent de :

- mots dans lesquels il y a eu chute d'une lettre (souvent un -e-);

  > der Adler (der Ad**e**l), *l'aigle*; der Jodler (jod**e**ln), *le jodleur*;
  > die Jagd (jag**e**n), *la chasse*; der Lügner (lüg**e**n), *le menteur*;
  > der Redner (red**e**n), *l'orateur*; der Mond (der Mon**a**t), *la lune*;
  > das Obst, *les fruits*; Prost (Pros**i**t), *à votre santé*;
  > übrig bleiben (üb**e**r), *rester après soustraction*

- voyelles longues devant les digrammes ou trigrammes (phonèmes transcrits par des groupes de deux ou trois lettres);

  > -ch- : der Ku**ch**en, *le gâteau*; die Spra**ch**e, *la langue*
  >
  > -sch- : die Du**sch**e, *la douche*; die Ni**sch**e, *la niche*
  >
  > -st-   : die Ge**st**e, *le geste*; hu**st**en, *tousser*;
  >   das Klo**st**er, *le couvent*; der Tro**st**, *la consolation*;
  >   rö**st**en, *griller* mais der Ro**st**, *la grille a un o bref*

- voyelles allongées sous l'effet d'un -r- + consonnes.

  > die Beh**ör**de, *l'autorité*; das Pf**er**d, *le cheval*; der B**ar**t, *la barbe*;
  > das **Er**z, *le minerai*; die Geb**ur**t, *la naissance*; der W**er**t, *la valeur*;
  > die B**ör**se, *la bourse*; der **er**ste, *le premier*; **er**st, *d'abord*

54 Signaux de voyelles brèves à l'écrit

Sont **brèves** (en syllabe accentuée) les voyelles suivies d'une **consonne redoublée**.

> schla**ff**, *flasque* (≠ der Schlaf, *le sommeil*);
> de**nn**, *car* (≠ den *démonstratif ou relatif*);

statt, *au lieu de* (≠ die Stadt, *la ville* ≠ der Staat [longue], *l'État*);
starr, *raide* (≠ der Star, *la vedette/ l'étourneau*);
sollen, *devoir* (≠ die Sohle, *la semelle*);
die Hölle, *l'enfer* (≠ die Höhle, *la caverne*)

55 Environnements particuliers de voyelles brèves

▶ Au lieu de -kk- et de -zz-, on écrit généralement -ck- et -tz-.

die Ecke, *le coin*; sitzen, *être assis*

▶ La voyelle qui précède x [ks], ng [ŋ], pf [p^f] est toujours brève.

mixen, *mixer*; faxen, *faxer*
singen, *chanter*; der Junge, *le garçon*
der Apfel, *la pomme*

▶ Les groupes de lettres ne se redoublent pas. L'orthographe ne fournit donc pas d'indications sur la longueur de la voyelle qui les précède.

waschen (brève), *laver*; die Dusche (longue), *la douche*

▶ Le doublement d'une consonne n'est qu'un signe orthographique: on ne doit pas entendre deux fois la consonne comme cela peut être le cas à la jointure d'un composé ou dérivé.

kämmen, *peigner*; betteln, *mendier*
mais ver//reisen, *partir en voyage*; das Bett//tuch, *le drap de lit*

▶ Le doublement de la consonne ne se fait pas après la voyelle brève de:
– certains mots **anglais** d'une syllabe;

der Bus, der Jet, das Kap, der Slip

– d'autres mots **étrangers**;

das Ho°tel, die °Kamera, das °Limit, der Kre°dit

– de mots **grammaticaux** d'une syllabe.

ab, an, bis, das, in, man, mit, ob, um, was, ich bin, er hat

▶ La consonne n'est pas non plus redoublée après la voyelle brève qui précède des suffixes ne formant qu'une syllabe avec le radical.

der Brand, *l'incendie*; die Gunst, *la faveur*;
das Geschäft, *l'affaire/ le magasin*

▶ En revanche, on redouble la consonne qui suit une voyelle brève dans des suffixes qui, au pluriel, forment une autre syllabe.

die Königin(nen), *la/les reine(s)*;
die Kenntnis(se), *la/les connaissance(s)*;
die Ananas(se), *l'/les ananas*;

En général, quand **deux** ou **plusieurs consonnes** suivent la voyelle dans la racine lexicale, celle-ci est brève.

> die Welt, *le monde* ; die Post, *la poste* ; der Wolf, *le loup* ;
> die Luft, *l'air* ; hübsch, *joli*

Mais attention au **principe étymologique** d'après lequel souvent les **mots d'une même famille** s'écrivent de la même façon, même si la prononciation diffère.

Ainsi sagen (a long : une seule consonne) garde son a long dans sagt, sagst, unsagbar (la ou les consonnes des marques grammaticales et/ou suffixes ne comptent pas). Hoch conserve sa voyelle longue dans der hohe Turm, dans le superlatif höchst et l'argumentatif höchstens.

Il en va de même pour les consonnes : brav [f] et Kind [t], mais brave [v] Kinder [d], König [ç], mais Königin [g].

Le [ɛ] bref est écrit ä et non e, comme dans nett (*gentil*) ou hell (*clair*), quand il existe une forme radicale en a.

> der Band, *le volume* → Bände
> der Überschwang, *l'exubérance* → überschwänglich

Exceptions :

> die Eltern, *les parents* ≠ die Älteren, *les anciens*
> *mais* die Hand, *la main* → behände, *agile, preste* (écrit jusque-là behende)

Il en va de même pour la diphtongue [aʊ] qui s'écrit -äu- et non -eu- quand il existe une forme radicale en -au-.

> die Haut → Häute, *la/les peau(x)* ;
> die Maus → die Mäuse, *la/les souris* ;
> sich schnäuzen, *se moucher* ← die Schnauze, *le museau/ la gueule* ;
> *mais* heute, *aujourd'hui* ; das Heu, *le foin*

Le même principe étymologique intervient dans les cas suivants.

> platzieren de Platz *au lieu de* plazieren
> Rohheit de roh *au lieu de* Roheit
> nummerieren de die Nummer *au lieu de* numerieren
> Karamell de Karamelle *au lieu de* Karamel...

57 Germanisation accrue des mots étrangers

La réforme de l'orthographe prévoit d'intégrer (de germaniser) davantage les **mots étrangers** tout en laissant le plus souvent le choix entre deux formes.

die Dränage *et* Drainage ; die Mayonäse *ou* Mayonnaise ;
das Exposee *et* Exposé ; das Kommunikee *ou* Kommuniqué ;
der Kupon *ou* Koupon ; die Bravur *ou* Bravour ;
der Delfin *ou* Delphin, *le dauphin* ; essenziell *ou* essentiel ;
fantastisch *ou* phantastisch ; die Fassette *ou* Facette

Notons aussi le pluriel : das Baby → die Babys et non die Babies.

Les consonnes

58 Prononciation du -*ch*-

Le francophone qui lit l'allemand doit faire attention à la prononciation de -ch- qui a :
– le son [ç] après -ä-, -i-, -e-, -ü-, -ö-, -äu-/-eu-, -y- ;
– un son guttural [x] (donc très différent du précédent) après -a-, -o-, -u-, -au-.

SON [ç]	SON GUTTURAL [x]
ich, *moi/ je*	ach, *hélas*
das Mädchen, *la fille*	das Loch, *le trou*
das Schätzchen, *le petit trésor*	das Buch, *le livre*
das Mäuschen, *la petite souris*	brauchen, *avoir besoin de*
das Veilchen, *la violette*	lachen, *rire*

59 Autres difficultés pour les francophones

D'autres sons sont difficiles pour les francophones :
– -ng- [ŋ] : der Ju**ng**e, *le garçon* ; die Lä**ng**e, *la longueur* ; si**ng**en, *chanter* ; die Za**ng**e, *la tenaille* ;
– -j- [i] ou [j] : ja, *oui* ; das Objekt, *l'objet* ;
– -z- [ts] : der **Z**ement, *le ciment* ; die **Z**eit, *le temps* ;
– -w- [v] : wann ? *quand ?* ; **w**ir, *nous* ; die **W**onne, *le plaisir* ; die Mö**w**e, *la mouette* ;
– le -h- fortement aspiré au début d'un mot et d'une syllabe aspirée : ich **h**abe, *j'ai* ; das **H**uhn, *la poule* ; **h**inter'her, *après coup* ; ve**h**e'ment, *véhément* ;
– -qu- [kv] : die **Qu**elle, *la source* ; **qu**älen, *torturer* ; die **Qu**alität, *la qualité* ; **qu**asi, *quasi*

60   Durcissement final non-noté par l'orthographe

L'orthographe allemande ne tient pas compte du **durcissement de certaines consonnes occlusives et fricatives** en fin de mot ou de syllabe radicale.

- [b] → [p]: gi**b**, *donne*; das Gra**b**, *la tombe*
- [d] → [t]: das Ba**d**, *le bain*; die Han**d**, *la main*; en**d**lich, *enfin*
- [g] → [k]: der Sie**g**, *la victoire*; der We**g**, *le chemin*; der Flu**g**lotse, *le pilote d'avion*
- [v] → [f]: der Ner**v**, *le nerf*; das Moti**v**, *le motif*,
  mais au pluriel: Ner**v**en/ Moti**v**e [v].
- [z] → [s]: der Prei**s**, *le prix*; lie**s**, *lis*; lo**s**, *allons-y*

Elle ne note pas davantage le durcissement des mêmes consonnes devant une consonne sourde [p], [t], [k], notamment à la jointure d'un radical et d'une terminaison:

> er he**b**t [p] devant [t]: *il soulève*; er le**b**te [p] devant [t]: *il vivait*
> der Wo**d**ka [t] devant [k]: *la vodka*; er sa**g**t [k] devant [t]: *il dit*
> es ta**g**t [k] devant [t]: *il fait jour*; du blä**s**t [s] devant [t]: *tu souffles*
> du lie**s**t [s] devant [t]: *tu lis*; lö**s**bar [s] devant [b]: *soluble*

61   Emploi du ß

L'orthographe réformée a simplifié **l'emploi du ß**, qui, du reste, n'est jamais obligatoire en Suisse. Désormais, la règle est la suivante:

La consonne sourde [s] est écrite ß **après une voyelle longue ou une diphtongue**, sauf quand il s'agit du [s] final durci dont il a été question au paragraphe précédent.

> das Ma**ß**, *la mesure*; die Stra**ß**e, *la rue*;
> der Spie**ß**, *le javelot/ la broche*; gro**ß**, *grand*;
> die Grö**ß**e, *la dimension*; grü**ß**en, *saluer*;
> der Gru**ß**, *le salut*; drau**ß**en, *dehors*; bei**ß**en, *mordre*;
> der Flei**ß**, *le zèle*
> *mais* die Mau**s** [z] durci en [s] final → die Mäu**s**e [z]
> das Hau**s** [z] durci en [s] final → die Häu**s**er [z]

Dans tous les autres cas, et toujours après une voyelle brève, on écrit -ss-.

> der Anla**ss**, *l'occasion*; der Einflu**ss**, *l'influence*;
> das Fa**ss**, *le tonneau*; der Ha**ss**, *la haine*; der Ku**ss**, *le baiser*;
> das Adre**ss**buch, *le carnet d'adresses*; e**ss**bar, *comestible*;
> da**ss**, *que*; du lä**ss**t, *tu laisses*; du mu**ss**t, *tu dois*;
> wi**ss**en/ ihr wi**ss**t/ ich wü**ss**te, *savoir/ vous savez/ je saurais*

▶ Dans beaucoup de cas, cette règle est conforme au principe étymologique, mais elle ne supprime pas toutes les alternances -ss-/-ß- dans la même famille de mot.

> müssen, devoir : ich mu**ss**/ ich mu**ss**te/ gemu**ss**t
>
> *mais* schließen, fermer : schlo**ss**/ geschlo**ss**en/ schließlich ;
> wi**ss**en, savoir : gewu**ss**t/ ich weiß

62 Une suite de trois consonnes identiques

La nouvelle règle du ß a pour conséquence que l'on peut avoir dans un composé ou un dérivé **trois fois de suite la même consonne**.

> der Schlo**sss**ektor, *le secteur du château* ;
> der Schlu**sss**trich, *le trait final*

Cette possibilité d'une suite de trois consonnes identiques devient une règle générale de l'orthographe allemande. Ainsi, on n'écrit pas seulement trois fois la même lettre + consonne (das Pa**ppp**lakat, *l'affiche de carton*), mais aussi trois fois la même lettre devant voyelle.

> der Balle**ttt**änzer, *le danseur de ballet* ; die Bre**nnn**esseln, *les orties* ;
> der Schne**lll**äufer, *le sprinteur* ; die T**eee**rnte, *la récolte de thé, de tisane* ;
> die Stre**sss**ituation, *la situation stressante* ; die Schi**fff**ahrt, *la croisière* ;
> der Schro**ttt**ransport, *le transport de ferraille*

À la jointure de ces noms composés, on peut cependant mettre aussi un trait d'union.

> der Ballett-Tänzer, der Kaffee-Ersatz, der Schrott-Transport,
> die Tee-Ernte

UN OU DEUX MOTS ?

63 Le principe de la soudure et de l'écriture séparée

Dans l'orthographe en général, l'écriture séparée des mots est la norme. La soudure (Zusammenschreibung) doit donc être justifiée et réglementée.

▶ La soudure est obligatoire, quand l'un des constituants n'existe pas comme élément ou mot autonome.

> die Berufung, *la vocation* ;
> du rufst, *tu appelles* ;
> gerufen, *appelé* ;
> wissbegierig, *désireux de savoir*

L'ORAL ET L'ÉCRIT

L'écriture séparée est obligatoire quand l'un des termes a un membre ou une expansion.

> viele Kilometer weit *mais* kilometerweit *à une distance de kilomètres*
> zwei Stunden lang *mais* stundenlang *deux heures/ des heures durant*

ATTENTION Dans l'orthographe réformée, on insiste donc plus sur la différence entre le mot composé (unité lexicale : fernsehen) et le groupe syntaxique constitué d'une base lexicale et de membres séparés (in die Ferne sehen). En revanche, la sémantique intervient moins qu'auparavant : sitzen bleiben peut s'écrire désormais en deux mots, même dans le sens figuré de *redoubler une classe.*

→ Soudure des bases verbales **80-81**, adjectivales 416-418, nominales **234-242**

LA MAJUSCULE

64 La majuscule

Elle se met en début d'énoncé après un point et après deux points pour une citation ou un énoncé.

> Achtung : Für Transportschäden übernehmen wir keine Haftung.
> *Attention ! Nous ne garantissons pas les dommages dus au transport.*

La réforme systématise l'usage de la majuscule. En effet, **toutes les bases nominales** et **nominalisations,** qu'il s'agisse de noms propres ou non, **prennent une majuscule**, également quand elles font partie d'une expression verbale. De même, la plupart des particules et des préverbes d'origine nominale gardent la majuscule.

> Albert Müller ; der Schiefe Turm von Pisa, *la tour penchée de Pise* ;
> ein Haus, *une maison* ; das Vergissmeinnicht, *le myosotis* ;
> ein Abgeordneter, *un député* ; etwas Schönes, *quelque chose de beau* ;
> etwas Anderes, *quelque chose d'autre* ; im Allgemeinen, *en général* ;
> für Alt und Jung, *pour vieux et jeunes* ;
> zum ersten Mal, *pour la première fois* ; des Weiteren, *de plus* ;
> Auto fahren, *faire de la voiture* ; Rad fahren, *faire du vélo* ;
> Maschine schreiben, *écrire à la machine* ;
> Pleite gehen, *faire faillite* ; Dank sagen (*ou* danksagen), *dire merci* ;
> Halt machen (*ou* haltmachen), *arrêter* ;
> Staub saugen (*ou* staubsaugen), *passer l'aspirateur*
> *mais* leidtun, *faire de la peine* ; nottun, *être nécessaire* ;
> eislaufen, *faire du patin à glace*

En revanche, les tournures adverbiales qui répondent à la question wie? peuvent encore s'écrire avec une minuscule.

> Er hat alles aufs **S**chärfste/ aufs **s**chärfste kritisiert.
> *Il a tout critiqué de la manière la plus tranchée.*
> Mir ist angst.
> *J'ai peur.*

LE TRAIT D'UNION ET LA COUPURE EN FIN DE LIGNE

65 Dans les composés avec chiffres et pour éviter les confusions

En plus de ses emplois courants, le trait d'union devient obligatoire dans les composés avec chiffres.

> 2-jährig, *de deux ans*; 14-tägig, *de quatorze jours*

Mais on écrit sans trait d'union dans les abréviations : 100 % ig.

Le trait d'union est facultatif pour les mots qui comprennent une suite de trois consonnes identiques (→ 63).

> das Bett-Tuch, *le drap*

Il peut s'employer pour éviter des confusions.

> das °Musiker/-/°Leben, *la vie de musicien*
> das Mu°sik/-/er°leben, *l'événement musical*

66 La coupure en fin de ligne

La coupure des mots complexes en fin de ligne reste syllabique, la syllabe étant définie en fonction de la prononciation et de la lecture à haute voix (comme Sprechsilbe et non Sprachsilbe). La réforme ne fait qu'unifier ce principe.

S'il n'y a qu'une consonne entre deux voyelles, celle-ci passe à la ligne suivante.

> der La//den, *le magasin*; der Va//ter, *le père*

S'il y a plusieurs consonnes, seule la dernière passe à la ligne suivante.

> die Mut//ter, *la mère*; zeich//nen, *dessiner*; trin//ken, *boire*;
> die Städ//te, *les villes*

Et maintenant aussi : die Kis//te, *la caisse*; der Schus//ter, *le cordonnier*; has//tig, *pressé*.

▶ Toutefois les groupes de lettres ch, sch, ph, rh, sh, th ne se séparent pas (contrairement à st).

der La//**ch**er, *le rieur*; wa//**sch**en, *laver*

▶ Il en est de même désormais pour **-ck-**.

die Bä//**ck**erei, *la boulangerie*; die E//**ck**e, *le coin*

▶ Étant donnée la priorité accordée au principe de la syllabe orale (Sprech-silbe) et non de la syllabe morphologique (Sprachsilbe), on peut couper indifféremment

he//rum et her//um; ei//nan//der et ein//ander; da//rüber et dar//über...

Mais on aura seulement :

der Bass//sänger, Bass/-/Sänger, *le chanteur de basse*
der Schul//bus, Schul/-/Bus, *le bus scolaire*
der Emp//fang, *la réception*...

LA PONCTUATION

67 Virgule non-obligatoire

Les nouvelles règles concernent surtout **la virgule** qui n'est **plus obligatoire** dans les cas suivants :

▶ Dans l'énumération des groupes verbaux, par exemple avec und ou oder.

Der Wind wehte(,) und der Schnee wirbelte.
Le vent soufflait et la neige virevoltait.

▶ Avec les groupes infinitifs compléments et les groupes participes I et II juxta-posés.

Bettina hofft(,) pünktlich anzukommen.
Bettina espère arriver à l'heure.
Durch ihren Erfolg selbstbewusst gemacht(,) entschloss sie sich(,) ihn fallen zu lassen.
Rendue confiante par son succès, elle décida de le laisser tomber.

Le principe selon lequel on sépare les autres groupes de type verbal par un signe de ponctuation reste valable :

Wir sind, um das ganz deutlich zu sagen, verärgert.
Nous sommes, pour le dire très clairement, fâchés.
Karl stellt den Antrag, ohne nachzudenken.
Charles fait sa demande sans réfléchir.

Der Vater, der das nicht wollte, verließ den Verein.
Le père, qui ne voulait pas cela, quitta l'association.
« Werde bald wieder gesund! », rief er ihr zu.
« Guéris bien vite! », lui lança-t-il.

68 Point pour l'ordinal et l'abréviation

Contrairement au français, l'allemand emploie l'ordinal suivi d'un point.

Er war am 16. Juli gekommen. *Il était venu le 16 juillet.*

En revanche, après une abréviation, on n'emploie le point que si celle-ci est destinée à être prononcée en toutes lettres.

u. a. → unter anderem, *entre autres*; Dr. → Doktor, *docteur*
mais Kripo → Kriminalpolizei, *police judiciaire*; Uni → Universität, *université*

Quelques abréviations de mesures prononcées en toutes lettres comme l (Liter), m (Meter), km (Kilometrer), kg (Kilogramm) n'ont pas de point.

Le groupe verbal

Bescherelle

ALLEMAND

Les numéros renvoient aux paragraphes.

Les verbes : formation
et classements

69 Définition du verbe

Le verbe est une **unité lexicale** qui peut fonctionner comme base conjugable d'un groupe verbal. Dans cette base, on distingue ce qui relève du **lexique** (éléments simples ou complexes du dictionnaire), et l'ensemble des **marques de catégorie** (éléments, marques ou indices grammaticaux).

Er **kommt** morgen früh. *Il viendra demain matin.*

La base du groupe verbal kommt est constituée du lexème simple komm- et de la marque de catégorie -t, indice du présent de l'indicatif actif à la 3e personne du singulier. (→ Marques du groupe verbal : **104-127**)

Ici, nous nous limitons à présenter les classes les plus importantes des lexèmes verbaux simples et complexes.

70 Verbes et locutions verbales

Du point de vue de la forme, on distingue :

▶ les bases lexicales qui sont des **verbes simples** ou **complexes** et dont le tableau ci-dessous regroupe des exemples ;

▶ des **locutions verbales** qui sont polylexicales (c'est-à-dire constituées de plusieurs mots), mais qui représentent une unité du point de vue du sens (→ 94).

71 Tableau récapitulatif des divers types de verbes

▶ Le verbe comme base lexicale du groupe verbal peut être écrit en un mot :

SIMPLE	COMPLEXE DÉRIVÉ
mach(-t), geh(-e), geb(-en)	DÉRIVÉ AVEC SUFFIXE ET/OU INFIXE wander(-n), lächl(-e), blätter(-n), protest**ier**(-en), exempli**fizier**(-en)
	DÉRIVÉ AVEC PRÉFIXE **ver**geh(-t), **ent**scheid (-et), **zer**reiß(-t), **er**leb(-t), **be**gib(-t), **er**röt(-et)
	DÉRIVÉ PAR VERBALISATION frühstück(-st), beauftrag(-en), übernacht(-et)

Il peut être écrit suivant l'emploi en un ou plusieurs mots:

> **an**halt(-en): Wir **halten** den Bus **an**. *Nous arrêtons le bus.*
> Wir haben den Bus **ange**halten. *Nous avons arrêté le bus.*

COMPLEXE COMPOSÉ AVEC PARTICULE ACCENTUÉE
VERBE MODIFIÉ
einschlaf(-en): Das Kind schläft nicht sofort ein. *L'enfant ne s'endort pas immédiatement.* sich **heraus**stell(-en): Es hat sich herausgestellt, dass... *Il est apparu que...*
VERBE AMALGAMÉ
anruf(-en): Ruft sofort an! *Appelez tout de suite!*; **statt**find(-en): *avoir lieu*
VERBE COMPOSÉ
kennen lern(-en): Ich habe ihn gestern kennen gelernt. *J'ai fait sa connaissance hier.*

LES VERBES SIMPLES ET LES VERBALISATIONS

`72` ## Les verbes simples

Ils sont constitués d'un **radical sans préfixe ni suffixe lexical**. La marque -(e)n avec laquelle ils sont cités habituellement dans les dictionnaires est celle de l'infinitif ou du groupe infinitif: mach-**en**, *faire*; geb-**en**, *donner*; wander-**n**, *faire des randonnées*.

On classe les verbes simples surtout d'après:
- leur sens: verbes d'action (tun), d'état (sein), de modalité (können);
- les caractéristiques de leur conjugaison: verbes faibles et forts, réguliers et irréguliers, auxiliaires...

Cependant, beaucoup de ces bases verbales peuvent être rapprochées de mots lexicaux de la même famille appartenant à d'autres classes: on peut alors parler de **verbalisations** qui ont toujours une **conjugaison faible**. Ainsi:
- les adjectifs grün (vert) et reif (mûr) sont verbalisés en grün-en (verdir) et reif-en (mûrir);
- les onomatopées knips, tick, miau donnent lieu aux verbes knips-en (photographier), tick-en (faire tic-tac), miau-en (miauler);
- des noms comme Lynch (le premier personnage à avoir été lynché) et Röntgen (l'inventeur des rayons X) ont fourni le radical des bases lynch-en (lyncher) et röntgen (radiographier).

Types de verbalisations

● La plupart des verbalisations sont complexes et présentent en comparaison avec le radical de départ :

– des **modifications sonores** ;

> offen → öffnen,
> ouvert → ouvrir
> Regen → regnen,
> pluie → pleuvoir

– et/ou des **préfixes/suffixes**.

> ruhig → beruhigen,
> tranquille → tranquilliser
> (das) Geleit → begleiten,
> l'escorte → escorter

● Il existe aussi des verbalisations à partir de radicaux complexes :

– des noms **complexes** ;

> 'frühstücken, *prendre son petit déjeuner*
> (→ das Frühstück)
>
> 'langweilen, *ennuyer*
> (→ die Langeweile)
>
> be'antragen, *déposer un dossier/ une demande*
> (→ der Antrag)
>
> be'vollmächtigen, *donner pouvoir à*
> (→ die Vollmacht)
>
> ohrfeigen, *gifler*
> (→ die Ohrfeige)

– des **amalgames syntaxiques**, c'est-à-dire des structures syntaxiques condensées ou réduites.

> über Nacht → übernachten, *passer la nuit*
> (in der) Hand haben → handhaben, *manipuler*
> auftischen → auf den Tisch, *servir (à table)*

● ATTENTION Notons la place de la marque ge- dans les participes II de ces verbalisations complexes : **ge**frühstückt, **ge**handhabt, **ge**ohrfeigt mais auf**ge**tischt...

74 ## Verbes simples dérivés de verbes simples

En allemand, on a des **verbes simples dérivés historiquement d'autres verbes simples** dont ils se distinguent par le sens et la construction, mais que l'apprenant a tendance à confondre. C'est, par exemple, le cas de setzen (verbe faible: *asseoir*) comparé avec sitzen (verbe fort: *être assis*).

Il s'agit, pour l'essentiel, de verbes **causatifs** faibles et transitifs qui amènent (causent/ font faire) l'action/ l'état exprimé par le verbe – le plus souvent fort et intransitif – dont ils sont issus.

X erschreckt Y. *X effraie Y.* X erschrickt (a, o). *X prend peur.*

X löscht das Licht. *X éteint la lumière.*
Das Licht erlischt (o, o). *La lumière s'éteint.*

X führt Y. *X conduit/ guide Y.*
X fährt (u, a) nach Spanien/ mit dem Auto.
X va en Espagne/ conduit la voiture.

senken – sinken (sank, gesunken)
Die Regierung **senkt** die Steuern. *Le gouvernement baisse les impôts.*
Die Sonne **sinkt** am Horizont. *Le soleil sombre/ baisse à l'horizon.*

legen – liegen (lag, gelegen)
X **legt** den Teppich auf den Boden. *X met le tapis au sol.*
Der Teppich **liegt** auf dem Boden. *Le tapis est au sol.*

hängen – hängen (hing, gehangen – anciennement: hangen)
Er hängt das Bild an **die** Wand. *Il suspend le tableau au mur.*
Das Bild hängt an **der** Wand. *Le tableau est au mur.*

setzen – sitzen (saß, gesessen)
Er **setzt** sich auf einen Stuhl. *Il s'asseoit sur une chaise.*
Er **sitzt** auf einem Stuhl. *Il est assis sur une chaise.*

stellen – stehen (stand, gestanden)
Sie **stellt** die Gläser auf den Tisch. *Elle pose les verres sur la table.*
Die Gläser **stehen** auf dem Tisch. *Les verres sont sur la table.*

LES VERBES DÉRIVÉS AVEC SUFFIXE

75 ## Verbes complexes dérivés avec suffixe

Ces bases, verbes et verbalisations, sont complexes parce qu'elles sont constituées des suffixes lexicaux -el-, -ig-, -sch-, -z-, -(is)ier-/-ifizier-, combinés avec un changement sonore ou non, avec un préfixe ou non.

der Tropfen, la goutte → tröp**fel**n, goutter ;

krank, malade → krän**kel**n, être maladif ;

der Herr, le maître → herr**sch**en, régner ;

die Nachricht, la nouvelle → benachrich**tig**en, informer ;

du, tu → duzen, tutoyer ;

das Exempel, l'exemple → exempli**fizier**en, illustrer par un exemple

LES VERBES DÉRIVÉS AVEC UN PRÉFIXE INSÉPARABLE

Les **préfixes inséparables** (dénomination préférable à celle de préverbes inséparables ou de particules verbales inséparables, car il s'agit toujours d'éléments
« fixés devant le verbe ») sont **atones**, c'est-à-dire **non-accentués**.

76 emp-, ge-, voll- hinter-, wider-, wieder-, miss-

Ces préfixes sont relativement **rares** :

- emp- : **emp**fangen, recevoir ; **emp**fehlen, recommander ; **emp**finden, ressentir ;
- ge- : **ge**fallen, plaire ; **ge**hören, appartenir à ; **ge**schehen, se produire ; **ge**win-
  nen, gagner ;
- voll- : **voll**bringen, **voll**enden, **voll**führen, **voll**strecken, **voll**ziehen (Ces cinq
  verbes ont tous le sens d'achever/ exécuter.) ;
- hinter- : les verbes transitifs **hinter**gehen, tromper qqn ; **hinter**lassen, laisser
  derrière soi ;
- wider- (contre/ contraire : hostilité par rapport au complément au datif ou
  inversion du procès) : Das **wider**spricht dem gesunden Menschenver-
  stand. C'est contraire au bon sens. Das alles **wider**legt deine These. Tout
  cela contredit ta thèse.
- wieder- dans le seul verbe **wieder**holen, répéter ;
- miss- (dé-, mé-, mal) : **miss**fallen, déplaire ; **miss**lingen, mal réussir qui
  n'est jamais séparable, même s'il peut être accentué ou être suivi, au
  participe II, d'un -ge- : 'miss**verstehen, mal comprendre, 'miss**ge**staltet,
  malformé, 'miss**ge**launt, mal luné

77 be-, ent-, er-, ver-, zer-

Ces préfixes non-accentués sont bien plus **fréquents**. Leur fonction est de
modifier le radical ou le verbe qui est à la base du dérivé. La modification
peut porter sur le plan syntaxique et/ou du sens.

▶ Le préfixe non-accentué contribue, par exemple, à **verbaliser** (c'est-à-dire à faire passer dans la classe des verbes) un élément d'une autre classe.

> gegen, *contre*
> → be'gegnen (+ datif), *rencontrer qqn*
>
> (der)°Glückwunsch, (les) *félicitations*
> → be'glückwünschen (+ accusatif), *féliciter*
>
> (das) Gift, (le) *poison*
> → ver'giften, *empoisonner* et ent'giften, *désintoxiquer*
>
> frisch, *frais*
> → er'frischen, *rafraîchir*
>
> kleiner, *plus petit*
> → zer'kleinern, *morceler*

▶ Le préfixe **modifie la construction** de la base radicale si celle-ci est un verbe.

> stehen, *être debout* (intransitif)
> → be'stehen [eine Prüfung], *réussir (un examen)*
> → be'stehen in/ aus (+ datif), *consister en/ constituer de*
>
> gehen, *aller, marcher*
> → ver'gehen, be'gehen, ent'gehen, er'gehen, zer'gehen
>   *passer, commettre, échapper, se porter, se dissoudre*

▶ Pour ce qui est du **sens**, le verbe simple de base peut être modifié de deux façons.

• Le préfixe apporte un reste de signification d'un élément ou de plusieurs éléments **historiques** aujourd'hui confondus :

– ent- marque un éloignement (**ent**fernen, *éloigner* ; **ent**kernen, *enlever le noyau*), un surgissement (**ent**flammen, *enflammer*) ou une entrée (**ent**schlafen, *s'endormir*) ;

– er- marque le surgissement ou l'obtention d'un résultat : **er**'blassen, *blêmir* ; **er**'ringen, *conquérir* ;

– ver- marque une mutation, disparition ou erreur : **ver**'gehen, *passer [temps]* ; **ver**'ändern, *changer* ; **ver**'spielen, *perdre au jeu* ; sich **ver**'laufen, *se tromper de route [à pied]* ;

– zer- marque la division, destruction ou dispersion : **zer**'teilen, *diviser* ; **zer**'fallen, *tomber en ruines...*

• Le préfixe n'indique plus que le **stade** (initial, duratif, ponctuel, final, terminatif...) d'un processus général de la réalité ou de l'expérience extralinguistique. On dit que, dans ce cas, il marque l'**aspect** ou l'Aktionsart du procès.

> entschlafen, *s'endormir [souvent au sens de mourir]* ; schlafen, *dormir* ;
> erwachen, *se réveiller* ; ausschlafen, *faire la grasse matinée*

L'exemple montre que, dans l'expression de cette fonction aspectuelle, les préfixes inséparables sont parfois concurrencés par des particules séparables. *Er'wachen* (*s'éveiller*) est plus abstrait que '*aufwachen* (*se réveiller*); *einschlafen* (*s'endormir*: *sommeil*) est plus concret que *entschlafen* (*s'endormir*: *mourir*).

LES VERBES À PARTICULE SÉPARABLE

78 Définition et fonctionnement syntaxique

▶ Ces bases verbales sont constituées de deux parties:
– une particule **accentuée** et **séparable** (appelée aussi **préverbe** séparable);
– le reste du radical.

Ces deux parties peuvent être écrites en un mot (verbe à particule séparable: **auf**stehen, *se lever*; **an**fangen, *commencer*) ou en plusieurs mots (locution verbale: **gefangen** nehmen, *faire prisonnier*; **Maschine** schreiben, *dactylographier*).

▶ Le fonctionnement syntaxique de ces bases verbales à élément séparable est double:

• Les deux parties qui les constituent sont **côte à côte dans un ordre donné** quand le verbe ou la locution verbale est à l'infinitif, aux participes I et II ou bien quand il est base d'un groupe verbal avec forme variable du verbe en position finale.

> **auf**stehen, **auf**zustehen, **auf**stehend, **auf**gestanden, Wenn er früh **auf**steht...

• En revanche, les deux parties sont séparées et leur ordre est inversé dans les groupes verbaux qui ont la forme variable du verbe en deuxième position.

> Er steht/ stand/ stehe/ stünde **auf**.
> Ø Stehe **auf**! Ø Steht er **auf**?

REMARQUE

La dénomination «particule verbale séparable», par exemple pour *auf*, est préférable à celle de préverbe. En effet, quand la forme variable du verbe est en deuxième position, la particule verbale est placée «après» le verbe. Si on retient le terme «préverbe», il faut parler alors de **préverbe postposé**, ce qui est contradictoire.

79 Fonctionnement des verbes à particules séparables et des locutions verbales

Le tableau suivant permet de comparer à l'écrit le fonctionnement des verbes à particules séparables et celui des locutions verbales.

VERBES À PARTICULES SÉPARABLES	LOCUTIONS VERBALES
La base verbale est écrite à l'infinitif en un mot.	La base verbale est écrite à l'infinitif en plusieurs mots.
aufstehen, se lever	**gefangen** nehmen, faire prisonnier
Er sollte früh °**auf**stehen.	Sie sollten ihn **ge°fangen nehmen.**
Il devrait se lever tôt.	Ils devraient l'arrêter.
Er wünscht früh °**aufzustehen.**	Sie wünschen ihn ge°fangen zu nehmen.
Il souhaite se lever tôt.	Ils souhaitent l'arrêter.
Er ist früh °**aufgestanden.**	Er ist **ge°fangen genommen** worden.
Il s'est levé tôt.	Il a été arrêté.
Wenn er früh °**aufsteht**...,	Wenn sie ihn **ge°fangen nehmen**...
S'il se lève tôt...	Quand ils le feront prisonnier/ l'arrêteront...
mais **Steht/ Stand** er früh °**auf?**	*mais* Sie **nehmen/ nahmen** ihn **ge°fangen.**
Se lève-t-il/ leva-t-il tôt?	Ils l'arrêtent/ l'arrêtèrent.

80 Les verbalisations de bases lexicales complexes jamais séparables

Les verbes à particule séparable et les locutions verbales diffèrent des verbalisations de bases complexes qui ne sont pas séparables.

'frühstücken, prendre son petit déjeuner

'maßregeln, prendre des mesures disciplinaires

Weißt du, ob man im Hotel **frühstückt?**

Sais-tu si on prend le petit déjeuner à l'hôtel?

Man **frühstückt** gewöhnlich um 8.

Le petit-déjeuner est habituellement à 8 heures.

Alle wünschten sofort **zu frühstücken.**

Tous souhaitèrent prendre le petit déjeuner sans attendre.

Es wurde immer in der Küche **gefrühstückt.**

On prenait toujours le petit déjeuner dans la cuisine.

81 Problèmes d'orthographe

Parmi les lexèmes verbaux, les règles de l'orthographe réformée revues en 2006 distinguent:

• des composés du type maßregeln (prendre des mesures disciplinaires) et langweilen (ennuyer → die Langeweile: l'ennui).

En réalité, il s'agit de verbalisations à partir de bases nominales complexes (comme frühstücken) ou de complexes verbaux réduits (auf den Berg steigen → bergsteigen) qui ne sont employés souvent qu'à l'infinitif, et/ou aux participes I et II.

LE GROUPE VERBAL

bergsteigen, *faire de l'escalade*; brustschwimmen, *nager la brasse*;
kopfrechnen, *calculer de tête*; notlanden, *faire un atterrissage forcé*;
sonnenbaden, *prendre des bains de soleil...*

Ces verbalisations restent **toujours inséparables**, même quand elles ont ge- au participe II. Elles s'écrivent donc toujours en un mot et dans le même ordre : not**ge**landet (verbalisation d'un complexe [in der Not] landen), **ge**frühstückt (verbalisation d'une base lexicale frühstücken).

• des composés séparables qui s'écrivent **en un mot** à l'infinitif, aux participes et en position finale d'un groupe verbal, mais qui sont **séparables**, c'est-à-dire subdivisibles en plusieurs mots **dans un ordre différent** quand la forme variable du verbe est en deuxième position.

hin'zukommen, *ajouter*; 'fehlgehen, *se fourvoyer*;
be'reithalten, *tenir prêt*; 'wundernehmen, *étonner*

Le critère décisif pour l'orthographe inséparable est que le premier terme n'ait pas en tant que tel d'existence autonome dans la langue (par exemple 'abändern, *changer*; 'kundgeben, *annoncer*). D'autre part, ce premier terme n'est plus apte à recevoir des expansions, c'est-à-dire qu'il ne peut plus constituer la base d'un groupe, comme dans 'fernsehen, *regarder la télévision*; 'schwarzarbeiten, *travailler au noir*; 'gutschreiben, *mettre au crédit de*.

Avec un membre du groupe adjectival, il est incorrect de dire sehr fernsehen, sehr schwarzarbeiten; quant à sehr gut schreiben, l'expression existe, mais elle signifie *très bien écrire*, et non *mettre au crédit de*.

Parmi ces formations inséparables à l'infinitif, on trouve aussi comme constituants quelques **noms figés** qui ne peuvent plus être base de groupe.

heim-: 'heimkehren, *rentrer à la maison*; irre-: 'irreführen, *égarer*
preis-: 'preisgeben, *abandonner*; stand-: 'standhalten, *résister*
teil-: 'teilnehmen, *prendre part*; wett-: 'wettmachen, *compenser qqch.*
wunder-: 'wundernehmen, *étonner*

▶ L'orthographe traditionnelle écrit en un mot, à l'infinitif, de très nombreux composés **séparables**. Elle considère en effet que **ces expressions constituent une unité sémantique** souvent figurée. Malgré des hésitations, l'orthographe réformée considère ces expressions généralement comme des **groupes de mots séparés**.

bei°seite legen, *mettre de côté*;
°überhand nehmen, *prendre le dessus*;
zu°nichte machen, *réduire à néant*;
anein°ander denken, *penser l'un à l'autre*;
ausein°ander laufen, *se séparer*;
°auswendig lernen, *apprendre par cœur*;

°frei sprechen, *improviser (un discours)* ;
kennen lernen, *faire connaissance*

▶ L'orthographe réformée recommande que soient séparées :

– les expressions constituées d'un adjectif en -ig, -isch, -lich et d'une base verbale ;

°üb**rig** bleiben, *rester après soustraction* ; °läs**tig** fallen, *agacer*

– les groupes nom + verbe (°Auto/ °Rad fahren, *faire de la voiture/ du vélo*), participe + verbe (ver°loren gehen, *se perdre*), infinitif + verbe (°kennen lernen, *faire connaissance* ; °sitzen bleiben, *rester assis/ redoubler une classe*).

Les quatre recommandations orthographiques de 2006 qui précèdent ont réduit sensiblement, en allemand, le nombre d'éléments classés parmi les particules séparables accentuées.

LES PRINCIPALES PARTICULES SÉPARABLES

82 Accentuation et fonctions générales des particules séparables

Quand une particule est combinée avec un autre élément, l'accent est sur le second terme : he'rab, he'ran, hi'nauf, hin'unter, vo'raus, vor'bei, zu'vor, um'her...

Du point de vue de leur fonction, les particules accentuées modifient rarement la classe de l'élément radical comme an dans 'an**fertigen** (*confectionner*), qui permet de verbaliser l'adjectif fertig (= bereit). En revanche, leur rôle de **modificateur de construction et/ou de sens** est très important. On ne retient ci-après que les plus importantes avec leurs significations principales concrètes (spatiale, temporelle) ou abstraites (figurée, notionnelle, aspectuelle).

83 *her-* et *hin-*

▶ Ces éléments précisent dans l'espace l'orientation du procès exprimé par le verbe.

- Her- marque la direction vers un point de repère qui coïncide avec la position de l'observateur qui parle ou dont on parle.
- Hin- marque l'orientation (et pas seulement un éloignement) vers un autre repère.

Komm **her**! *Viens ici* ! Geh **hin**! *Vas-y* !
Leg das Paket hier**her**/ hier**hin**! *Pose le paquet ici* !

▶ Combinées avec un deuxième élément, her- et hin- fournissent un **paramètre spatial** que le français traduit le plus souvent, sans préciser le point de vue de l'observateur, par un verbe d'orientation générale: *monter, entrer, sortir...*

Mais l'ensemble peut aussi avoir des sens figurés (par exemple, *her'zu/ hin'zu/ da'zu-kommen* dans le sens de *s'ajouter à*).

hinauf-/ herauf-: *montée* ←→	hinunter-/ herunter-: *descente*
	hinab-/ herab-: *descente*
	herab-: *diminution, abaissement*
hinein-/ herein-: *entrée* ←→	hinaus-/ heraus-: *sortie*
	heraus-/ raus-: *simple origine*
	Sie kam aus dem Wald **heraus**. *Elle sortit de la forêt.*
	Wie kommt man hier **raus**? *Comment peut-on sortir d'ici?*

hinan- (rare)/ heran-: *contact,* et pour heran-: *rapprochement*	hinüber-/ herüber-/ hinweg-: *franchissement d'une limite*
herbei-: *rapprochement*	hindurch-/ herdurch-: *franchissement par l'intérieur*
hinzu-, herzu- ou dazu-: *adjonction, accroissement*	
	hervor-: *apparition, surgissement*
umher-: *parcours sans ordre dans un espace*	herum-: *en cercle, en rond, contournement*

da-

C'est l'élément qui, par excellence, dans un contexte met un contenu «sous les yeux des participants». Il figure dans nombre de particules verbales accentuées.

dasein, -bleiben, -sitzen, -stehen: *être, rester, être assis, être debout là*	d(a)reingeben, -mischen, -reden, -willigen: *y ajouter, mélanger, interrompre [parole], donner son accord [acquiescer]*
dabeisein, -bleiben: *être en train de, en rester là*	darniederliegen: *déposer*
dafürsein, -halten: *être pour, tenir pour*	darumbringen, -legen: *enlever, mettre autour*
dagegenhalten: *opposer/ objecter*	
dahergehen, -kommen, -eilen, -rühren: *s'en aller, «s'en venir», se déplacer en hâte, venir de*	davonbleiben, -kommen, -laufen, -tragen: *ne pas y toucher, ne pas pouvoir se séparer de, s'en aller au pas de course, emporter*
dahingehen, -eilen, -gehören, -sterben: *y aller, s'y rendre à la hâte, être à sa place, «se mourir»*	dawiderhalten: *objecter*
danebenhauen: *taper à côté*	dazugeben, -gehören, -schreiben, -tun: *y joindre, faire partie de, y ajouter*
d(a)rangehen, -bleiben, -kommen: *s'y mettre, ne pas zapper, y arriver*	dazwischenkommen, -rufen, -treten: *intervenir, interpeller, s'interposer*

sich d(a)ranmachen: *se mettre à*

daraufzählen, -halten, -geben, -folgen, -schlagen: *compter sur, tenir à, miser sur, suivre, taper*

darbieten, -bringen, -legen, -stellen, -tun: *présenter, offrir, décrire*

draufgehen: *s'y précipiter*

drauflosgehen, -hauen, -reden: *se précipiter, se lancer, frapper tant qu'on peut, parler sans s'arrêter*

drinbleiben: *rester dedans*

LES AUTRES PARTICULES SIMPLES OU COMBINÉES

Les autres particules simples, parfois combinables, ont des sens multiples qui peuvent aussi s'exprimer par des préfixes inséparables ou des particules séparables concurrentes. Le plus souvent, elles fournissent des **paramètres spatiaux sans point de vue de l'observateur**. Dans un contexte non-spatial, elles ont un **sens figuré** ou **aspectuel** (renvoyant à un stade du procès ou du processus).

85 *zu-* opposé à *bei-*

Zu- est le simple directif et s'oppose au simple locatif bei.

▶ Le directif zu- marque l'orientation vers un repère non-nommé ou fourni au datif ou par un groupe prépositionnel auf (+ accusatif).

> Greifen Sie **zu**! *Allez-y, servez-vous!*
> Sie sieht ihm **zu**. *Elle le regarde faire.*
> Das Kind lief auf die Mutter **zu**. *L'enfant courut vers sa mère.*

▶ ATTENTION Zu- a une valeur métaphorique (figurée):

– dans le sens de la fermeture;

> die Tür **zu**machen, aufmachen, *fermer, ouvrir la porte*

– dans le sens augmentatif.

> **zu**nehmen, abnehmen, *grossir/ augmenter, maigrir/ diminuer*

▶ Bei- exprime la coprésence, l'adjonction et, au figuré, l'assistance par rapport à un repère souvent nommé au datif.

> (Dem Brief) **Bei**liegend, die Fahrkarte!
> *Ci-joint (à la lettre), le billet!*
> Sie sind der Partei **bei**getreten.
> *Ils ont pris la carte du parti.*
> Viele Freunde standen ihr **bei**.
> *Beaucoup d'amis l'assistèrent.*

LE GROUPE VERBAL

an- opposé à *ab-*

Directif avec **contact** du repère, an- s'oppose à ab- (weg-, los-, fort-) pour la séparation plus ou moins brusque et l'éloignement (plus ou moins prolongé : fort-, weiter-) d'un repère.

> **an**kommen, *arriver* ; **ab**fahren, *partir*
> **an**schauen, *regarder* ; **ab**schauen, *copier*
> **weg**fahren/ **los**fahren, *partir*
> **fort**fahren, *partir ou continuer* (**weiter**fahren)

▶ An- est métaphorisé dans le sens du stade initial.

> das Feuer **an**machen, **aus**machen, *allumer, éteindre le feu*

▶ Ab- est figuré dans le sens de la descente, diminution, réduction, disparition.

> **ab**steigen, *descendre* ; **ab**nehmen, *maigrir* ;
> **ab**tragen, *user* ; **ab**schaffen, *supprimer*

auf-

▶ Suivant le contexte spatial, auf-, expression du simple directif, indique aussi :
– la montée ;

> Die Sonne geht **auf**.
> *Le soleil se lève.*

> Der Sturm weht den Sand **auf/ hoch**.
> *La tempête soulève le sable.*

– la descente.

> Die Sonne geht **unter**.
> *Le soleil se couche.*

> Setzen Sie den Hut **auf**!   Nehmen Sie den Hut **ab**.
> *Mettez votre chapeau.*   *Enlevez votre chapeau.*

> **auf**- und **ab**gehen,
> *monter et descendre/ faire les cents pas*

> Er schlägt ihn **nieder**.
> *Il l'abat.*

> Das Löschblatt saugt die Tinte **auf/ ein**.
> *Le buvard aspire l'encre.*

> Hänge deinen Mantel **auf** (den Ständer).
> *Suspends ton manteau.*

> Sie ist mit dem Kopf hart **auf** (den Boden) gefallen.
> *Elle est tombée lourdement./ Sa tête a durement heurté le sol.*

Figuré ou métaphorique, auf- peut marquer :
– l'ouverture (auf- et zu-) ;

>   **auf**machen, *ouvrir* ; **zu**machen, *fermer*

– le début d'un processus ;

>   **auf**blühen, *éclore/ fleurir* ; **auf**regen, *énerver* ; **auf**leuchten, *éclairer*

– le stade terminal d'un procès ;

>   **auf**hören, *arrêter* ; **auf**geben, *abandonner* ;
>   **auf**essen, *manger tout jusqu'au bout*

– d'autres nuances.

>   Er fällt ja immer **auf**!
>   *Il faut toujours qu'il se fasse remarquer !*
>   Er passt ja nie **auf**!
>   *Il ne fait jamais attention !*

88 Les particules de l'espace orienté

Dans un espace orienté, les particules qui suivent sont directives. Elles ont souvent un sens figuré ou métaphorique.

Auf-/ empor- (direction de bas en haut, y compris pour la promotion sociale sich emporarbeiten), opposés à nieder- (direction de haut en bas, y compris pour la régression sociale), unter-/ ab- (descente).

Ein- (entrée, incorporation et début d'un procès) qui s'oppose à aus- est la marque de l'origine, de la sortie, du procès mené jusqu'au bout, voire de la disparition.

>   **ein**treten, *entrer* ; **aus**treten, *sortir*
>   **ein**atmen, *inspirer* ; **aus**atmen, *expirer*

Vor (an/ auf)- exprime l'avant et zurück- l'arrière. Elles sont souvent employées comme métaphores et ont alors le sens de la mise en évidence (présentation publique : **vor**stellen/ **vor**tragen, *présenter* ; **vor**lesen, *lire en public*) ou du retrait, de la diminution (Das Wasser geht **zurück**. *L'eau se retire*).

89 Les particules d'un monde à « deux participants »

Dans un monde qui présuppose au moins deux repères ou deux participants, on retient surtout :

• l'expression de la structure du « devant » par rapport à un « suivant » ;

>   vor : **vor**gehen, *précéder* ; **vor**machen, *montrer*
>   nach : **nach**gehen, *suivre* ; **nach**machen, *imiter*

- la situation du «précédant» par rapport à celui qui est «en tête»;

> vo'raus-: **voraus**schicken, *expédier à l'avance*
> vo'ran-: **voran**gehen, *marcher en tête*

- le «passage devant» («auprès de») marqué par an (+ datif) vorbei-/ vorü-ber- (également dans le domaine temporel) et le «longement» à l'intérieur comme à l'extérieur;

> die Straße (accusatif) **entlang**gehen, *longer/ suivre la rue*;
> am Gebäude **entlang**gehen, *longer l'immeuble*

- la rencontre (ihm **entgegen**kommen, *aller au-devant de lui*), la prévenance (ihm **zuvor**kommen, *prévenir ses désirs*), la prédiction (etwas **vo'raus**sagen, *prédire qqch.*), l'association **zusammen-** et l'accompagnement mit- (**mit**fahren, *accompagner*; **mit** einbeziehen, *inclure*; **mit** einstimmen, *entonner en commun*).

90 La particule verbale séparable en structure résultative

Souvent, les énoncés qui comprennent un verbe à particule séparable expriment une **structure résultative**. La particule indique alors le résultat et le radical verbal le moyen ou la manière par lesquels ce résultat est atteint.

> Er macht die Tür zu.
> *Il ferme la porte.*
> (→ Am Ende ist die Tür zu.)
> Sie fährt den Wagen (in die Garage) hinein.
> *Elle rentre la voiture au garage.*
> (→ Am Ende ist der Wagen in der Garage.)

Dans ce cas, le français opère souvent un chassé-croisé: le résultat passe au premier plan (il est rendu le plus souvent par le verbe) et le moyen passe au second rang.

> Mit Aspirin plus C trinken sie ihre Schmerzen weg.
> *En buvant de l'aspirine qui contient de la vitamine C,*
> *vous supprimez vos douleurs.*
> Er hat alle seine Freunde zusammengetrommelt.
> *Il a rameuté tous ses amis.*
> Der Polizist winkte mich durch.
> *Le policier me fit signe de passer.*
> Er hat sich heiser geschrien.
> *Il s'est enroué à force de crier* (locution: sich heiser schreien).

DURCH-, UM-, ÜBER-, UNTER-:
INSÉPARABLE OU SÉPARABLE?

Ces quatre éléments sont parfois appelés **particules mixtes**. Ils peuvent être soit préfixe inséparable, soit particule séparable.

91 *durch-*

▶ Durch- est **non-accentué et inséparable** quand l'**intérieur du repère** (spatial, temporel, notionnel) est concerné par l'action ou l'état décrit par le verbe.

> Wir **durch**wanderten die Gegend.
> *Nous avons fait des randonnées dans la région.*
> Meine Schuhe sind **durch**löchert.
> *Mes chaussures sont trouées/ pleines de trous.*
> Er hat alle Abteilungen des Betriebs **durch**laufen.
> *Il a parcouru tous les services de l'entreprise.*

▶ Durch- **directif** est **accentué** et **séparable** dès lors qu'est envisagé le **franchissement** d'**une** ou **des limites** du **repère** ou un **procès mené jusqu'au bout**.

> Wir sind bis nach Rom **durch**gefahren.
> *Nous sommes allés à Rome sans nous arrêter.*
> Sie haben Tag und Nacht **durch**gearbeitet.
> *Ils ont travaillé sans arrêt jour et nuit.*
> Ich komme nicht **durch**.
> *Je n'arrive pas à passer (au téléphone, à l'examen, devant un obstacle).*
> Er wird sich schon **durch** (das Leben) (durch)schlagen.
> *Il finira par se débrouiller/ par survivre.*

92 *um-*

▶ Um- est le plus souvent **séparable**. En tant que membre **accentué** déterminant le verbe, il peut être :

– une réduction d'un groupe prépositionnel ;

> Er ist **um**(s) (Leben) gekommen.
> *Il s'est tué accidentellement.*

– un membre adverbial à valeur directionnelle souvent centrifuge (vers un/ tout côté) ;

> Er sah sich **um**. *Il regarda autour de lui.*
> Wir wurden **um**geleitet. *Nous fûmes déviés.*
> Wirf mich nicht **um**! *Ne me fais pas tomber!*

– un membre adverbial aspectuel marquant une transformation (anders).

>   Das musst du **um**bauen.
>   *Il faudra transformer/ changer le bâtiment.*
>   Das A wird **um**gelautet.
>   *Le A est infléchi.*

▶ **Um-** **non-accentué** et **inséparable** est le préfixe de verbes **transitifs** présentant l'idée d'**entourer**, de **cerner** ou de **contourner**.

>   **Um**schriebener Schmerz ist halb überwunden.
>   *Une douleur circonscrite est à demi vaincue.*
>   Er umging die Frage.
>   *Il éluda la question.*

<h3>93 *über- et unter-*</h3>

▶ Über- et unter- sont le plus souvent **non-accentués** et **inséparables** avec divers sens non-spatiaux (figurés, métaphoriques).

>   **über**treiben, *exagérer*; **über**fordern, *trop exiger*;
>   **über**setzen, *traduire*; **über**holen, *dépasser*;
>   **über**zeugen, *convaincre*; **unter**lassen, *ne pas poursuivre/ omettre*;
>   **unter**nehmen, *entreprendre*; **unter**halten, *entretenir*;
>   **unter**streichen, *souligner*

▶ Membres accentués, über et unter sont **séparables** quand il s'agit de:
– groupes prépositionnels réduits;

>   '**unter** (Dach) stellen, *mettre à l'abri*;
>   '**über** (den Rand) fließen, *déborder*

– membres adverbiaux directifs en contexte spatial;

>   Die Sonne geht (am Horizont) **unter**. *Le soleil se couche (à l'horizon).*
>   Lauf (zu den Nachbarn) hin**über**. *Cours chez les voisins.*
>   Er kippt **über**. *Il tombe en avant.*

– membres adverbiaux aspectuels.

>   auf ein anderes Thema °**über**gehen, *passer à un autre sujet*;
>   '**unter**ordnen, *subordonner*

▶ ATTENTION Comme miss-, über- et unter- peuvent être accentués devant un autre préfixe atone sans pour autant être séparables. Cela concerne surtout les participes II.

>   '**über**ernährt, *suralimenté*; '**unter**ernährt, *sous-alimenté*
>   '**über**besteuert, *surimposé*; '**unter**beschäftigt, *sous-employé*

LES LOCUTIONS VERBALES

94 Définitions et classification

Les énoncés verbaux ont souvent comme **noyau sémantique une locution verbale**, c'est-à-dire une structure polylexicale (en plusieurs mots lexicaux). Celle-ci est formée d'une **base verbale** simple ou complexe et d'au moins **un autre groupe membre**. Ces locutions écrites en plusieurs mots peuvent être plus ou moins figées et s'opposent ainsi aux unions de discours. On peut distinguer plusieurs types de locutions verbales.

▶ Les expressions dont le verbe a un sens réduit et combiné à un **membre nominal** ou à un **groupe prépositionnel** plus ou moins figé dans sa forme. Ces locutions sont fréquentes dans les langues de spécialité. C'est l'élément nominal, souvent un dérivé de verbe, qui apporte le sens principal à l'ensemble de la locution. Celle-ci, dans son ensemble, pallie l'inexistence d'un verbe ou précise, par rapport au verbe existant, une perspective proche de la voix ou de l'aspect.

Ainsi sich in Gefahr begeben (*s'exposer à un danger*) est dynamique et actif alors que sich in Gefahr befinden (*être en danger*) est statique; in Brand stecken (*mettre le feu*) est causatif, in Brand geraten (*prendre feu*) marque le stade initial non-causatif; in Brand stehen/ sein (*être en feu*) ou tout simplement brennen (*brûler*) sont duratifs; einen Auftrag bekommen/ erhalten (*recevoir une mission*) n'est pas la même chose que einen Auftrag geben/ erteilen (*donner une mission*). En français, prendre peur, avoir peur et faire peur n'expriment pas le même stade du processus.

▶ Les **verbes d'attribution** avec les groupes adjectivaux ou nominaux en fonction d'**attributs** du sujet et de l'objet constituent aussi des locutions. Dans ce cas, c'est le verbe d'attribution qui est la base syntaxique, mais pas le noyau sémantique.

> Es wird dunkel.
> *Il se fait sombre.*
> Er findet das Lied schön.
> *Il trouve la chanson belle.*
> Es ist aber auch gar nicht so übel.
> *Ce n'est pas si mal que cela.*
> Sie heißt Anna und ist Krankenschwester.
> *Elle s'appelle Anna et elle est infirmière.*

▶ L'**expression polylexicale idiomatique** est une locution le plus souvent entièrement figée, figurée et non-motivée (qui a perdu sa transparence, est plus ou moins opaque), par exemple, en français, *prendre la mouche, prendre une (belle) veste, tirer le diable par la queue*. Le figement de l'expression idiomatique est une caractéristique essentielle; elle est liée au sens. Ainsi en français, les locutions verbales *prendre pied* et *prendre son pied* ont des sens très éloignés l'un de l'autre. Toutefois, si on fait abstraction du phénomène des amalgames, ces expressions idiomatiques sont, du point de vue de la syntaxe, correctement formées et parfaitement analysables. Simplement, leur sens, comme celui des proverbes, n'est, le plus souvent, compréhensible que sur fond de pratique sociale ou de savoir socio-culturel.

> jm ins Wort fallen, *couper la parole à quelqu'un*;
> Hand und Fuß haben, *se tenir/ avoir queue et tête*;
> einen Korb geben/ bekommen, *refuser/ être refusé en mariage*;
> etwas an die große Glocke hängen, *crier qqch. sur les toits*

LES VERBES AUXILIAIRES ET SEMI-AUXILIAIRES

95 Définition

À la limite des unions de discours et des locutions verbales qui relèvent du «préfabriqué», l'allemand dispose, comme le français, de toute une série de verbes qui, s'alliant à un groupe infinitif complément, entrent dans un rôle d'**auxiliaire** ou de **semi-auxiliaire**. Ces bases **verbales auxiliaires** permettent d'exprimer divers aspects d'un procès ou d'un processus. Il faut alors bien distinguer la base verbale autonome, la base **lexicale** et l'**auxiliaire** qui n'est plus tout à fait autonome. Ainsi, sein peut être le verbe d'existence, werden le verbe du devenir, haben le verbe de possession, bekommen le verbe de la réception. Mais sein et haben peuvent être aussi auxiliaires des formes du parfait, werden et bekommen auxiliaires des formes du passif.

Ce genre de structure constituée d'un auxiliaire se rencontre surtout en corrélation avec un groupe infinitif complément avec ou sans zu (→ 374-385); il pose alors notamment le problème du sens apporté par les **verbes de modalité**, quand ils sont construits avec un groupe infinitif.

Les verbes de l'aspect *(Aktionsart)*

96 Stade du procès ou *Aktionsart*

À côté des auxiliaires proprement dits des formes verbales composées et grammaticalisées (werden pour le futur et le passif processuel, bekommen et sein pour les autres passifs, haben et sein pour les formes du parfait), un certain nombre de bases verbales expriment un stade du procès et donc un aspect qu'on appelle Aktionsart.

Ainsi, par exemple :

– le stade qui précède le procès est exprimé par gehen dans schlafen/ einkaufen/ spazieren **gehen**, *aller (s'apprêter à) dormir/ faire ses courses/ se promener* ;

– le stade **initial** est exprimé par diverses bases verbales dans kennen **lernen**, *faire connaissance* ; zu essen **beginnen**, *se mettre à manger* ; auf das Thema zu sprechen **kommen**, *en arriver à parler du sujet* ;

– le stade **final** est exprimé dans zu essen **aufhören**, *cesser de manger* ;

– la **causativité** (faire faire) dans zu verstehen **geben**, *faire comprendre* ; glauben **machen**, *faire croire* ; kommen **lassen**, *faire venir* ;

– la **répétition** et **l'habitude** dans Sie **(be)liebt/ pflegt** es zu tun. *Elle le fait habituellement (et volontiers).*

97 Modalité du sujet grammatical

D'autres bases verbales expriment des nuances proches d'une **modalité** (c'est-à-dire d'une situation dans laquelle se trouve le sujet grammatical).

Er lässt sich die Haare schneiden.
Il se fait couper les cheveux.
(Er will/ lässt zu, dass man ihm die Haare schneidet.
Il veut/ permet qu'on lui coupe les cheveux.)
Er vermag das zu tun.
Il est capable de faire/ réussir cela.
Er versteht sich/ weiß sich zu benehmen.
Il sait se tenir.
Die Brücke droht einzustürzen.
Le pont risque de s'écrouler.
Das verspricht schön zu werden.
Cela promet d'être beau.
Er gedachte/ suchte abzufahren. (= Er wollte...)
Il pensait/ cherchait à partir.
Das ist zu tun, das habe ich zu tun, das bleibt zu tun.
C'est à faire, c'est ce que j'ai à faire, c'est ce qu'il reste à faire.

Les verbes modaux

98 Possibilité, obligation, volonté: source de la modalité

▶ Les verbes modaux les plus fréquents sont können, dürfen, müssen, sollen, wollen, mögen (surtout sous la forme de möchte). On peut les regrouper deux par deux et décrire grossièrement leur sens en disant que trois d'entre eux expriment sans restriction la modalité fondamentale de:
– la **possibilité** et de l'**impossibilité** (können/ nicht können) ;
– l'**obligation** et la **non-obligation** (müssen/ nicht müssen/ nicht brauchen) ;
– la **volonté** et la **non-volonté** (wollen/ nicht wollen).

▶ Dans les mêmes modalités de base, les trois autres verbes de modalité couvrent un domaine plus restreint:
– la possibilité référée à une tierce instance (pouvoir humain, risque, autorisation...): dürfen/ nicht dürfen ;
– l'obligation référée à une tierce instance (devoir imposé ou suggestion proposée par la société, le destin, l'histoire, le cours des choses...): sollen/ nicht sollen ;
– la volonté dans la mesure où, tenant compte d'une tierce instance, elle adoucit son expression (règles sociales): ich möchte (je voudrais) plutôt que ich will (je veux).

> Ich mag keine Suppe (leiden).
> Je ne peux pas supporter la soupe. = Je n'aime pas la soupe.

Ce sens fondamental étant dégagé, les verbes modaux ont des emplois différents selon la **source de la modalité**.

99 Modalité du sujet grammatical

La modalité est celle du sujet grammatical dont l'énonciateur dit qu'il est dans une situation de possibilité, obligation ou volonté référée ou non à une tierce instance. On parle dans ce cas de **verbe(s) de modalité(s)**.

> Peter **kann** schwimmen. Pierre sait/ peut nager.
>
> Du **brauchst** dich **nicht** zu entschuldigen, weil du kein Bier trinken **willst/ möchtest/ magst**. Tu n'as pas besoin de t'excuser parce que tu ne veux pas/ tu n'as pas envie de boire de la bière.
>
> Das Kleid **darf nicht** über 60 Grad gewaschen werden.
> Cette robe ne doit pas être lavée à plus de 60 degrés.
> (sous peine de risques)
>
> Du **soll(te)st** nicht rauchen.
> Tu ne dois/ devrais pas fumer. (forte recommandation)

100 ## Modalisation de l'énonciateur

La modalité émane directement, comme une sorte de pronostic ou de jugement de vérité, de **l'énonciateur sur l'information qu'il transmet**: on a dans ce cas un **verbe de modalisation**, à savoir l'expression subjective d'une plus ou moins grande nécessité, vraisemblance ou possibilité logique, et donc l'expression d'une plus ou moins grande certitude, voire assurance. Dans ce cas, le verbe de modalisation ne fonctionne, en règle générale, qu'aux **temps simples**.

Soit l'énoncé: *Il a pu se cacher.*

Si l'on interprète pouvoir comme verbe de **modalité**, on traduira par:

> Er **hat** sich verstecken **können**./ Er **konnte** sich verstecken.
> *Il a eu la possibilité de se cacher.*

S'il faut l'interpréter comme verbe de **modalisation**, on traduira par:

> Er kann sich versteckt haben.
> *Il s'est peut-être caché./ Il est possible qu'il se soit caché.*

101 ## Verbe de modalisation + groupe infinitif

Le verbe de modalisation nécessite la présence d'un groupe infinitif qui représente l'expression de l'information virtuelle attribuée au sujet grammatical:

> Er **muss** zu Hause sein. (degré de **certitude**: je déduis de certaines données qu'il *est très vraisemblablement à la maison*.)
> Er **dürfte/ könnte** zu Hause sein. (degré de **vraisemblance**: des indices m'autorisent/ rendent possible/ vraisemblable ma déduction qu'il *est à la maison*.)
> Er **kann** zu Hause sein.
> *Il est possible qu'il soit à la maison.*
> Er **mag** zu Hause sein.
> *Il n'est pas impossible/ Je veux bien admettre qu'il soit à la maison.*
> Er **wird** zu Hause sein.
> *Il doit être à la maison.* (au sens de *j'émets le pronostic*)

102 ## Autres appréciations de l'énonciateur

Certains verbes modaux servent aussi à l'énonciateur pour exprimer d'autres **types d'appréciation**.

Ainsi, sollen et wollen (comme l'anglais shall et will) servent à exprimer une **prospection de l'avenir**.

> **Sollen/ Wollen** wir gehen? *On y va?*

Wir **wollten** ausgehen, als es klingelte.
Nous allions sortir quand la sonnette retentit.

Er **sollte** nach zwei Jahren wieder zurück sein.
Il était prévu (et cela s'est réalisé!), qu'il soit de retour après deux ans.

Cette prospection de type temporel doit être distinguée de celle qui signale par sollen et wollen une information rapportée.

Er **will** nichts davon gewusst haben.
Il prétend n'en avoir rien su.

Die Frau **wollte** von vielen Einwohnern gesehen worden sein.
Beaucoup d'habitants prétendaient avoir vu cette femme.

Er **soll** sehr reich sein. *Le bruit court qu'il est très riche./ Il serait très riche, dit-on/ paraît-il/ semble-t-il.*

103 Structure commune des énoncés avec verbes modaux + groupe infinitif

Tous les emplois des verbes modaux, qu'ils soient de modalité, de modalisation ou signal d'information rapportée permettent une **prise de position** sur la relation entre le prédicat (qui apparaît sous forme de groupe infinitif) et le sujet grammatical. Celui-ci peut être placé par rapport au procès dans une situation objective, ou faire l'objet d'une prospection ou d'une autre appréciation, voire d'un autre type de jugement comme la négation. Dans ce dernier cas, nicht, même quand il porte sur le verbe de modalité, est inséré dans le groupe infinitif.

Das kann man **nicht** verhüten.
Cela, on ne peut pas l'éviter.

Du sollst beim Arbeiten **nicht** so viel rauchen.
Tu ne devrais pas fumer autant quand tu travailles.

En français, on emploie très fréquemment les locutions indéterminées il faut que, il se peut que, il est impossible que, on peut supposer que... À ces paraphrases, l'allemand préfère **l'intervention plus directe** sur la relation sujet/prédicat, sous la forme d'un verbe modal plutôt que d'un adverbe modalisateur.

Il faut que je parte.
Ich **muss** jetzt weg.

Il doit (déjà) être à la maison.
Jetzt **muss** er (schon) zu Hause sein.

ATTENTION On ne traduit pas systématiquement les verbes modaux allemands par pouvoir, devoir et vouloir. **Soll** ich das Buch kaufen? peut vouloir dire en contexte: *Veux-tu que j'achète ce livre?* plutôt que: *Dois-je acheter ce livre?*

Les conjugaisons

104 Définition

▶ On appelle **conjugaison** l'ensemble des variations que peut subir une base lexicale verbale du point de vue des catégories grammaticales du temps, du mode, de la personne, du nombre, de l'aspect et de la voix. Ces variations, analysables en marques, sont présentées de façon systématique dans les tableaux de conjugaison (→ 640-646).

Soit l'énoncé :

> Dann gab er mir einen Apfel.
> *Alors il me donna une pomme.*

La base verbale geb- présente les marques des catégories suivantes :

- le temps : le prétérit (geb → gab) ;
- le mode : l'indicatif (marque Ø ; au subjonctif II, on aurait gäbe) ;
- la personne : 3e personne du singulier (gab-Ø au lieu de gab-**en** à la 3e personne du pluriel) ;
- l'aspect : processuel (opposé, par exemple, à hat gegeben : bilan) ;
- la forme active : gab s'oppose à la forme passive gegeben wird.

▶ En allemand comme en français, il existe des formes verbales (complexes verbaux) simples et composées : ging est une forme simple, gegangen war une forme composée.

Comme en français, le verbe se conjugue au singulier et au pluriel à trois personnes grammaticales.

Mais, à la différence du français, la forme de vouvoiement dite de politesse est, en allemand, la 3e personne du pluriel : Sie avec une majuscule.

Rappelons qu'en allemand aucun accord du participe II n'est exigé dans les formes verbales composées du parfait (de l'accompli) et du passif.

LE CLASSEMENT DES VERBES

Critères du comportement

On classe les verbes d'après leur comportement dans la conjugaison.

▶ **Les verbes faibles** font leur prétérit en -(e)te- et leur participe II en (ge)...(e)t.

> er frag**te**, il interrogea → **ge**frag**t**, interrogé
> er studier**te**, il faisait des études → studier**t**, étudié

Parmi eux, se trouvent:
– les nombreux **verbes réguliers** qui gardent le même radical tout au long de leur conjugaison;
– quelques **verbes irréguliers** qui changent de radical.

▶ Il existe environ **170 radicaux de verbes dits forts** (beaucoup plus si l'on compte leurs composés avec préfixes et préverbes). Ils font leur prétérit **sans l'addition** du suffixe -(e)te, mais **modifient leur voyelle radicale**. Leur participe II est en (ge)...(e)n.

Parmi eux, on a:
– selon la voyelle radicale de l'infinitif, des **séries régulières**;

> fliegen, fl**o**g, **ge**fl**o**gen, fliegt, voler
> finden, f**a**nd, **ge**f**u**nden, findet, trouver

– et des verbes **hors-série irréguliers** ou **isolés**.

> ziehen, z**o**g, **ge**z**o**gen, zieht, tirer
> liegen, l**a**g, **ge**l**e**gen, liegt, être étendu/ situé

▶ Huit verbes simples sont dits **faibles irréguliers**:
brennen, brûler; kennen, connaître; nennen, nommer; rennen, courir; senden (également faible), envoyer; wenden (également faible), tourner; bringen, apporter; denken, penser.

Au prétérit et participe II, ils font -te- et (ge)...(e)t, mais ils changent de voyelle radicale qui devient -a: kennen, k**a**nnte, gek**a**nnt; senden, s**a**ndte, ges**a**ndt...

Deux verbes changent également de consonnes:

> bringen: br**ach**te, gebr**ach**t, bringt
> denken: d**ach**te, ged**ach**t, denkt.

▶ Sept verbes simples ont, aujourd'hui, à l'indicatif présent, d'anciennes formes de prétérit. Ce sont les **prétérito-présents** très fréquents: wissen, savoir et les verbes de modalité: können/ dürfen, pouvoir; müssen/ sollen, devoir; wollen/ mögen, vouloir (plus les verbes complexes: bedürfen, avoir besoin de; vermögen, pouvoir, réussir).

▶ Sein (*être*) est tout à fait irrégulier, du fait qu'il a plusieurs radicaux.

▶ Haben (*avoir*), faible, et werden (*devenir*), fort, ont des formes qui fusionnent (on dit qu'elles sont amalgamées): hast/ hat, wirst/ wird. On peut donc les considérer comme des verbes irréguliers, qu'ils soient en fonction d'auxiliaires ou non (→ Tableaux, **640**).

LES DIFFÉRENTS MARQUAGES DU VERBE

`106` ## Trois types de marquage

Le marquage des catégories du groupe verbal peut prendre **trois formes**.

▶ Le changement de la **voyelle du radical**: singen, sang, gesungen, sängen (*chanter*).

▶ Le changement de **terminaison** (du leb-**st**, er leb-**t**: *tu vis, il vit*) ou du **suffixe** grammatical (par exemple, -te- pour le prétérit et -e- pour les subjonctifs: geb-e-, geb-e-st, geb-e-...).

Les deux peuvent se combiner: ich mach-te-Ø, du mach-te-st (*je faisais, tu faisais*).

Parfois, les terminaisons:

– s'amalgament;

> du sitzt, er sitzt (*tu es assis, il est assis*)

– se réduisent, par exemple par la chute d'un -e-;

> basteln: ich bastle (*bricoler*)

– augmentent, par exemple par l'addition d'un -e-;

> du arbeitest, *tu travailles*; er badet, *il se baigne*

▶ La constitution différente de la **séquence de marquage**:

– la discontinuité ou l'interruption au participe II;

> **ge**-mach-**t**, **ge**-flog-**en**, verbot-**en**

– la composition haben ou sein + **participe II** pour les formes du parfait;

> Er **hat** gesungen. *Il a chanté.*

– la composition werden + **infinitif** pour le futur;

> Er **wird** singen. *Il chantera.*

– la composition werden/ sein/ bekommen + **participe II** pour les passifs (→ **170-187**).

> Das Lied **wird/ ist gesungen**. *Le chant est chanté.*
> Er **bekommt** ein Buch **geschenkt**. *Il reçoit un livre en cadeau.*

107 ## Le radical lexical de la base

Le radical se repère aisément : il suffit de retrancher à l'infinitif la marque -en ou dans certains cas -n.

> **mach-**en, *faire* ; **begleit-**en, *accompagner* ;
> **find-**en, *trouver* ; **bleib-**en, *rester* ;
> **fahr-**en, *conduire* ; **lächel-**n, *sourire* ;
> **kletter-**n, *grimper* ; **tu-**n, *faire*

108 ## Les terminaisons

Elles marquent à la fois le **mode** et le **temps**, la **personne** et le **nombre**. Ces deux derniers s'accordent avec le sujet grammatical (→ 161-169).

On distingue **deux séries** de terminaisons de la personne et du nombre :
– **le type 1**, employé à l'indicatif présent de tous les verbes, à l'exception de sein, wissen et des verbes de modalité : -e, -(e)st, -(e)t, -(e)n, -(e)t, -(e)n ;
– **le type 2**, employé à tous les autres temps et à l'indicatif présent de **wissen** et des verbes de modalité : -∅, -(e)st, -∅, -(e)n, -(e)t, -(e)n.

Les deux types diffèrent aux 1ʳᵉ et 3ᵉ personnes du singulier qui est ∅ dans le type 2.

L'**impératif** (126-127) est **défectif** (pas de 1ʳᵉ ni de 3ᵉ personnes du singulier) et ses terminaisons sont les suivantes : -(e), -(e)n, -(e)t, -(e)n.

Système de terminaisons

		TYPE 1		TYPE 2		
		INDICATIF PRÉSENT	**PRÉTÉRIT (v. forts)**	**PRÉTÉRIT SUBJ.II (v. faibles)**	**SUBJ. I ET II PRÉSENT (v. forts)**	**IMPÉRATIF**
SINGULIER	1ʳᵉ PERS.	-e	-∅	-te-∅	-e-∅	
	2ᵉ PERS.	-(e)st	-(e)st	-te-st	-e-st	-(e)
	3ᵉ PERS.	-(e)t	-∅	-te-∅	-e-∅	
PLURIEL	1ʳᵉ PERS.	-(e)n	-(e)n	-te-n	-e-n	-(e)n
	2ᵉ PERS.	-(e)t	-(e)t	-te-t	-e-t	-(e)t
	3ᵉ PERS.	-(e)n	-(e)n	-te-n	-e-n	-(e)n

109 ## Particularités phonétiques et/ou orthographiques

La terminaison -en se réduit à -n à droite d'un -e- **atone** et d'un -l-/-r-.

> sie leb-**te**-n, *ils/elles vivaient* ;
> sie wär-**e**-n, *ils/elles seraient* ;
> sie handel-n, *ils/elles marchandent/agissent* ;
> sie zitter-n, *ils/elles tremblent*

▶ Pour les verbes faibles, les terminaisons -st, -t, -te, -ten ajoutent un -e- dit **intercalaire** au contact gauche d'une **dentale** -d/t- ou d'un groupe **nasal** autre que hm/hn, lm/ln, rm/rn.

> du leist-e-st, tu réalises ; ihr arbeit-e-t, vous travaillez ;
> es regn-e-t, il pleut ; er zeichn-e-te, il dessinait ;
> sie atm-e-ten, ils respiraient

▶ → Verbes forts : **646**

▶ Les verbes en -eln- et en -ern- perdent le -e- du radical à la 1re personne du singulier de l'indicatif présent, car l'allemand moderne n'admet plus guère la séquence -ele- (die dunk**le** Nacht), voire -ere-.

> ich bast-**le**, je bricole ; ich hand-**le**, j'agis ; ich zitt(e)**re**, je tremble

▶ Quand le radical verbal se termine par -ß, -chs, -x, -z, le -s- de la 2e personne du singulier de l'indicatif présent disparaît. Les 2e et 3e personnes, différenciées naguère par un -e- **intercalaire**, se prononcent et s'écrivent aujourd'hui de façon identique.

> du setzt, er setzt, ihr setzt (faible)
> tu poses, il pose, vous posez
> du sitzt, er sitzt, ihr sitzt (fort)
> tu es assis, il est assis, vous êtes assis
> du reist, er reist, ihr reist
> tu voyages, il voyage, vous voyagez
> du lässt, er lässt   *mais*   ihr lasst
> tu laisses, il laisse   vous laissez
> du beißt, er beißt, ihr beißt
> tu mords, il mord, vous mordez

L'INDICATIF PRÉSENT

110 ## Verbes faibles

Les verbes faibles ne prennent pas de marque particulière du temps ou du mode. Les terminaisons de type 1 sont directement accrochées au radical de l'infinitif.

FRAGEN, *demander*

ich frage	du fragst	er/es/sie fragt
wir fragen	ihr fragt	sie/Sie fragen

Verbes forts

BLEIBEN, *rester*

ich bleibe	du bleib**st**	er/es/sie bleib**t**
wir bleib**en**	ihr bleibt	sie/Sie bleib**en**

▶ Pour certains verbes forts, la voyelle du radical des 2ᵉ et 3ᵉ personnes du singulier change.

a → ä	fahren, du f**ä**hrst, *conduire*; schlafen, du schl**ä**fst, *dormir*
au → äu	laufen, sie l**äu**ft, *courir/ marcher*; saufen (das Tier s**äu**ft), *boire*
e → i(e)	geben, du g**i**bst, *donner*; lesen, er l**ie**st, *lire*
o → ö	stoßen, *heurter/ pousser*: er st**ö**ßt an, *il trinque* [verre]
ö → i	erlöschen, *s'éteindre*: das Feuer erl**i**scht, *le feu s'éteint*

▶ Le changement de voyelle du radical de certains verbes forts empêche l'addition d'un -e- **intercalaire** à gauche d'un radical qui se termine par une **dentale** -d/-t.

> du hältst, *tu tiens*; du rätst, *tu devines*; du lädst, *tu invites*;
> du trittst, *tu marches*; er hält, *il tient*; er rät, *il devine*;
> er lädt, *il invite*; er tritt, *il marche*; sie flicht, *elle tresse*

ATTENTION au changement de longueur des voyelles.

> nehmen (longue): du nimmst, er nimmt (brève)
> treten (longue): du trittst, er tritt (brève)

Verbes prétérito-présents

Les verbes de modalité et le verbe wissen sont appelés **verbes prétérito-présents**. Ils ont, au présent, une ancienne forme de prétérit. Voilà pourquoi ils ont deux formes de radical: une au singulier et l'autre au pluriel (à l'exception de sollen).

Les terminaisons sont de type 2.

> ich kann, wir können; ich darf, wir dürfen; ich weiss, wir wissen
> *mais* ich soll, wir sollen

L'INDICATIF PRÉTÉRIT

Verbes faibles

▶ Au radical des **verbes faibles** s'ajoutent la terminaison -(e)te- et les marques de type 2: -ø, -st, -ø, -n, -t, -n.

WOHNEN, *habiter*

ich wohnte-ø	du wohnte-st	er/es/sie wohnte-ø
wir wohnte-n	ihr wohnte-t	sie/Sie wohnte-n

▶ Les verbes faibles irréguliers changent de voyelle.

> bra**ch**te, da**ch**te, kannte, nannte, rannte

ATTENTION On met un -e- **intercalaire** après une **dentale** ou un groupe **nasal**.

> er land**e**te, *il atterrit*; sie arbeit**e**te, *elle travaillait*;
> es regn**e**te, *il pleuvait*; du atm**e**test, *tu respirais*;
> sie zeichn**e**te, *elle dessinait*; du wart**e**test, *tu attendais*

114 Verbes forts

▶ Les verbes forts changent la voyelle du radical au prétérit et ont aussi, comme terminaisons, les marques de type 2 : -ø, -(e)st, -ø, -(e)n, -(e)t, -(e)n.

TRAGEN, *porter*

ich trug-ø	du trug-st	er/es/sie trug-ø
wir trug-en	ihr trug-t	sie/Sie trug-en

▶ Comme pour le présent, on fera attention au changement éventuel de longueur des voyelles.

> nehmen (longue): *du nimmst, er nimmt* (brève), *ich/er nahm* (longue)
> treten (longue): *du trittst, er tritt* (brève), *ich/er trat* (longue)
> sprechen (brève): *sie spricht* (brève), *ich/er sprach* (longue)

▶ Si on ajoute les formes du participe II, qui changent aussi de voyelle, on a pour chaque verbe fort deux **formes radicales** – ou trois dans certains cas – présentées le plus souvent dans l'ordre suivant :

voyelle de l'**infinitif**, voyelle du **prétérit**, voyelle du **participe II**, suivies éventuellement de la voyelle de la 2ᵉ et 3ᵉ personne du singulier de l'indicatif présent :

INFINITIF	PRÉTÉRIT	PARTICIPE II	IND. PRÉSENT
essen (brève)	aß (longue)	gegessen (brève)	du isst, er isst (brève)

résumé par : essen (a, e, i) (→ 646).

115 Verbes prétérito-présents

Les **verbes de modalité** et le verbe wissen ont aujourd'hui à l'indicatif prétérit une forme de verbe faible avec un radical **sans inflexion**.

> ich kannte – er durfte – du musstest – wir sollten – ihr wolltet – Sie mochten – er vermochte – ich/er wusste (→ 641)

LES FORMES COMPOSÉES DU FUTUR

116 Pas de forme simple du futur

L'allemand n'a pas, contrairement au français, de forme simple du futur. Sa forme du **futur I** est constituée de werden (au présent de l'indicatif) + **infinitif**.

SINGEN, *chanter*

ich werde singen	du wirst singen	er/es/sie wird singen
wir werden singen	ihr werdet singen	sie/Sie werden singen

Au futur I correspond une forme beaucoup plus rare de **futur II**, appelée également futur de **l'accompli** ou futur **antérieur**. Elle est formée avec l'auxiliaire haben ou sein (au futur I) + **participe II** de la base verbale à conjuguer.

SINGEN, *chanter*

ich werde gesungen haben	du wirst gesungen haben	er/es/sie wird gesungen haben
wir werden gesungen haben	ihr werdet gesungen haben	sie/Sie werden gesungen haben

→ Emploi des formes du futur : **128, 134**

LES FORMES COMPOSÉES DU PARFAIT

On appelle aussi ces formes celles de l'**accompli**. Elles sont constituées de l'auxiliaire **haben** ou **sein** + **participe II** de la base verbale conjuguée.

→ Formes de l'accompli (du parfait ou du passé) des subjonctifs I et II : **122-125, 141-160**

117 L'indicatif parfait

SPRECHEN, *parler*

ich habe gesprochen	du hast gesprochen	er/es/sie hat gesprochen
wir haben gesprochen	ihr habt gesprochen	sie/Sie haben gesprochen

118 L'indicatif plus-que-parfait

SPRECHEN, *parler*

ich war gelaufen	du warst gelaufen	er/es/sie war gelaufen
wir waren gelaufen	ihr wart gelaufen	sie/Sie waren gelaufen

LE CHOIX DE L'AUXILIAIRE HABEN ET SEIN

119 L'auxiliaire *haben*

Les formes composées du parfait (de l'actif indicatif, subjonctif I et II) sont constituées de l'auxiliaire haben pour la plupart des bases lexicales verbales, notamment pour :

– les verbes **transitifs**, même si le complément d'objet n'est pas exprimé ;

> Er **hat** ihm einen guten Rat gegeben.
> Il lui a donné un bon conseil.
> **Haben** Sie schon gegessen ?
> Avez-vous déjà mangé ?

– les verbes **de modalité** ;

> Das **habe** ich nicht tun wollen.
> Ce n'était pas mon intention de le faire.

– les verbes **intransitifs pris dans leur durée** ;

schlafen, dormir ; warten, attendre ; wohnen, habiter ; leben, vivre ; studieren, étudier ; scheinen, paraître ; brennen, brûler ; tanzen, danser...

> Auf dich **haben** wir gerade noch gewartet !
> Il ne manquait plus que toi !
> Heute **hat** die Sonne nicht sehr lange geschienen.
> Aujourd'hui, le soleil n'a pas brillé très longtemps.

– les verbes à **sujet impersonnel** ;

regnen, pleuvoir ; schneien, neiger ; klingeln, sonner ; klopfen, frapper...

> Es **hat** in dichten Flocken geschneit.
> Il a neigé à gros flocons.
> Das Telefon hat geklingelt./ Es **hat** geklingelt.
> Le téléphone a sonné./ On a sonné.

– les verbes **pronominaux réfléchis** (contrairement au français).

> Die Tür **hat** sich automatisch geöffnet.
> La porte s'est ouverte automatiquement.
> Sie **hat** sich lange daran erinnert.
> Elle s'en est souvenue longtemps.

ATTENTION Les verbes **réciproques avec objet au datif** s'emploient avec sein.

> Sie **sind** sich um den Hals gefallen.
> Ils sont tombés au cou l'un de l'autre.
> Sie **sind** sich oft begegnet.
> Ils se sont souvent rencontrés.

L'auxiliaire *sein*

Avec sein sont constituées les formes du parfait :

– de l'auxiliaire **sein** lui-même et des verbes bleiben (*rester*), werden (*devenir*) et leurs composés ;
stehen bleiben, *rester debout/ s'arrêter* ; loswerden (+ accusatif), *se débarrasser de...*

> Ich **bin** diese Sorge endlich losgeworden.
> *Je me suis enfin débarrassé de ce souci.*

– des verbes **intransitifs** qui expriment un **événement** comme geschehen, passieren, vorkommen (*se produire/ passer*) ;

> Es **ist** ein Wunder geschehen.
> *Un miracle s'est produit.*
> So etwas **ist** mir noch nicht vorgekommen.
> *Une chose pareille ne m'est pas encore arrivée.*

– des verbes **intransitifs** qui expriment une **mutation** ou un **changement d'état** ;
wachsen, *croître* ; reifen, *mûrir* ; schmelzen, *fondre* ; platzen, *éclater* ; explodieren, *exploser...* ; erblühen, *fleurir* ; einschlafen, *s'endormir* ; aufwachen, *se réveiller...*

> Die Knospen **sind** schon geplatzt.
> *Les bourgeons ont déjà éclaté.*
> In Bagdad **ist** eine Autobombe explodiert.
> *À Bagdad, une voiture piégée a explosé.*
> Ich **bin** schnell aus der Narkose aufgewacht.
> *Je suis rapidement sorti de l'anesthésie.*
> Der Opa **war** wie immer beim Lesen eingeschlafen.
> *Le grand-père s'était comme toujours endormi en lisant.*

– des verbes **intransitifs** qui expriment un **changement de lieu**, voire **de position**.
gehen, *aller* ; kommen, *venir* ; laufen, *courir* ; folgen, *suivre* ; scheitern, *échouer...*

> Ich **bin** den ganzen Tag gelaufen.
> *J'ai couru toute la journée.*
> Seine Pläne **sind** gescheitert.
> *Ses plans ont échoué.*

121 Comparaison avec le français

En français, les verbes intransitifs correspondants qui expriment un changement de lieu ou de position sont souvent construits avec avoir.

> ich bin gesprungen/ gefahren, *j'ai sauté/ roulé*
> ich bin geklettert/ geklommen, *j'ai grimpé*
> ich bin gelaufen/ gerannt/ geschwommen, *j'ai couru/ nagé*
> ich bin gekrochen/ gestolpert, *j'ai rampé/ trébuché*
> ich bin gewandert/ geritten/ gerudert, *j'ai marché/ chevauché/ ramé*
> ich bin gestartet/ geflogen/ gelandet, *j'ai décollé/ volé/ atterri*

Certains de ces verbes peuvent pourtant, dans certains cas – par exemple,
dans un emploi **transitif** –, être construits avec **haben**.

> Er **ist** heute früh nach München gefahren.
> *Il est parti tôt ce matin en voiture à Munich.*

mais **Haben** Sie schon mal einen Porsche gefahren?
> *Avez-vous déjà conduit une Porsche ?*

> Die ganze Familie **ist** nach Holland gezogen.
> *Toute la famille est partie s'installer en Hollande.*

mais Emilie **hat** das Große Los gezogen.
> *Émilie a tiré le gros lot.*

L'usage est hésitant pour stehen, liegen, sitzen, employés avec haben dans
le Nord et sein dans le Sud de l'Allemagne.

> Er **hat/ ist** kerzengerade da gestanden.
> *Il était là debout comme un i/ comme un cierge.*

LES SUBJONCTIFS I ET II

Les subjonctifs I et II ont chacun :

– une forme simple (appelée présent) ;
– une forme dite du passé ou du parfait ou de l'accompli (construite avec
   haben/ sein + participe II) ;
– une forme dite du futur (constituée de werden + infinitif).

122 Le subjonctif I présent

Les formes du subjonctif I sont toutes constituées avec le radical de l'infinitif
+ -e- + les marques de type 2 : -ø, -st, -ø, -n, -t, -n.

GEBEN, *donner*

ich gebe	du gebest	er/es/sie gebe
wir geben	ihr gebet	sie/Sie geben

▶ Le verbe **sein** est irrégulier au subjonctif I présent.

SEIN, *être*

ich sei	du seist	er/es/sie sei
wir seien	ihr sei(e)t	sie/Sie seien

▶ Mis à part sein et les verbes **prétérito-présents** (wissen + verbes de modalité), seules les 2ᵉ et 3ᵉ personnes du singulier ont, au subjonctif I présent, une forme différente de celle à l'indicatif présent. Ce peu de différence formelle explique, entre autres, qu'au discours indirect marqué par le subjonctif, le subjonctif I soit souvent remplacé par la forme correspondante du subjonctif II.

SUBJONCTIF I PRÉSENT	INDICATIF PRÉSENT
du gebest, er gebe	du gibst, er gibt
du tragest, er trage	du trägst, er trägt

▶ Pour les verbes demandant le -e- **intercalaire**, seule la 3ᵉ personne du singulier est distincte de l'indicatif présent.

SUBJONCTIF I PRÉSENT	INDICATIF PRÉSENT
er rede	er redet
du redest	du redest

123 Le subjonctif II présent

▶ Les verbes **faibles** ont au subjonctif II présent les mêmes formes que celles du prétérit de l'indicatif. Au radical s'ajoutent -(e)te- et les marques du type 2 : -ø, -st, -ø, -n, -t, -n.

WOHNEN, *habiter*

ich wohnte-ø	du wohnte-st	er/es/sie wohnte-ø
wir wohnte-n	ihr wohnte-t	sie/Sie wohnte-n

▶ Le verbe haben fait au subjonctif II présent : ich **hätte**, le verbe brauchen : ich brauchte ou ich bräuchte. Les deux verbes faibles irréguliers bringen et denken font : ich brächte et ich dächte.

▶ Les verbes **forts** forment leur subjonctif II présent avec le radical du prétérit de l'indicatif + -e- + les marques de type 2 : -ø, -st, -ø, -n, -t, -n.

GEHEN, *aller*

ich ginge-ø	du ginge-st	er/es/sie ginge-ø
wir ginge-n	ihr ginge-t	sie/Sie ginge-n

Si la voyelle du radical du prétérit est -a-, -o- ou -u-, celle-ci prend l'inflexion : ich war → ich wäre.

ZIEHEN, tirer

ich zöge-ø	du zöge-st	er/es/sie zöge-ø
wir zöge-n	ihr zöge-t	sie/Sie zöge-n

▶ L'inflexion différencie aussi l'indicatif prétérit du subjonctif II présent des **verbes prétérito-présents,** sauf wollen et sollen qui ont des formes identiques à l'indicatif prétérit et au subjonctif II présent : ich wollte et ich sollte.

INDICATIF PRÉTÉRIT	SUBJONCTIF II PRÉSENT
ich wusste	ich wüsste
ich konnte	ich könnte
ich durfte	ich dürfte
ich musste	ich müsste
ich mochte	ich möchte
ich wollte	*mais* ich wollte
ich sollte	ich sollte

▶ Cinq verbes ont, au subjonctif II présent, une autre voyelle infléchie que celle du prétérit.
– werfen, jeter : er warf, er würfe
– sterben, mourir : er starb, er stürbe
– verderben, gâter/ pourrir : er verdarb, er verdürbe
– schelten, réprimander : er schalt, er schölte
– werben, rechercher qqch./ faire de la publicité : er warb, er würbe

▶ Une quinzaine d'autres verbes ont une **double forme** :
– ö/ä : beginnen, commencer : ich begönne/ begänne.
   De même : befehlen, commander ; empfehlen, recommander ; gelten, valoir ; gewinnen, gagner ; schwimmen, nager ; stehlen, voler.
– ü/ä : verstehen, comprendre : ich verstünde/ verstände.
   De même : helfen, aider.
– ü/ö : heben, lever : ich hübe/ höbe.
   De même : schwören, jurer.

124 Limites d'emploi des formes simples du subjonctif II présent

▶ Les formes simples du subjonctif II présent sont remplacées de plus en plus souvent par la forme composée würde + **infinitif.**

   er lernte → er **würde** lernen ; er rennte → er **würde** rennen
   sie gingen → sie **würden** gehen ; er trüge → er **würde** tragen

La raison en est, sans doute, qu'au subjonctif II présent, beaucoup de verbes (faibles réguliers, faibles irréguliers, sauf bringen et denken, forts qui ont au prétérit une voyelle ou une diphtongue autre que -a-, -o- ou -u-) n'ont pas ou peu de formes distinctives des formes correspondantes du prétérit. Comparer le prétérit ich/er ging-ø et le subjonctif II présent ich/er ginge-ø.

▶ Par ailleurs, les formes en -ü- et -ö- sont considérées comme faisant partie de la langue littéraire. Même parmi les verbes dont la forme simple du subjonctif II présent reste courante, et qui ont la marque supplémentaire de l'inflexion, on trouve fréquemment des modifications comme des chutes de terminaisons.

   ich wär/ käm, du wärst/ kämst, wir/ sie wärn, ihr wärt/ kämt

▶ Restent cependant très courantes les formes simples:
– des subjonctifs II présents suivants;
       er bliebe, bräuchte, fände, fiele, gäbe, ginge, käme, läge, liefe, ließe, nähme, sähe, säße, täte
– des auxiliaires;
       hätt(e), wär(e), würde
– des verbes prétérito-présents.
       dürfte, könnte, möchte, müßte, sollte, wollte, wüsste

Mais seules les formes simples des auxiliaires et des verbes prétérito-présents sont (rarement) remplacées par la forme composée würde + **infinitif**.

125 Les subjonctifs I et II passé et futur

▶ Le **subjonctif I passé** (encore appelé «subjonctif I parfait» ou «accompli») est constitué de l'auxiliaire haben ou sein au subjonctif I présent + participe II.
   Er **sei** gekommen. Er **habe** gegeben.

▶ Le **subjonctif I futur** est constitué de l'auxiliaire werden au subjonctif I présent + infinitif.
   Er **werde** kommen/ geben.

▶ Le **subjonctif II passé** (encore appelé «subjonctif II parfait» ou «accompli») est constitué de l'auxiliaire haben ou sein au subjonctif II présent + participe II.
   Er **wäre** gekommen. Er **hätte** gegeben.

▶ Le **subjonctif II futur** est constitué de l'auxiliaire werden au subjonctif II présent + infinitif.
   Er **würde** kommen/ gehen.

L'IMPÉRATIF

126 La formation de l'impératif

L'impératif est formé à partir du radical de l'infinitif auquel sont ajoutées les marques : -(e), -(e)n, -(e)t, -(e)n.

> sag(e) (2ᵉ personne du singulier) : dis
> sagen wir (1ʳᵉ personne du pluriel) : disons
> sagt (2ᵉ personne du pluriel) : dites
> sagen Sie (3ᵉ personne du pluriel forme de vouvoiement) : dites.

▶ Seuls les verbes forts qui changent la voyelle du radical aux 2ᵉ et 3ᵉ personnes du singulier de l'indicatif présent modifient -e(h)- en -i(e)- à la 2ᵉ personne du singulier de l'impératif.

> Sprich lauter! Parle plus fort! Hilf ihm! Aide-le!
> Gib! Donne! Sieh! Vois!

▶ Sein et werden font, à la 2ᵉ personne du singulier de l'impératif, sei (sois) et werde (deviens).

> Sei ruhig! Tiens-toi tranquille.
> Werde fleißig! Applique-toi!

127 L'impératif avec ou sans -e

▶ À la 2ᵉ personne du singulier, la terminaison -e est facultative et souvent omise dans la langue d'aujourd'hui.

> Bleib ruhig! Reste tranquille!
> Fahr nicht so schnell! Ne roule pas si vite!

Elle est systématiquement omise pour les verbes qui changent leur voyelle -e(h)- en -i(e)-, sauf dans la lexicalisation : siehe (confer).

▶ La terminaison à la 2ᵉ personne du singulier ne peut pas être supprimée avec les verbes en -el(n)/-er(n) et en -ig(en).

> Handle! Agis! Klett(e)re! Grimpe!
> Entschuldige ihn! Excuse-le!

▶ Aux 2ᵉ personne du singulier et du pluriel des verbes dont le radical se termine par une **dentale** -d/-t ou par un groupe **nasal** autre que -h/-hn, -lm/-ln, -rm/-rn, le -e est également obligatoire.

> Arbeite! Travaille!
> Atme tief ein! Respire profondément!
> Zeichnet! Dessinez!

Les temps verbaux : emplois

128 Temps grammatical et temps chronologique

▶ Le **temps chronologique** ou physique (die Zeit) est celui qui passe et qui conditionne toute expérience historique. Il est souvent représenté par un axe que l'on peut diviser en trois segments :
– l'**actuel** (l'actualité) qui est le moment de l'expression, de l'énonciation ;
– l'**avenir** (l'ultériorité) qui est le segment de temps qui est devant l'énonciateur ;
– le **révolu** (l'antériorité) qui est le segment de temps qui est derrière l'énonciateur.

▶ Le **temps grammatical** (der Tempus) est le marquage sur la base lexicale verbale ; il se fait à l'aide des marques présentées au chapitre « Les conjugaisons » (→ 104-127). Ces marques combinées (terminaisons, changements vocaliques, séquences discontinues) donnent lieu aux **formes verbales simples** et **composées**, appelées aussi temps verbaux.

▶ La distinction entre temps grammatical et temps chronologique est importante, car il n'y a pas de correspondance automatique, par exemple entre le temps grammatical présent et le temps physique ou chronologique de l'actualité ou de l'énonciation, ni entre le temps grammatical du prétérit et le passé interprété comme antériorité ou temps révolu.

129 Problèmes de terminologie

Pour bien marquer la différence entre le **temps chronologique** et le **temps grammatical**, on emploie ici deux séries de termes différents.
– Pour les temps grammaticaux (Tempora), on garde la terminologie traditionnelle : présent, passé... ;
– Pour le temps chronologique ou physique (Zeit), et surtout pour la chronologie subjective (temps psychique) telle qu'elle se reflète dans la conscience des énonciateurs et des allocutés, on parlera d'actualité, d'antériorité (distancée ou non) et d'ultériorité (distancée ou non).

130 Le temps et les autres catégories du groupe verbal

Dans le marquage des formes verbales, le **temps grammatical** (Tempus) n'est qu'une des catégories du groupe verbal, les autres catégories marquées étant le **mode**, l'**aspect**, la **personne** et le **nombre** (ces deux dernières catégories sont toujours marquées ensemble) et la structure de la **voix** (➔ 170-187).

Les marquages de ces catégories sont faciles à repérer sur le plan de la forme (➔ 104-127), mais ils posent des problèmes délicats du point de vue de l'**interprétation sémantique**.

▶ Les trois structures **active, passive, pronominale** de la **voix** sont parfois difficiles à différencier: brennen est formellement à l'actif, mais, suivant le sujet grammatical, le lexème verbal a un sens actif (causatif: Die Sonne brennt. *Le soleil brûle.*) ou passif (non-causatif: Das Gas brennt. *Le gaz brûle.*)

Dans Er leidet unter der Kälte. (*Il souffre du froid.*), on a les marques de l'actif, mais le sens est celui d'un sujet grammatical non-causatif, c'est-à-dire d'un patient qui subit.

▶ Les **marques** de la **personne** et du **nombre** se confondent parfois sur le plan des êtres auxquels elles renvoient: wir (pluriel) peut renvoyer à un ich de majesté (singulier); du (employé normalement pour l'allocuté singulier) peut vouloir dire on, c'est-à-dire n'importe quelle tierce personne.

> Du arbeitest und arbeitest, und kommst doch auf keinen grünen Zweig. *On ne cesse de travailler, et pourtant on ne fait pas fortune.*

▶ L'**aspect** sert à l'énonciateur pour exprimer, suivant les bases verbales, diverses distinctions comme:
– imperfectif (duratif, non-délimité) et perfectif (ponctuel, délimité);
– accompli et non-accompli;
– perspective processuelle (en cours) et perspective de bilan (résultative).

Ainsi la forme du parfait dans Jetzt hat es zu regnen aufgehört. (*Maintenant, il a cessé de pleuvoir.*) exprime une perspective de bilan que l'énonciateur fait dans le présent (l'auxiliaire est au présent et on a jetzt) alors que dans Gestern Abend hat es erst um 11 zu regnen aufgehört. (*Hier soir, la pluie n'a cessé qu'à 11 heures.*), la perspective est processuelle, car située par rapport au repère de l'antériorité gestern.

▶ Les **modes** (à savoir l'indicatif, les subjonctifs I et II) expriment la position de l'énonciateur par rapport à la réalité, mais les interprétations sur le plan du sens diffèrent suivant les bases verbales. On peut distinguer ainsi, selon les critères, des interprétations comme:
– monde factuel (faits à l'indicatif), monde virtuel (potentialité au subjonctif I) ou monde simplement pensé (non-réel au subjonctif II);

- information présentée comme réelle (indicatif), information posée comme réalisable (subjonctif I) ou information posée comme irréalisable ou irréalisée (subjonctif II);
- fait certain (indicatif), fait douteux (subjonctif I) ou fait faux (subjonctif II);
- information assumée (indicatif) ou information médiatisée (subjonctif I/II dit de médiatisation) dans le discours indirect. (→ 157-158).

LE SENS FONDAMENTAL DES TEMPS VERBAUX

131 ### Le temps de la conscience du locuteur

Les formes temporelles du verbe n'ont pas de valeur chronologique immédiate. Elles ne renvoient pas à un temps physique objectif dans lequel il faudrait situer l'information de l'énoncé verbal, mais au **temps de la conscience du locuteur** qui envisage le procès, l'événement ou l'état auquel on renvoie.

132 ### Les formes du présent : conscience d'actualité

Les formes du présent signalent la **conscience d'actualité** du locuteur, quel que soit le moment chronologique objectif (actuel, antérieur, ultérieur) où se situe l'événement ou l'état par rapport au moment d'énonciation et quelle que soit la durée de cet événement ou de cet état.

> Da kommt er schon. Le voilà qui arrive.
>
> Er arbeitet (jeden Vormittag) im Garten.
> Il travaille (chaque matin) dans le jardin.
>
> Die Erde dreht sich um die Sonne.
> La terre tourne autour du soleil.

À l'indicatif, ce signal « procès intégré dans ma conscience d'actualité » est accompagné du signal du **mode** « procès présenté comme réel ou comme allant de soi », alors qu'au subjonctif II le procès est présenté comme « contre-réel ou comme hypothèse non-réalisée » et au subjonctif I comme « virtuel », voire, dans le discours indirect, comme simplement « médiatisé ».

Si l'on admet que le temps grammatical du présent date l'information (le procès, l'événement, l'état...) dans le temps chronologique, on aboutit à des distinctions contradictoires en ce qui concerne les présents:

- le présent ponctuel/momentané (er findet, il trouve) opposé au présent duratif (er sucht, il cherche);

- le présent du fait unique (als er ankommt = *au moment d'arriver*) opposé au fait répété (jedesmal wenn er kommt = *chaque fois qu'il vient*) ou au présent d'habitude (Er kommt immer um fünf Uhr. *Il arrive toujours à cinq heures.*);
- le présent de vérité générale (Die Erde dreht sich um die Sonne. *La Terre tourne autour du Soleil.*) opposé au présent de narration historique (1821 stirbt Napoleon auf Sankt Helena. *En 1821 Napoléon meurt à Sainte-Hélène.*);
- le présent à venir (Er kommt gleich. *Il arrivera bientôt.*) et divers autres présents liés aux différents types de textes (présent scénique, journalistique, présent performatif de l'acte qui se réalise au moment où l'on parle : Ich eröffne die Sitzung. *J'ouvre la séance.*).

Du point de vue chronologique, la forme du présent peut donc, suivant le verbe et le contexte, exprimer tous les temps possibles : l'actuel (délimité, non-délimité, répété, généralisé) autant que le passé révolu (présent historique) ou que l'avenir :

> Er kommt in zwei Tagen.
> *Il viendra dans deux jours.*

133 Les formes du passé ou prétérit

Ces formes signalent que la conscience du locuteur envisage le procès en **rupture** avec sa conscience d'actualité.

Cette rupture peut concerner la dimension temporelle : le prétérit date alors la conscience qui se situe dans le **révolu** ou dans une **antériorité distancée**. C'est l'emploi actuel le plus courant du prétérit indicatif (rendu en français par l'imparfait ou le passé simple).

> Sie fuhr immer langsamer.
> *Elle conduisit/ conduisait de plus en plus lentement.*

Mais la rupture ou distanciation peut aussi concerner la **réalité** de la conscience d'actualité : on a alors la forme dite du présent du subjonctif II. Le **radical du prétérit** sert alors à exprimer la rupture ou distanciation modale par rapport à la réalité : il assure ainsi le même rôle qu'en français la terminaison en -*ais*, -*ait*, -*ions*, *iez*, -*aient* au conditionnel.

> Ein Wort mehr und Alexander war verloren
> (= wäre verloren gewesen).
> *Un mot de plus et Alexandre était perdu.*

Voir aussi l'emploi conditionnel de l'imparfait en français dans :

> Si j'étais riche...
> Wenn ich reich wäre...

LE GROUPE VERBAL

Au subjonctif I et II, la distanciation dans l'antériorité est marquée par les **formes composées** du **parfait**. Mais celles-ci peuvent être ambiguës du point de vue de l'aspect, ce que montrent les différentes traductions possibles.

> Der Mann kam die Straße herunter.
> *L'homme descendit/ descendait la rue.*

> Er erzählte, der Mann sei die Straße heruntergekommen.
> *Il raconta/ racontait que l'homme descendait/ avait descendu la rue.*

> Wenn sie hier die Straße heruntergekommen wären...
> *S'ils étaient descendus par cette rue-ci...*

134 L'expression de l'ultériorité

Si les présents marquent la conscience d'actualité de l'énonciateur et le prétérit sa conscience de révolu dans l'antériorité ou dans la non-actualisation, l'allemand ne dispose pas de forme verbale qui exprime sans équivoque la conscience se situant dans une **ultériorité distancée**. À ce titre, le nom de futur donné aux périphrases werden + **infinitif** est encore plus trompeur que ceux de présent ou de passé. En réalité, l'avenir et l'ultériorité ne sont en tout état de cause que «pronostiqués».

Pour exprimer une conscience d'**ultériorité** prolongeant l'actualité ou **non-distancée** de l'actualité, l'allemand emploie les formes du présent à valeur d'ultériorité, le plus souvent accompagnées de compléments de temps.

> Er kommt heute Abend.
> *Il vient/ viendra/ va venir ce soir.*

> Ich komme gleich/ bald.
> *Je viens tout de suite./ Je vais venir bientôt./ Je viendrai bientôt.*

> Grüßen Sie bitte Ihre Mutter.
> *Vous saluerez bien votre mère.*

Pour exprimer la **prospection**, on emploie aussi fréquemment un verbe de modalité avec un groupe infinitif:

> Ich will dir sagen... *Je vais te dire...*
> Sollen wir gehen? *On y va?*

L'auxiliaire werden à l'**indicatif présent + groupe infinitif** (forme dite du futur) sert à exprimer un pronostic plus ou moins certain, vérifiable par une conscience d'ultériorité distancée:

> Er wird (sicher/ wahrscheinlich/ vielleicht) durchfallen.
> *Il échouera (sans doute/ vraisemblablement/ peut-être).*

> Er wird sich noch wundern.
> *Il aura de quoi s'étonner. = Il ne perd rien pour attendre.*

Ce werden est en réalité un verbe du «pronostic» pas très différent du verbe de modalisation que l'on a dans les exemples suivants:

> Jetzt wird er wohl schon in Hamburg angekommen sein.
> (groupe infinitif accompli)
> *En ce moment même, il est sans doute déjà arrivé à Hambourg.*
> Nun wirst du aber nicht behaupten, du hättest das nicht gewusst.
> *Maintenant, tu ne vas tout de même pas affirmer que tu n'en savais rien!*

▶ Au subjonctif I (discours indirect) et II (non-réalité), ce pronostic s'exprime par la forme werde/ würde + **groupe infinitif** (simple ou composé). La forme würde + **groupe infinitif** ne diffère pas de celle que l'on trouve dans les récits distancés, qui exprime une ultériorité par rapport à un passé distancé et que le français rend par un conditionnel-temps.

> Schon wusste ich, dass Alexandra nicht **mitkommen würde.**
> *Je savais déjà qu'Alexandra ne m'accompagnerait pas.*

Les verbes de modalité peuvent rendre les mêmes services tout en ajoutant leur sens particulier.

> Schon wusste ich, dass Alexandra nicht **mitkommen könnte/ wollte/ sollte.**
> *Je savais déjà qu'Alexandra ne pourrait/ voulait/ n'allait pas m'accompagner.*

135 Les parfaits

Les deux formes du présent et du prétérit se retrouvent sur l'auxiliaire haben ou sein et s'ajoutent au participe II du lexème verbal pour former les **temps du parfait**: le parfait et le plus-que-parfait.

Au subjonctif I et II, cette forme composée du parfait se réduit à une seule, souvent appelée passé.

On trouve aussi, parfois, des formes surcomposées du type: ich habe/ hatte/ hätte das gemacht gehabt (comparer avec le français méridional: *j'ai eu fait*).

Sur le plan du sens, l'opposition formes simples/ formes composées est souvent décrite en termes d'**aspects-phases**:

– les formes simples présenteraient le procès ou l'état en cours comme «cursif, processuel, non-accompli»;

– les formes composées présenteraient le procès ou l'état comme «accompli, perspective résultative, perspective de bilan».

En réalité, l'opposition est trop tranchée car, suivant le contexte, une même forme de parfait indicatif, par exemple, peut indiquer soit l'accompli à partir de la conscience d'actualité, soit le processuel à partir de la conscience d'antériorité :

> Gestern hat er sein ganzes Geld verspielt.
> *Hier il a perdu/ perdait/ perdit tout son argent au jeu.*

opposé à :

> Jetzt hat er sein ganzes Geld verspielt.
> *Maintenant, il est sans le sou, car il vient de perdre tout son argent au jeu.*
>
> Gestern hat es geschneit. Heute scheint die Sonne.
> *Hier il neigeait. Aujourd'hui, le soleil brille.*

opposé également à la forme complexe marquant une rétrospective de bilan :

> Jetzt hat er endlich verstanden.
> *Maintenant, il a enfin compris.*

ou à :

> Morgen um drei haben wir es geschafft.
> *Demain à trois heures, ce sera fait.*

Toutes ces formes composées avec haben/ sein + **participe II** impliquent une **rétrospective** à partir d'un temps subjectif indiqué par l'auxiliaire.

136 Tableau récapitulatif du sens des temps verbaux

PROCESSUEL

	SUBJONCTIF I	INDICATIF	SUBJONCTIF II
ACTUALITÉ	er singe/ komme er lerne	er singt/ kommt er lernt	er sänge/ käme er lernte (er würde singen/ kommen/ lernen)
ANTÉRIORITÉ (PRÉTÉRIT)		er sang/ kam er lernte	

RÉTROSPECTIVE

	SUBJONCTIF I	INDICATIF	SUBJONCTIF II
ACTUALITÉ	er habe gesungen/ gelernt er sei gekommen	er hat gesungen/ gelernt er ist gekommen	er hätte gesungen/ gelernt er wäre gekommen
ANTÉRIORITÉ (PLUS-QUE-PARFAIT)		er hatte gesungen/ gelernt er war gekommen	

DOUBLE RÉTROSPECTIVE (FORMES RARES)

	SUBJONCTIF I	INDICATIF	SUBJONCTIF II
ACTUALITÉ	er habe gesungen gehabt	er hat gesungen gehabt	er hätte gesungen gehabt
	er habe gelernt gehabt	er hat gelernt gehabt	er hätte gelernt gehabt
	er sei gekommen gewesen	er ist gekommen gewesen	er wäre gekommen gewesen
ANTÉRIORITÉ		er hatte gesungen gehabt	
		er hatte gelernt gehabt	
		er war gekommen gewesen	

LES TEMPS VERBAUX EN CONTEXTE

137 Critères d'interprétations particulières

En contexte et en situation de communication, d'autres critères de fonctionnement des groupes verbaux peuvent donner lieu à des interprétations particulières des formes verbales. Parmi ces critères, les plus importants sont :
– le cadre de l'**énonciation** ;
– l'**acte de langage** ;
– le **type de texte** et/ou le **genre littéraire**.

138 Le temps de l'énonciation : temps absolus et temps relatifs

Dans la production du langage, c'est l'**acte d'énonciation** qui constitue objectivement le présent, c'est-à-dire le moment où un *je* locuteur s'adresse à un *tu* allocuté pour lui communiquer une information. Le temps de l'énonciation est donc le présent et c'est par rapport à ce présent que l'on peut établir la valeur temporelle « réelle » des formes verbales.

Cette valeur est :

– **absolue**, dès lors qu'elle est établie en fonction du temps de l'énonciation. On parle aussi dans ce cas de présent, passé et futur.

> Eben kommt er. Il est justement en train d'arriver.
> Gestern war er noch in Wien. Hier encore, il était à Vienne.

LE GROUPE VERBAL

(Morgen) wird er nach Heidelberg fahren.
(Demain) il se rendra à Heidelberg.

- **relative**, quand elle est établie en fonction d'une autre indication temporelle. On parle dans ce cas plutôt de simultanéité, d'antériorité et/ou d'ultériorité.

Er wollte ausgehen, **als** es klingelte.
Il voulait sortir quand on sonna. (simultanéité)

Gestern kam er nach Hause; **vorgestern** hatte er noch Verwandte besucht. *Hier, il rentra à la maison; avant-hier, il avait encore fait une visite à des membres de sa famille.*

Sie schrieb mir, sie würde bald in die Vereinigten Staaten fliegen.
Elle m'écrivait qu'elle se rendrait bientôt aux États-Unis.

139 Le temps des actes de langage

La valeur temporelle d'une forme verbale peut être évaluée en fonction de l'acte de parole ou de l'**acte de langage** posé par l'énoncé verbal. Ainsi le présent actuel par excellence (le présent dit prototypique) est celui de l'acte **performatif**: un *je* (énonciateur) dans un *ici* (lieu) et un *maintenant* (temps) pose un acte en même temps qu'il l'énonce.

Ich taufe dich Hans.
Je te baptise Jean.

Ich frage Sie, wie viel Zeugen kommen?
Je vous le demande, combien de témoins viendront?

Le changement de l'intention de parole qui justifie l'emploi de l'énoncé verbal peut changer la valeur temporelle de ce dernier. Ainsi, quand un locuteur déclare, en même temps qu'il a le verre à la main – Ich erhebe mein Glas. (*Je lève mon verre.*) –, il effectue l'acte qu'il énonce, par exemple à l'occasion d'un toast (acte performatif). Sinon, la valeur temporelle du présent visera plutôt l'ultériorité: *Je vais boire ce verre.* Notons en revanche que le fait de changer de personne grammaticale fait de l'énoncé une injonction: l'énoncé Du trinkst das Glas. (*Tu bois ce verre.*) cache le plus souvent un ordre.

En combinant les intentions de paroles (on dit aussi les illocutions) et les valeurs temporelles des énoncés verbaux, on peut faire la différence entre:

- les **emplois déictiques** des formes verbales dont la valeur vient du cadre étroit de l'énonciation et de l'interlocution;
- les **emplois non-déictiques**, c'est-à-dire non directement dépendants de l'interaction entre communicants.

140 Le temps du type de texte

▶ La distinction faite dans cette optique est celle qui oppose :
- une sphère du **discours** ou du commentaire avec un ensemble de genres textuels qui s'y rapportent ;
- et une sphère du **récit**.

▶ Le **discours** a comme centre de référence le présent actuel de l'énonciation, le **récit distancé** a comme centre de référence le prétérit distancé, alors que le récit peut aussi être, au moins en partie, actualisé ou non-distancé ; le reportage ou un certain type de récit historique, par exemple, relève de ce récit actualisé.

> Dann bog er links ein hinter das hohe Haus, und jetzt war er fort, und jetzt war Josef allein, und jetzt wird sich zeigen, wie weit sein Latein stichhält. *(Feuchtwanger)*
> *Puis il tourna à gauche vers l'arrière de la grande maison, et voilà : il était parti, et voilà : Joseph était seul, et voilà : il saura, jusqu'où irait son latin.*

De même, quand on parle de présent indicatif employé pour les indications scéniques, pour les commentaires de type journalistique ou pour les articles d'encyclopédie, c'est à ce critère textuel qu'on fait appel pour justifier l'emploi des formes verbales.

Il en va de même quand il est question du prétérit dans le discours indirect libre ou en français de l'opposition entre le passé simple, justifié comme temps du récit distancé à l'écrit (le temps de la trame), et l'imparfait, temps du décor décrit.

LE GROUPE VERBAL

Les modes : emplois
des subjonctifs et de l'impératif

141 Le mode : catégorie du groupe verbal

Le mode est une catégorie du groupe verbal. Sa marque se raccroche au lexème-base ou à l'auxiliaire du complexe verbal. On distingue :

- **l'indicatif :** absence de marque sur la forme verbale (ø) ;
- **les subjonctifs I et II :** marque -e- (→ 122-125) ;
- **l'impératif** (→ Marques, 126).

142 Le mode : une façon de présenter le contenu

▶ Sur le plan du sens, l'énonciateur se sert du mode pour situer l'information du groupe verbal par rapport à différents critères. Parmi ces critères, **la réalité est le critère principal**. D'où une première opposition des modes que l'on résume en parlant du **sens modal** des modes (→ 130) :

- l'indicatif (le **réel**) ;
- le subjonctif II (l'**irréel** ou le **simplement pensé**) ;
- le subjonctif I (le **virtuel** [possible]).

▶ **L'impératif**, quant à lui, n'a pas de valeur de réalité : il traduit tout au plus de la part de l'énonciateur une **attitude appellative**, voire **injonctive** (ordre, prière, invitation, etc.).

143 Le mode : une façon de présenter
un discours rapporté

La seconde opposition des modes ne fonctionne que dans le marquage du discours indirect. On y parle notamment des subjonctifs de **médiation** (→ 157-158).

LE SUBJONCTIF II MODAL

144 ## Le subjonctif II opposé à l'indicatif: signal de la non-réalité de l'information

Par rapport à l'indicatif, le subjonctif II signale globalement la **non-réalité de l'information présentée**. Ce sens fondamental explique les différents emplois du subjonctif II (à l'exception de sa valeur de remplacement dans le discours indirect → 152, 154, 158).

145 ## L'opposition indicatif/subjonctif II dans le discours direct

Elle est l'opposition la plus vivante dans l'allemand actuel.

▶ L'indicatif présente simplement l'information comme **réelle, assumée** (vérifiée à la conscience) ou **allant de soi**.

▶ En revanche, par le subjonctif II, l'énonciateur signale que l'information présentée est **décalée** ou, au moins, **subjectivement distancée de la réalité**. Cela signifie qu'en contexte cette information fait partie d'un **monde** posé comme:

– **contre-réel** (c'est-à-dire non-conforme à la réalité perçue);

Ich **hätte** dir gerne geholfen.
J'aurais aimé t'aider.
(mais je ne l'ai pas fait)

Wenn du **wüsstest**!
Si tu savais!
(mais tu ne sais pas)

Wir **würden** gerne hinfahren!
Nous aimerions nous y rendre!
(mais ce ne sera pas possible)

– **irréel** (supposé, souhaité ou regretté).

Das **wäre** die beste Lösung.
Ce serait la meilleure solution.

Würden Sie mir bitte ihren Ausweis zeigen?
Voulez-vous, s'il vous plaît, présenter vos papiers?

Wäre ich bloß zu Hause geblieben!
Si seulement j'étais resté à la maison!

L'opposition indicatif/subjonctif II dans l'énoncé hypothétique

▶ L'énoncé hypothétique (appelé aussi « conditionnel ») est constitué, en général, de deux parties exprimant :
– la **condition** ;

> Wenn er zu uns kommt/ käme, ...
> S'il vient/ venait chez nous, ...

– la **conséquence**.

> sind/ wären wir froh.
> nous serons/ serions heureux.

▶ Habituellement, on dit que les formulations à l'indicatif présentent une **hypothèse réalisable**, alors que le subjonctif II insisterait sur la **valeur de souhait et de non-réalité**. En vérité, le degré de réalisation de l'hypothèse (l'opposition réalisable/irréalisable, vraisemblable/possible, éventualité/ irréalité...) n'est pas en cause dans cette opposition. Dans les deux cas, en effet, l'énonciateur émet une hypothèse, un monde de non-réalité, dont il se démarque davantage avec le subjonctif II, mode de la distanciation, qu'avec l'indicatif. Comparer en allemand comme en français :

> Wenn ich ein Stipendium bekomme (indicatif présent),
> studiere ich in Heidelberg/ werde ich in Heidelberg studieren.
> (indicatif présent futur)
> Si j'obtiens une bourse (indicatif présent),
> je ferai des études à Heidelberg (indicatif futur).

> Wenn ich ein Stipendium bekäme, würde ich in Heidelberg studieren.
> Si j'obtenais une bourse, je ferais des études à Heidelberg.
> (indicatif imparfait [sens conditionnel]/ conditionnel présent)

> Wenn ich ein Stipendium bekommen hätte,
> hätte ich in Heidelberg studiert.
> Si j'avais obtenu une bourse, j'aurais fait des études à Heidelberg.
> (indicatif plus-que-parfait [sens conditionnel]/ conditionnel passé 1re forme [littéraire j'eusse fait : 2e forme])

➔ Valeur de distanciation du radical du prétérit (distanciation que le français traduit par les désinences *ais*, *ait*, *ions*...) : **133**

147 ## Le subjonctif II : signal de l'information pensée dans la comparaison irréelle

▸ Le subjonctif II s'emploie aussi dans des énoncés verbaux dont **l'information est présentée comme simplement pensée**, par exemple dans la **comparaison irréelle**. Souvent introduit par des mots qui expriment une impression (so tun/ aussehen...), le point de comparaison est indiqué par als, un élément que l'on trouve aussi dans l'expression d'autres comparaisons.

Dans l'exemple suivant, als introduit un groupe conjonctionnel virtuel marqué par ob ou plus rarement par wenn :

> Er tat, **als ob/ als wenn** er mich nicht gesehen hätte.
> *Il fit comme s'il ne m'avait pas vu.*

Comme pour tous les groupes conjonctionnels en **wenn** et **ob**, on dispose de la variante de construction du groupe verbal avec le verbe en première position :

> Er tat, als **ob/ wenn** er mich nicht **gesehen hätte.**
> **hätte** er mich nicht gesehen.

▸ Mais, comme la comparaison par hypothèse peut aussi exprimer une virtualité, il arrive qu'à la place du subjonctif II, on ait le subjonctif I dont le sens modal traduit précisément une virtualité (surtout quand la base verbale est sein).

> Er behandelte mich, als **sei** ich sein Diener.
> *Il me traitait comme si j'étais son serviteur.*

> Es war, als **säusle** mir ein Wind durch den Schädel.
> *J'avais l'impression qu'une brise me traversait le crâne.*

148 ## Le subjonctif II : signal de l'information pensée (négation, irréalité subjective)

Dans des énoncés verbaux qui **suivent une négation** ou qui **soulignent l'irréalité subjective du contenu**, le subjonctif II peut s'opposer à l'indicatif.

> Er hat mich angerufen, ohne dass ich ihn darum gebeten **hätte/ hatte**. *Il m'a téléphoné sans que je le lui aie demandé.*

> Ich kenne niemanden, der Ihnen helfen **könnte/ kann.**
> *Je ne connais personne qui peut/ puisse vous aider.*

> Er hat zu wenig Geld, als dass er sich das leisten **könnte/ kann.**
> *Il a trop peu d'argent pour pouvoir se payer cela.*

> Mir ist nicht aufgefallen, dass er zugenommen **hat/** zugenommen **hätte**. *Je n'ai pas remarqué qu'il a grossi/ qu'il ait grossi.*

149 ## Le subjonctif II des souhaits et des regrets

Le subjonctif II du «simplement pensé» se trouve aussi dans les groupes verbaux qui expriment **des souhaits** ou **des regrets**.

Wenn ich bloß/ nur/ doch zu Hause geblieben wäre!
Wäre ich bloß/ nur/ doch zu Hause geblieben!
Si seulement j'étais resté à la maison!

Wenn er bloß/ nur (pas doch) zu Hause bleibt! (Hoffentlich!)
Pourvu qu'il reste à la maison! (Je l'espère.)

150 ## Le subjonctif II de distanciation

Dans des expressions plus ou moins conventionnelles, le subjonctif II exprime une **distanciation**, voire une **disposition subjective** ou **sociale**.

Danke, das wäre alles (dans un magasin).
Merci, ce sera tout.

Das wär's für heute.
Voilà. C'est tout pour aujourd'hui.

Ich hätte Sie gern einmal gesprochen.
J'aurais bien voulu vous parler.

Da wäre jemand, der Sie sprechen möchte.
Il y a là quelqu'un qui voudrait vous parler.

Wenn Sie einen Augenblick warten möchten./ Würden Sie bitte einen Augenblick warten.
Voulez-vous attendre un moment s'il vous plaît.

LE SUBJONCTIF I MODAL

151 ## Le subjonctif I modal de la virtualité

Au discours direct, le **subjonctif I modal** ne s'emploie plus qu'à la 3ᵉ personne du singulier du présent: er komme/ kaufe (processuel), er sei gekommen/ habe gekauft (accompli).

Aux autres personnes et dans beaucoup de cas où l'expression n'est pas figée, le subjonctif I est remplacé par d'autres formes exprimant une **virtualité**.

ILLOCUTIONS	SUBJONCTIF I	FORMES DE REMPLACEMENT
Souhait	Es lebe die Freiheit! *Vive la liberté!*	Hoch soll er leben! *Vive lui!*
	Möge er viel Erfolg haben! *Puisse-t-il avoir beaucoup de succès!*	Hoffentlich hat er viel Erfolg! *Espérons qu'il ait beaucoup de succès!*
Injonction indirecte	Er komme herein! *Qu'il entre!*	Er soll hereinkommen! *Qu'il entre!*
Recette	Man nehme zwei Eier... *Prendre deux œufs...*	Zwei Eier nehmen... *Prendre deux œufs...*
Hypothèse (convention)	ABC sei ein Dreieck... *Soit un triangle ABC...*	Gegeben ist ein Dreieck ABC... *Soit un triangle ABC...*
Concession	Was auch immer geschehe... Was auch immer geschehen möge... *Quoi qu'il puisse arriver...* Wie dem auch sei... *Quoi qu'il en soit...* Und sei es nur eine Minute... *Ne fût-ce qu'une minute...* Es sei denn, (dass)... *À moins que...*	Was auch immer geschieht... Was auch immer geschehen mag... *Quoi qu'il arrive...*
Finalités (groupes conjonctionnels)	... auf dass du lange lebest. *pour que tu vives longtemps.* *(pour que/ afin que: toujours avec le subjonctif en français)* ... damit er kommen könne. *... pour qu'il puisse venir.*	... auf dass du lange lebst. ... damit er kommen kann.

LE DISCOURS INDIRECT

152 Discours indirect: définition

Par discours indirect, on entend d'abord en général **un report d'énonciation**. Discours sur un discours, **le discours indirect suppose une nouvelle situation d'énonciation**, dans laquelle on mentionne, résume ou rapporte (voire raconte) les informations du discours premier, ou simplement des pensées ou des sentiments qui peuvent ne pas avoir été formulés par l'énonciateur premier. Par exemple:

– **une simple mention** d'un discours ou de pensées;

> Er dachte eine Weile nach und begann zu reden.
> *Il réfléchit un instant et se mit à parler.*

– **une transmission des informations** formulées ou non à un tiers.

> Peter hat gesagt/ gedacht, er könne das kaum schaffen.
> *Pierre a dit/ pensé qu'il ne pouvait guère réaliser cela.*

Cette transmission des contenus, explicitement formulés, résumés ou simplement évoqués peut se faire :

– sous forme de **citation** plus ou moins complète et, dans ce cas, on parle de **discours direct** ;

> Peter hat gesagt : « Ich kann das kaum schaffen. »
> *Pierre a dit : « Je ne peux guère réaliser cela. »*

– de façon **indirecte** et, dans ce cas, on parlera de **discours indirect**.

153 Diverses formes syntaxiques du discours indirect

Le discours indirect est rendu sous différentes formes syntaxiques parmi lesquelles on a :

– les **groupes infinitifs** qui dépendent d'une base nominale ou verbale et mentionnent un discours, une pensée ou un sentiment ;

> Die Behauptung, **das nicht getan zu haben**.
> Er behauptet, **das nicht getan zu haben**.
> *L'affirmation de n'avoir pas fait cela.*
> *Il affirma n'avoir pas fait cela.*
>
> Der Wunsch, **nach Deutschland zu fahren**.
> Er wünscht **nach Deutschland zu fahren**.
> *Le souhait de se rendre en Allemagne.*
> *Il souhaite se rendre en Allemagne.*

– les verbes de modalité **sollen** et **wollen** (→ 102).

> Er **soll** krank gewesen sein.
> *On dit qu'il a été malade.*
>
> Er **will** krank gewesen sein.
> *Il dit/ prétend avoir été malade.*

ATTENTION C'est seulement quand les informations rapportées sont transmises sous forme de groupe verbal que se pose le problème de l'emploi des subjonctifs I et II.

154 ## Caractéristiques du discours indirect sous forme de groupe verbal

▶ Le discours indirect (ou l'information rapportée) a la caractéristique d'être présentée par:

– **un verbe introducteur** ;
behaupten, *affirmer* ; sagen, *dire* ; denken, *penser* ; überlegen, *réfléchir/ se dire* ; wünschen, *souhaiter*...

– **une nominalisation d'un tel verbe**.
die Behauptung, der Gedanke, der Wunsch...

▶ L'élément verbal qui décrit de quelle manière a été produite l'information à la **source** (discours plus ou moins formulé, pensé, ressenti...) peut être placé:

– en **tête** ;
Peter dachte/ vermutete/ sagte/ schrieb, (dass)...
Die Vermutung Peters, (dass)...
Pierre pensa/ supposa/ dit/ écrivit que... La supposition de Pierre (que)...

– à la **fin** (en après-dernière position) ;
«Er soll hereinkommen», sagte der Lehrer.
«Qu'il entre», dit l'instituteur.

– en **incise**.
Hans soll, so sagte er, mit seinen Schulsachen zu ihm kommen.
Que Jean, dit-il, vienne le voir avec ses affaires d'école.

▶ En littérature, il n'est pas rare que ces indications lexicales sur la source de l'information rapportée soient implicites ; elles doivent être déduites du texte ou du contexte.

Und alle sind sich einig: die Spuren seien verwischt worden und es sei fraglich, ob man den Täter entdecken könnte.
Et tous sont d'accord: les traces avaient été effacées et on se demandait si on pouvait découvrir le criminel.

Zunächst wollte er ruhig und ungestört aufstehen, sich anziehen, frühstücken, und dann erst das Weitere überlegen, denn im Bett würde er mit dem Nachdenken zu keinem vernünftigen Ende kommen.
Il allait d'abord se lever tranquillement sans être gêné par personne, s'habiller, prendre son petit-déjeuner ; ensuite il serait temps de réfléchir, car (se dit-il) ce n'était pas en réfléchissant dans son lit qu'il arriverait à une solution raisonnable.

155 Adaptation des déictiques dans le discours indirect

Une autre caractéristique du discours indirect ou de l'information rapportée est – sans oublier les inévitables changements de ponctuation – que, dans de nombreux cas, les **indications déictiques** (c'est-à-dire les éléments qui ne prennent vraiment leur sens qu'en contexte, comme les **pronoms**, les **indications spatiales** et **temporelles**) sont adaptées à la nouvelle situation d'énonciation.

> Paul: «**Ich** habe **gestern meine** Grammatik in der Schule vergessen.»
> Paul: «J'ai oublié hier ma grammaire à l'école.»

> Paul erklärt, **er** habe **am Tage vorher seine** Grammatik in der Schule vergessen.
> Paul explique que, la veille, il a/ avait oublié sa grammaire à l'école.

156 Groupe conjonctionnel ou simple groupe verbal?

Quand l'information est rapportée sous forme de groupe verbal, l'énoncé au discours indirect peut être:

- **intégré dans un groupe conjonctionnel** avec dass (déclaratif ou factuel), ob (interrogatif ou virtuel) ou dans un groupe interrogatif, voire exclamatif indirect, débutant par warum, wie, was...; le verbe est alors bien sûr en position finale.

> Paul sagt, **dass** er seine Grammatik in der Schule vergessen **hat/ habe**.
> Paul dit qu'il a oublié sa grammaire à l'école.

> Paul fragt, **ob** er sie holen **dürfe**.
> Paul demande, s'il peut aller la chercher.

- **juxtaposé en tant qu'énoncé dépendant**. Le verbe est alors en deuxième position (pour les déclarations et exposés de faits). (→ 159-160)

> Paul sagt, er **habe** seine Grammatik in der Schule vergessen.
> Er **habe** seine Grammatik in der Schule vergessen, sagt Paul.
> Paul dit qu'il a oublié sa grammaire à l'école.

LES SUBJONCTIFS I ET II
DANS LE DISCOURS INDIRECT

157 Médiation: le principe

Dans le discours indirect, les subjonctifs I et II peuvent ne marquer que la **médiation**, c'est-à-dire ne plus avoir leur valeur modale d'expression de la virtualité (pour le subjonctif I) et de la distanciation de la réalité (pour le subjonctif II). Celui qui parle ou écrit n'est que l'intermédiaire des informations rapportées: il ne veut apparaître que comme médiateur et non comme source qui prend à son compte les informations transmises.

Dans une situation le plus souvent publique, l'informateur intermédiaire (le journaliste notamment ou l'auteur qui rapporte indirectement les productions orales ou écrites de ses personnages...) signale clairement par le subjonctif I et II qu'il ne fait que transmettre des informations dont il n'est pas la source.

Il emploie le **subjonctif I**, surtout dans le cas où les informations rapportées ne sont pas intégrées dans des groupes conjonctionnels.

> Das Innenministerium teilt mit, die Regierung **sei** zu Verhandlungen bereit. *Le ministère de l'intérieur communique que le gouvernement est prêt à négocier.*

Mais diverses raisons font que la forme du subjonctif I est remplacée par celle du **subjonctif II**:

– quand la forme du subjonctif I est **la même que celle de l'indicatif** correspondant;

> «Mit meinen Eltern bin ich in die Stadt gefahren und wir haben dort unsere Einkäufe gemacht.» → Ich erzählte meinem Freund, ich sei mit meinen Eltern in die Stadt gefahren und wir **hätten** dort unsere Einkäufe gemacht. *Je racontai à mon ami que je m'étais rendu en ville avec mes parents et que nous y avions fait nos courses.*

(Dans cet exemple, hätten prend la place de haben qui est indicatif et subjonctif I.)

– quand le subjonctif II a vraiment **une valeur d'irréel**;

> Und er sagte: «Das **hätte** man auch anders machen können.» → Und er sagte, dass man das auch **hätte** anders machen können. *Et il dit qu'on aurait pu également faire cela autrement.*

– quand la forme du subjonctif I – même si elle se différencie de celle de l'indicatif – est ressentie comme **désuète**; le registre de langue (soignée, courante, parlée, écrite...) entre donc pour une large part dans ce dernier choix.

● Dans la pratique, seule la forme de la 3ᵉ personne du singulier du subjonctif I présent continue d'être employée, car elle seule se différencie nettement de l'indicatif correspondant.

> er hat/ er kommt (indicatif présent)
> → er habe/ er komme (subjonctif I présent)

mais, par exemple :

> sie haben/ sie kommen (indicatif présent)
> → sie hätten/ sie kämen (subjonctif II, car la forme du subjonctif I est identique à celle de l'indicatif présent).

● Le verbe sein, qui a un radical propre au subjonctif I, est aussi employé à d'autres personnes.

> ich sei, du seist, er sei, wir/ sie seien

● Il en va de même pour les 1ʳᵉ et 3ᵉ personnes du singulier des verbes de modalité.

> ich könne/ möge/ solle..., er könne/ möge/ solle...

● Pour les verbes faibles dont la forme du subjonctif II présent est la même que celle du prétérit correspondant ainsi que pour des verbes forts dont la forme du subjonctif II présent est ressentie comme recherchée (verlören, trügen...), il n'est pas rare que le rapporteur fasse appel à la forme en würde + **infinitif**. Pourtant celle-ci peut prêter à confusion :

> « Wir lernen Englisch », sagten die beiden Freunde.
> → Sie lernten Englisch, sagten die beiden Freunde.
> (discours indirect au subjonctif)
> « Nous apprenons l'anglais », dirent les deux amis.
> → Les deux amis dirent qu'ils apprenaient l'anglais.

Si l'on employait dans cet énoncé la forme en **würde**, on introduirait une ambiguïté :

> ... qu'ils apprenaient l'anglais (simultanéité)
> ... qu'ils apprendraient l'anglais (ultériorité)

REMARQUE

L'emploi du subjonctif I et II dans le discours indirect fait partie de la langue soignée dans des situations où il importe au rapporteur de bien faire comprendre qu'il n'est pas la source de l'information. Dans des situations quotidiennes et, donc, dans la langue courante parlée, ce subjonctif de médiation tend à laisser la place à l'indicatif plus ou moins citatif :

> Hans sagt, er **kann** dir nicht helfen. et non er **könne** dir nicht helfen. (L'indicatif est nettement plus fréquent à l'oral.) Jeannot dit qu'il ne peut pas t'aider.
> Hans sagt, dass er dir nicht helfen **kann**. (plus fréquent que könne) Hans fragt, ob er kommen **kann**/ ob es **stimmt**. (plus fréquent que könne et stimme) Jeannot demande s'il peut venir/ si c'est vrai.

L'INTERROGATION
ET L'INJONCTION INDIRECTES

159 Groupe conjonctionnel ou groupe verbal dépendant en *w-*?

L'**interrogation** et l'**expression du doute** sont presque toujours intégrées dans un groupe conjonctionnel (avec ob pour l'interrogation globale) ou dans un groupe verbal dépendant commençant par l'élément interrogatif généralement en w- (pour l'interrogation partielle).

> Peter an Hans: «Machst du morgen mit?»
> *Pierre à Jean: «Est-ce que tu es des nôtres demain?»*
> Peter fragt Hans, **ob** er am nächsten Tag/ morgen mitmache/ mitmachen werde/ mitmachen würde.
> *Pierre demande à Jean si le lendemain il serait des leurs.*
> Peter zögerte, **ob** er Hans das mitteilen sollte.
> *Pierre se demanda s'il fallait dire cela à Jean.*
> Peter an Hans: «Wann fahrt ihr denn weg?»
> *Pierre à Jean: «Quand donc partez-vous?»*
> Peter fragt Hans, **wann** sie wegfahren (indicatif)/ wann sie wegführen (subjonctif II de remplacement: très recherché)/ wann sie wegfahren würden. (subjonctif II de remplacement ou ultériorité)

160 Injonction et modalité

Pour transposer au discours indirect des **énoncés injonctifs** (qu'ils comprennent au départ une forme à l'impératif ou non), on emploie des **verbes de modalité** (au subjonctif ou non).

▶ Pour une **attitude modérée** (souhait, prière, politesse...): mögen.

> Sie an ihn: «Kommen Sie bitte herein!» → Sie bat ihn, er **möge** hereinkommen. *Elle le pria d'entrer.*

▶ Pour une **injonction plus marquée**: sollen/ dürfen/ müssen.

> «Niemand verlässt den Raum!»
> → Der Polizist rief, niemand **solle/ dürfe** den Raum verlassen.
> *«Que personne ne quitte la salle!» (cria le policier).*
> «Essen Sie doch weniger!» (meinte der Arzt)
> → Der Arzt meinte, ich **solle/ müsse/ sollte/ müsste** doch weniger essen. *L'avis du médecin était que je mange moins.*

LE GROUPE VERBAL

L'accord du verbe
avec le sujet grammatical

161 Principes de l'accord de la forme variable du verbe

● Comme en français, dans un groupe verbal, l'accord de la forme variable du verbe allemand se fait avec le groupe qui est sujet grammatical. Il faut distinguer :
– les cas où il n'y a qu'un groupe en fonction de sujet grammatical ;
– ceux où il y en a plusieurs ;
– ceux où il n'y en a aucun.

● Contrairement au français, il n'y a pas, en allemand, d'accord pour le participe II (participe passé) qu'il soit conjugué avec l'auxiliaire sein ou haben.

> Der Sänger, dem wir **zugehört** haben, ...
> *Le chanteur que nous avons écouté...*
> Die Sängerin, der wir **zugehört** haben, ...
> *La chanteuse que nous avons écoutée...*
> Die Sänger, denen wir **zugehört** haben, ...
> *Les chanteurs que nous avons écoutés...*
> Die Kinder haben sich **amüsiert**.
> *Les enfants se sont amusés.*
> Die Buchhandlung ist **geöffnet**.
> *La librairie est ouverte.*

UN GROUPE EN FONCTION DE SUJET GRAMMATICAL

162 Accord avec le sujet grammatical

Le verbe se met à la même personne et au même nombre que le groupe nominal ou le pronom en fonction de sujet grammatical.

> Ich schreibe einen Brief.
> 1re pers. du sing.
> *J'écris une lettre.*

Ihr habt einen Brief geschrieben.
2ᵉ pers. du plur.
Vous avez écrit une lettre.

Si le sujet grammatical n'est pas un groupe nominal ou un pronom, la forme variable du verbe est à la 3ᵉ personne du singulier.

<u>Dass sie reich ist</u>, ist jedem bekannt. Es ist jedem bekannt, dass
groupe conjonctionnel sujet
sie reich ist.
Le fait qu'elle soit riche est connu de tous. Chacun sait qu'elle est riche.

Damals stand (es) schon fest, <u>dass sie heiraten würden</u>.
            groupe conjonctionnel avec ou sans pronom **es** qui l'annonce
À l'époque, il était déjà décidé qu'ils se marieraient.

<u>Versprochen</u> ist versprochen.
groupe participial II
Promis, c'est promis.

163 Sujet avec indication de quantité

Comme en français, lorsque le groupe nominal qui est sujet grammatical comporte une **indication de quantité**, c'est celle-ci qui détermine normalement l'accord. C'est le cas pour zwei/ drei Pfund/ Kilo/ Liter/ Dutzend...; die Hälfte, die Mehrheit...

Das Pfund Tomaten kost**et** ein Euro.
La livre de tomates coûte 1 euro.

Zwei Pfund Tomaten kost**en** ein Euro fünfzig.
Deux livres de tomates coûtent 1,50 euros.

Die Hälfte/ die Mehrheit der Bevölkerung lebt vom Tourismus.
La moitié/ la plus grande partie de la population vit du tourisme.

164 Sujet grammatical collectif

Lorsque le groupe nominal qui est sujet grammatical représente un ensemble collectif d'éléments, la forme variable du verbe peut se mettre **au singulier** ou **au pluriel**.

Ein °Dutzend Angestellte hat**te** die Arbeit niedergelegt.
Ein Dutzend °**Angestellte** hat**ten** die Arbeit niedergelegt.
Une douzaine d'employés avait/ avaient cessé le travail.

Tausend Euro ist/ sind viel Geld.
Mille euros, c'est beaucoup d'argent.

165 Sujet grammatical et attribut

Dans certaines structures, il faut bien identifier le **sujet grammatical** et **l'attribut**.

> <u>Das Schönste</u> waren <u>die Ferien</u>. *Le plus beau, c'étai(en)t les vacances.*
> attribut   sujet grammatical au pluriel

> <u>Der Lügner</u> bin <u>ich</u>!
> attribut   sujet grammatical à la 1re pers.

> *C'est moi qui suis le menteur!/ Le menteur, c'est moi!*

> **Wer ist der** beste Spieler?/ **Wer** sind die besten Spieler?
> *Qui est/ sont le(s) meilleur(s) joueur(s)?*

> (Wer attribut est au nominatif. Le sujet grammatical est au singulier ou au pluriel.)

> **Welches ist der** Vorteil?/ <u>Welches</u> sind die Vorteile?
> *Quel est l'avantage?/ Quels sont les avantages?*

> (Welches, au neutre singulier invariable, est attribut.)

166 *Es* explétif et sujet grammatical

Dans une structure avec un es **explétif** qui n'a pas de fonction et qui n'apparaît comme Platzhalter (*occupant de première place*) qu'en première position devant la forme variable du verbe, **l'accord se fait avec le sujet grammatical**.

> Es hab**en** sich <u>viele Unfälle</u> ereignet.
>   sujet grammatical au pluriel

> *Il s'est produit beaucoup d'accidents./ Beaucoup d'accidents se sont produits./ Il y a eu beaucoup d'accidents.*

> Es wurd**en** damals **viele neue Häuser** gebaut.
> *On construisait à l'époque beaucoup de nouvelles maisons.*

PLUSIEURS GROUPES EN FONCTION DE SUJET GRAMMATICAL

167 Groupes coordonnés

Dans le cas de **groupes coordonnés qui s'ajoutent**, la forme variable du verbe se met au pluriel.

> <u>Peter</u> **und** <u>Martina</u> geh**en** ins Kino. *Pierre et Martine vont au cinéma.*
> singulier   singulier

Sowohl Klaus **als auch** Peter begrüßten den Vorschlag.
Klaus aussi bien que Pierre saluèrent le projet.

▸ Les **appositions** ne comptent pas comme sujets.

<u>Seine gesamte Ausrüstung</u>, <u>zwei Kameras und mehrere Objektive</u>,
sujet grammatical   apposition au sujet grammatical

war weg.
Tout son équipement, deux caméras et plusieurs objectifs, avait disparu.

▸ Plusieurs groupes **nominaux coordonnés adjoints** peuvent former une unité de sens et entraîner l'accord au singulier.

<u>Das Laufen und Springen</u> **machte** den Kindern Spaß.
groupes nominaux coordonnés adjoints
Courir et sauter amusait les enfants.

▸ Dans le cas d'une **énumération**, on peut avoir la marque du pluriel comme en français, mais il est aussi possible de faire l'accord avec le dernier élément.

(Die) Mutter, (der) Sohn und (die) Tochter **war/ waren** verschwunden.
(La) mère, (le) fils et (la) fille avaient disparu.

▸ Dans le cas de **groupes coordonnés** par oder (ou), entweder... oder... (ou bien... ou bien...), weder... noch... (ni... ni...), nicht... sondern... (ne... pas..., mais...), la forme variable du verbe s'accorde généralement avec le nombre du deuxième groupe nominal.

Nicht ich, sondern **ihr habt** das so gewollt.
Ce n'est pas moi, mais vous qui l'avez voulu ainsi.

168 Personnes différentes

Lorsque les groupes nominaux et/ou les pronoms qui sont en fonction de sujets grammaticaux adjoints sont des **personnes différentes**, la forme variable du verbe se met **au pluriel**, mais:

– la première personne l'emporte sur les deux autres;

<u>Du</u> und <u>ich</u>, wir <u>bleiben</u> zusammen.
2e   1re   1re plur.
Toi et moi, (nous) restons ensemble.

<u>Ihr</u>, <u>Michaela</u> und <u>ich</u>(, wir) <u>sind</u> einkaufen gegangen.
2e   3e   1re   1re plur.
Vous, Michèle et moi(, nous) sommes allés faire les courses.

– la deuxième personne l'emporte sur la troisième.

<u>Du</u>, <u>ihr</u> und <u>er</u>(, ihr) könnt mir helfen.
2e   2e   3e   2e plur.
Toi, vous et lui (,vous) pouvez m'aider.

LE GROUPE VERBAL

Dans le **groupe verbal relatif** suivant, der est une troisième personne du singulier et détermine la forme variable du verbe. Mais la répétition de ich entraîne un accord à la première personne du singulier. Le français n'autorise que la première personne.

Ich, der auf der Maschine schreibt./
1re 3e   3^e

Ich, der ich auf der Maschine schreibe. Moi qui écris à la machine.
1re 3e 1re   1re 1re   1re

ABSENCE DE SUJET GRAMMATICAL

169 Groupes verbaux sans sujet grammatical

Le sujet grammatical est absent quand il s'agit d'un groupe verbal avec :

▸ Un impératif de la deuxième personne du **singulier**.

> Entschuldige! Störe mich nicht! Werde nicht frech! Arbeite!
> *Excuse-moi! Ne me dérange pas! Ne sois pas impertinent! Travaille!*

Mais il peut apparaître en fonction sélective.

> Ich will nicht fahren, fahr **du**! *Je ne veux pas conduire, conduis, toi!*

▸ Un impératif de la deuxième personne du **pluriel**.

> Entschuldigt! Stört mich nicht! Werdet nicht frech! Arbeitet!
> *Excusez-moi! Ne me dérangez pas! Ne soyez pas impertinents!*
> *Travaillez!*

Mais il peut apparaître lui aussi en fonction sélective.

> Ihr arbeitet! *(Quant à vous/ Vous) travaillez!*

▸ Un passif impersonnel en werden.

Werden est, dans ce cas, à la troisième personne du singulier. Cette structure peut avoir une double valeur :

– **déclarative, interrogative** ou **exclamative**. Cette structure fonctionne alors à tous les temps ;

> Heute abend **wird** getanzt. Gestern abend **wurde** getanzt.
> *Ce soir, on danse(ra). Hier soir, on a dansé.*
> Es ist schon viel zu lange gezögert worden!
> *On a déjà beaucoup trop tergiversé!*

– **injonctive**. Dans ce cas, cette structure ne fonctionne qu'à l'indicatif présent.

> Hier **wird** gearbeitet und nicht geraucht!
> *Ici, on travaille et on ne fume pas!*

Les valences verbales et les voix

170 Rection et valence

▶ La base d'un groupe impose parfois ses compléments du point de vue syntaxique, phraséologique (expressions lexicales) et/ou sémantique. Ainsi :

– es gibt (il y a) est en syntaxe complété obligatoirement d'un groupe nominal à l'accusatif ;

– la base Tisch dans le sens de table ronde (= conférence) a comme membre nécessaire le groupe adjectival rund- même quand les pourparlers se passent autour d'une table carrée ou sans table ;

– si je veux dire en allemand que je me déplace à pied, le complément de manière aura nécessairement la forme du groupe prépositionnel zu Fuß.

▶ On parle de **valence** (terme emprunté à la chimie) pour décrire les rapports que les éléments linguistiques ont entre eux dans un groupe ou un énoncé.

Ce terme recouvre en partie :

– celui de **régime** (par exemple direct/indirect), qui relève davantage de la syntaxe ;

– celui de **rection**, souvent employé pour décrire la dépendance des seuls groupes nominaux marqués par un cas. On peut aussi parler plus largement de **construction(s)**.

LES VALENCES

171 Dimensions de la valence

Pour construire un groupe syntaxique ou un énoncé syntaxiquement correct, il faut se poser au moins trois questions.

▶ **Combien de membres** la base prévoit-elle plus ou moins obligatoirement pour construire un groupe verbal, nominal ou adjectival minimal correct ?

Par exemple, Das hängt ab (Ça dépend) est incomplet ; pour que l'énoncé soit correct, il faut ajouter en complément le groupe prépositionnel von (+ datif).

Das hängt von den Argumenten ab. Cela dépend des arguments.

Quelle forme ces membres doivent-ils avoir et, s'il s'agit de groupes nominaux, à **quel cas** faut-il les mettre?

Par exemple, gratulieren impose le datif du bénéficiaire, mais beglückwünschen l'accusatif.

> Er gratuliert **ihr.**/ Er beglückwünscht **sie.**
>
> *Il la félicite.*

Dire Er fragt nach dir (*Il demande où tu es.*/ *Il te demande.*) à la place de Er fragt dich (*Il te pose une question.*/ *Il te demande.*) est une confusion grave.

▶ **Quelle fonction** assurent ces membres?

Un même verbe peut avoir des sens différents suivant le nombre, la forme et/ou la fonction des membres qui l'entourent.

Les groupes nominaux à l'accusatif n'ont pas la même fonction dans les deux énoncés suivants: Er aß **den ganzen Kuchen** (*Il mangea tout le gâteau*: objet) et Er aß **den ganzen Tag** (*Il a mangé toute la journée*: complément circonstanciel de temps).

On parle de **valence** (pour les verbes, adjectifs, noms), quand on tient compte non seulement de la quantité des membres prévus (combien? valence **quantitative**), mais aussi de leur qualité (quelle forme? valence **qualitative**) et de leur sens (sélection sémantique et/ou phraséologique, fonction: valence **sélective**).

Pour chaque emploi d'une base verbale, nominale ou adjectivale, on peut en principe établir un **programme de construction** en distinguant en plus de ces trois niveaux, quand c'est possible, l'**essentiel** (les compléments indispensables, obligatoires, les «actants») et l'**accessoire** (les suppléments libres, les «circonstants»).

172 Classements des verbes d'après la valence

Quand on s'en tient aux membres essentiels (sujet, objet 1 et 2, attributs, circonstanciel obligatoire), on peut distinguer les verbes **monovalents, divalents** (ou bivalents), **trivalents** et rarement **quadrivalents.** Mais un même verbe peut aussi, suivant son sens, s'entourer de membres différents et certains verbes admettent, en raison de leur construction, des chutes ou réductions de valences, notamment aux différentes voix. Selon les grammairiens, les programmes de construction vont de la trentaine de Satzbaupläne/ Satzpläne, Satzmuster à la centaine.

AINSI DANS LES ÉNONCÉS...	LE VERBE...	EST...
Es regnet. Il pleut.	regnen	monovalent
Das Kind schläft ein. L'enfant s'endort.	einschlafen	monovalent
Es gab keinen Zwischenfall. Il n'y eut pas d'incident.	geben	divalent
Ein Unfall ereignete sich. Un accident se produisit.	sich ereignen	mono- ou divalent
Sie hat ihn geküsst. Elle l'a embrassé.	küssen	divalent
Er will ihn gehört haben. Il affirme l'avoir entendu.	hören	divalent (l'objet est un groupe infinitif)
Wir gratulieren dir. Nous te félicitons.	gratulieren	divalent avec datif
Es bedarf einer Erklärung. Cela exige une explication.	bedürfen	divalent avec génitif
Die Wohnung besteht aus drei Zimmern. C'est un appartement de trois pièces.	bestehen (aus)	divalent avec groupe prépositionnel
Er sah müde aus. Il avait l'air fatigué.	aussehen	divalent (attribut)
Ich finde sie schön. Je la trouve belle.	finden	divalent (attribut)
Das geht dich nichts an. Cela ne te regarde pas.	angehen	trivalent
Man beschuldigte ihn des Verrats. On l'accusa de trahison.	beschuldigen	trivalent avec génitif
Ich hänge die Jacke in den Schrank. Je suspends la veste dans l'armoire.	hängen	trivalent
Die Reform brachte eine Verschlechterung mit sich. La réforme empira la situation.	bringen	trivalent
Der Brief wird unterschrieben. La lettre sera signée (par X). (réduction de valence au passif)	unterschreiben	divalent
Er trinkt (Alkohol). Il boit. (C'est un alcoolique.) [avec chute de valence]	trinken	divalent

LE GROUPE VERBAL

Verbes transitifs, pronominaux, impersonnels

Vu la complexité des classements selon la valence, on se contente le plus souvent des distinctions traditionnelles entre :

▶ Verbes **transitifs** et **intransitifs**.

Le verbe **transitif** est construit avec un groupe nominal objet à l'accusatif qui peut fonctionner comme sujet au nominatif dans une structure au passif werden + participe II.

> Das ZDF überträgt das Konzert → Das Konzert wird vom ZDF übertragen.
>
> La ZDF transmet le concert → Le concert est transmis par la ZDF.

Le verbe **intransitif** ne prévoit pas d'objet à l'accusatif. En revanche, il peut avoir un objet au datif ou génitif, ou sous forme de groupe prépositionnel.

> Sie gratulieren dir. Ils te félicitent.
>
> Wir gedenken der Opfer des Krieges.
>
> Nous nous souvenons des victimes de la guerre.
>
> Der Erfolg hängt von dir ab. Le succès dépend de toi.

▶ Verbes **pronominaux**.

Il s'agit ici de bases verbales qui comprennent un pronom réfléchi, notamment des verbes **simplement pronominaux**, qui ne fonctionnent pas sans le pronom : Er schämt sich. Il a honte.

On peut les distinguer des verbes proprement **réfléchis** (un autre objet que le pronom réfléchi est possible), **réciproques** (sens du réfléchi : l'un l'autre) et **occasionnellement pronominaux** qui apparaissent plutôt dans des structures de la voix pronominale.

> Wir waschen uns mit kaltem Wasser.
>
> Nous nous lavons à l'eau froide.
>
> Wir waschen das Auto... Nous lavons la voiture...
>
> Wir schlagen uns durch.
>
> Nous nous frayons un passage/ nous nous débrouillons.
>
> Sie schlagen sich/ einander.
>
> Ils se battent. (l'un l'autre : réciproque)
>
> Das Buch verkauft sich gut.
>
> Le livre se vend bien. (verbe réfléchi occasionnel)

▶ Verbes **impersonnels** qui ne fonctionnent qu'avec le sujet impersonnel es et qu'il ne faut pas confondre avec l'expression plus générale de la voix impersonnelle.

> Es schneit. Il neige.

LES VOIX

174 Définitions

Les voix sont des formes et des structures verbales qui permettent de présenter les relations entre le sujet et l'éventuel objet sous des angles différents en fonction des nécessités de la communication et du contexte. On distingue :

▸ La voix **pronominale**. Elle comprend obligatoirement un pronom réfléchi et présuppose que le sujet et l'objet grammatical renvoient à la même réalité (→ 173).

> Die Tür öffnet sich. (verbe réfléchi occasionnel)
> *La porte s'ouvre.*

▸ La voix **impersonnelle**. Elle présente le sujet de façon indéterminée sous la forme d'un es impersonnel.

> Es klopft.
> *On frappe à la porte.*

▸ La voix **active**. Le sujet grammatical, à propos duquel on donne une information, est en même temps présenté comme **agent**, c'est-à-dire comme l'être à l'origine du procès.

> Klaus schreibt den Brief.
> *Klaus écrit la lettre.*

▸ La voix **passive**. Dans l'exemple qui suit, le sujet grammatical n'est pas l'agent à l'origine du procès, mais der Brief (la lettre écrite). Celui qui écrit, en l'occurrence Klaus, peut (ce n'est pas obligatoire) être mentionné dans l'énoncé verbal comme complément d'agent.

> Der Brief wird geschrieben.
> *La lettre est en cours de rédaction.* (insistance sur le procès)
> Der Brief wird von Klaus geschrieben.
> *C'est Klaus qui écrit (ou écrira) la lettre.* (On part de l'information donnée sur la lettre et non sur Klaus.)

Ici, il ne sera question que du passif allemand. D'un emploi plus fréquent que le passif français, il permet surtout de ne pas exprimer l'agent logique d'une action. Il évite aussi de fournir des éléments d'information jugés inutiles et que l'on préfère taire, ou tout simplement inconnus.

> Er wird nächstes Jahr befördert.
> *Il sera promu l'an prochain (par les services compétents).*
> Der Verkehr ist umgeleitet worden.
> *La circulation a été déviée. (Peu importe par qui : ce qui compte, c'est le fait, l'action elle-même.)*

LE PASSIF PROCESSUEL : WERDEN + PARTICIPE II

175 ## La double condition du passif

Le terme «**voix**» désignait autrefois le genre du verbe. Il pourrait être remplacé aujourd'hui par celui de **voie**, car, quand l'énonciateur a le choix, il emprunte des chemins différents pour exprimer divers points de vue sur une action.

Ce chemin, cependant, passe nécessairement par des **formes verbales**. Pour qu'il y ait passif, il faut que soient remplies deux conditions :

▶ Le groupe verbal doit être constitué au minimum de la forme composée werden/ sein + **participe II**.

L'énoncé verbal Die Tür öffnet sich leicht. (*La porte s'ouvre facilement.*) ne contient pas de passif, même si on peut paraphraser son sens par : Die Tür kann leicht geöffnet werden. (*La porte peut être ouverte facilement.*)

▶ **Le sujet grammatical ne doit pas être l'agent**, c'est-à-dire le sujet logique à l'origine du procès. Dans les exemples suivants, les sujets grammaticaux die Kasse et die dritte Klasse ne sont pas les sujets logiques on et *Madame Müller*.

> Die Kasse wird um neun Uhr geöffnet.
> *La caisse ouvre à 9 heures./ On ouvre la caisse à 9 heures.*
> Die dritte Klasse wird von Frau Müller unterrichtet.
> *La classe du CE2 a comme enseignante Madame Müller.*

176 ## Passif personnel et passif impersonnel

▶ **Le passif personnel**. Cette structure avec un sujet grammatical exprimé ne représente pas l'agent logique à l'origine de l'action.

> Das Konzert wird vom ZDF (Zweiten Deutschen Fernsehen)
> sujet grammatical   agent
> übertragen.
> *Le concert est retransmis par la deuxième chaîne de la télévision allemande.*

▶ **Le passif** (dit) **impersonnel**. Il n'a pas de sujet grammatical et ne fonctionne donc qu'à la 3e personne du singulier.

> Auf dem Schiff **wurde** die ganze Nacht hindurch gesungen und
> getanzt. *Sur le bateau, durant toute la nuit, il y eut des danses et des chants.*

Cet énoncé n'a ni sujet grammatical, ni sujet logique exprimés : «On dansa et chanta!»

177 Les formes du passif processuel personnel et impersonnel

▶ Le passif personnel comme le passif impersonnel a la forme verbale : werden **+ participe II**.

Le participe II de l'auxiliaire prend lui-même la forme worden propre au passif et non geworden comme c'est normalement le cas avec le verbe werden. Comparer :

> Er ist geduldiger **geworden**.
> *Il est devenu plus patient.* (verbe **werden**)
>
> Das Haus ist schon verkauft **worden**.
> *La maison a déjà été vendue.* (**werden** auxiliaire du passif)

▶ **Rappel des formes verbales du passif processuel** (→ 645)

TEMPS	FORME VERBALE
Présent	das Konzert wird übertragen
Prétérit	das Konzert wurde übertragen
Parfait	das Konzert ist übertragen worden
Plus-que-parfait	das Konzert war übertragen worden
Futur I	das Konzert wird übertragen werden
Futur II (antérieur)	das Konzert wird übertragen worden sein
Présent Subj. I	das Konzert werde übertragen
Présent Subj. II	das Konzert würde übertragen
Passé Subj. I	das Konzert sei übertragen worden
Passé Subj. II	das Konzert wäre übertragen worden
Futur I Subj. I	das Konzert werde übertragen werden
Futur I Subj. II	das Konzert würde übertragen werden
Futur II Subj. I	das Konzert werde übertragen worden sein
Futur II Subj. II	das Konzert würde übertragen worden sein

Le passif personnel

178 Définition du passif personnel

Le passif personnel est une structure avec un sujet grammatical et une base verbale transitive. Cette structure est susceptible d'avoir à l'actif un complément d'objet à l'accusatif :

– à l'actif ;

> Thomas   bereitet   das Fest   vor.
> sujet gram.   verbe transitif   objet à l'acc.
> et agent logique
>
> *Thomas prépare la fête.*

Das ZDF	überträgt	das Konzert.
sujet gram. et agent logique	verbe transitif	objet à l'acc.

La chaîne ZDF retransmet le concert.

– au passif.

Das Fest wird	(von Thomas)	vorbereitet.
sujet gram.	agent logique	verbe transitif

La fête est préparée par Thomas.

Das Konzert wird	(vom ZDF)	übertragen.
sujet gram.	agent logique	verbe transitif

Le concert est transmis par la ZDF.

179 Formation du passif personnel

Le passif personnel se forme à l'aide du **participe II** de la base verbale transitive + werden. C'est **une sorte de caméra** avec laquelle le locuteur filme une action ou un état **en cours**.

Bitte, haben Sie etwas Geduld, das Programm wird geladen.
Ayez, s'il vous plaît, un peu de patience, le programme est en cours de chargement/ va être chargé. (avec une interprétation de futur)

Im letzten Krieg war das Viertel zerstört worden.
Pendant la dernière guerre, le quartier avait été détruit.

Die Gefangenen waren bewacht worden.
Les prisonniers avaient été gardés.

Bien qu'il puisse décrire des états en cours, on appelle souvent ce passif, **passif action**. En réalité, c'est un **passif processuel** (procès ou état en cours) quelle que soit la scène, dynamique ou statique, filmée par la caméra.

180 Complément d'agent

Dans une structure du passif processuel personnel (rarement du passif impersonnel), le complément d'agent, lorsqu'il est exprimé, prend la forme d'un groupe prépositionnel. La préposition peut varier, mais garde son sens courant.

Von introduit le sujet logique, personne ou non, qui est à l'origine du procès ou, plus rarement, de l'état.

Dieser Schüler wurde **von** der Lehrerin gelobt.
L'institutrice fit l'éloge de cet élève.

Das Museum wird hauptsächlich **von** Schülern besucht.
Le musée est visité principalement par des élèves.

> Die Kinder werden **von** jungen Leuten beaufsichtigt.
> *Les enfants sont gardés par des jeunes gens.*

▶ Durch introduit un sujet logique, une cause secondaire, intermédiaire ou un moyen.

> Der Unfall wurde **durch** abgefahrene Reifen verursacht.
> *L'accident fut causé par des pneus usés.*
> Er war **durch** einen Kollegen/ von einem Kollegen informiert worden.
> *Il avait été informé par un collègue.*

▶ Mit et d'autres prépositions signalent d'autres sujets logiques comme moyens, instruments ou autres circonstances. Ce ne sont pas de véritables agents.

> Sie wurden **mit** zwei Jahren Gefängnis bestraft.
> → Zwei Jahre Gefängnis bestraften sie.
> → Man bestrafte sie mit zwei Jahren Gefängnis.
> *Ils furent condamnés à deux ans de prison.*
> Das wurde **vonseiten** der Kanzlei berichtet.
> → Die Kanzlei berichtete das.
> → Man berichtete das **vonseiten** der Kanzlei.
> *Voilà le rapport fourni par/ du côté de la chancellerie.*
> **Bei** Mozart werden auch solche Instrumente gebraucht.
> → Mozart braucht auch solche Instrumente.
> *Mozart aussi utilise ce genre d'instruments.*

Le passif impersonnel

181 Définition du passif impersonnel

Le **passif impersonnel** est, comme le passif personnel, un passif **processuel**. Mais il n'a pas de sujet grammatical et contient une base verbale **intransitive** ou employée comme telle :

– à l'actif ;

Alle	halfen	ihm.
sujet gram. et agent logique	verbe intransitif	datif

Tous l'ont aidé.

Man	sang	die ganze Nacht hindurch.
sujet gram. et agent logique	verbe employé intransitivement	

On chanta tout au long de la nuit.

– **au passif.**

> Ihm wurde (von allen) geholfen.
> datif   agent logique   verbe intransitif
>
> Tous l'ont aidé.
>
> Die ganze Nacht hindurch wurde gesungen.
>   verbe transitif avec chute de valence
>   (employé intransitivement)
>
> On chanta tout au long de la nuit.

▶ Le **passif impersonnel** ne fonctionne qu'à la **3ᵉ personne du singulier**. Pour le traduire, le français a recours à une structure active avec sujet grammatical, le plus souvent on, ou à une autre structure qui met en avant le procès.

> Ihm wurde viel geholfen.
> Il reçut beaucoup d'aide.
>
> Im Urlaub wird viel fotografiert.
> Quand on est en congé, on prend beaucoup de photos.
>
> Im Klassenzimmer wird nicht geraucht.
> On ne fume pas en classe./ Il est interdit de fumer en classe.
>
> Was uns das Auto alles kostet, wird zu wenig bedacht.
> On ne réfléchit pas assez à tous les frais occasionnés par la voiture/ à tout ce que la voiture nous coûte.

182 *Es* explétif

Beaucoup d'énoncés au passif impersonnel commencent par es qui est, dans ce cas, **explétif** (simple Platzhalter, *occupant de première position*) : il n'apparaît qu'en première position ou, plus précisément, il disparaît quand il n'est pas en première position.

> **Es** wurde ihm viel geholfen.
> **Ihm** wurde viel geholfen.
>
> **Es** wird im Urlaub viel fotografiert.
> **Im Urlaub** wird viel fotografiert.
>
> **Es** wird im Klassenzimmer nicht geraucht.
> **Im Klassenzimmer** wird nicht geraucht.
>
> **Es** wird zu wenig bedacht, was uns das Auto alles kostet.
> **Zu wenig** wird bedacht, was uns das Auto kostet.

183 Verbes de modalité et passif

Les verbes de **modalité** ne se mettent guère au passif. En revanche, ils sont souvent construits **avec un groupe infinitif au passif**.

> Der Gartenzaun muss gestrichen werden.
> *Il faut peindre la clôture du jardin.*
> Hier darf nicht geparkt werden./ **Es** darf hier nicht geparkt werden.
> *Il est interdit de stationner ici.*
> Er konnte sofort operiert werden.
> *On put l'opérer tout de suite.*

LE PASSIF BILAN : SEIN + PARTICIPE II

184 Définition du passif bilan

Le passif de la perspective du bilan est une **structure attributive** dont la base verbale est sein. On ne peut l'envisager que pour des bases verbales transitives dont le parfait se forme à l'actif avec haben. Par exemple :

– **à l'actif** (indicatif présent);

> Wir   **decken**   den Tisch   → Wir haben den Tisch gedeckt.
> sujet gram. verbe transitif   objet à l'acc.
> agent logique
> *Nous mettons la table.* → *Nous avons mis la table.*

– au passif **processuel personnel** (indicatif présent);

> Der Tisch **wird** (von uns) **gedeckt**.
> sujet gram.   agent
> *La table est mise (par nous).*

– au passif de la **perspective du bilan** (indicatif présent).

> Der Tisch ist **gedeckt**.
> sujet gram.   attribut du sujet
> *La table est mise.*

ATTENTION Le passif de la perspective du bilan est bien un passif, car son sujet grammatical n'est en aucun cas l'agent logique. Mais au lieu d'exprimer une perspective de l'acte ou de l'état en cours, il marque le point de vue du **bilan**.

LE GROUPE VERBAL

Résultat positif ou négatif du passif bilan

▶ Dans l'exemple suivant, le sujet du passif exprime, en opposition au passif processuel, un **résultat**.

Der Tisch <u>wird</u> gedeckt. *La table est en train d'être mise.*
acte en cours

Der Tisch <u>ist</u> gedeckt. *La table est mise.*
résultat

Die Panne **wird** behoben. *La panne est en cours de réparation.*

Die Panne **ist** behoben. *La panne est réparée.*

▶ Dans d'autres cas, avec des verbes qui ne décrivent pas une transformation mais un état, le passif bilan n'exprime **pas un résultat**.

Die Gefangenen wurden bewacht.
Les prisonniers étaient (en train d'être) gardés.
Die Gefangenen waren bewacht.
Les prisonniers étaient gardés.
Alle Verwandten wurden zur Hochzeit eingeladen.
Tous les parents furent invités au mariage.
Alle Verwandten waren zur Hochzeit eingeladen.
Tous les parents étaient invités au mariage.

Une photo fixe opposée à une séquence d'images

Qu'il s'agisse d'un énoncé où il est question d'une action (den Tisch decken) ou d'un énoncé où est décrit un état (Gefangene bewachen), le passif en sein + **participe II** n'attribue pas toujours un résultat à un sujet grammatical. La structure est comme **un appareil photo qui fait une seule photo fixe**, là où la caméra du passif processuel filme une suite d'images (sans que le sujet photographié ou filmé représente nécessairement une transformation).

Teppiche behängen die Wände. (actif)
Die Wände werden mit Teppichen behängt. (passif processuel)
Die Wände sind mit Teppichen behängt. (passif bilan)
Des tapis couvrent les murs. (actif)
Les murs sont (en train d'être) couverts de tapis. (film)
Les murs sont couverts de tapis. (photo fixe)
Junge Leute beaufsichtigen die Kinder. (actif)
Die Kinder werden von jungen Leuten beaufsichtigt.
(passif processuel)
Die Kinder sind von jungen Leuten beaufsichtigt. (passif bilan)
Les enfants sont en train d'être gardés par des jeunes gens. (film)

Les enfants sont (en train d'être) gardés par des jeunes gens.
(photo unique)
Les enfants sont gardés par des jeunes gens. (photo fixe)
Verpackung und Transport sind in den Preis eingeschlossen.
L'emballage et le transport sont compris dans le prix.
Der Garten ist von der Wiese durch eine Hecke getrennt.
Le jardin est séparé de la prairie par une haie.
Jetzt ist er gelobt!
Le voilà félicité!

187 Structures du passif bilan et structures actives

▶ Il ne faut pas confondre ces structures du passif bilan avec les formes de l'accompli à l'actif.

Die Temperatur ist gesunken.
La température a baissé. (Pas de véritable agent : l'énoncé X hat die Temperatur gesunken n'est pas possible.)
Das Geschäft ist seitdem geschlossen geblieben.
Le magasin est resté fermé depuis lors.
Das Rad war verschwunden.
Le vélo avait disparu.

▶ Les structures du passif werden/ sein + **participe II** ne doivent pas non plus être confondues avec d'autres moyens de la langue qui expriment une perspective proche du passif comme :

– sein + **groupe infinitif avec** zu qui inclut une modalité de pouvoir ou de devoir ;

Der Gartenzaun ist zu streichen.
La clôture du jardin est à peindre/ doit être peinte.

– certaines locutions verbales, tournures avec **bekommen** ou des adjectifs suffixés.

Sein Traum ging in Erfüllung. = Sein Traum wurde erfüllt.
Son rêve finit par se réaliser.
Er **bekam** sein Essen vorgesetzt = Sein Essen wurde ihm vorgesetzt. Son repas lui fut servi./ On lui servit son repas.
(passif de la personne concernée)
Dieser Wein lässt sich trinken/ ist trink**bar**.
Ce vin se laisse boire. (Il est buvable/ très bon!)
Viel bleibt zu tun. = Viel muss/ kann noch getan werden.
Beaucoup reste à faire.

Les structures et fonctions des énoncés verbaux

188 La phrase, le groupe verbal, l'énoncé

La notion de **phrase** est ambiguë. Elle désigne d'abord l'unité syntaxique de la proposition grammaticale simple appelée ici **groupe verbal**. Mais elle désigne aussi l'unité de communication qu'est l'**énoncé**. Celui-ci se caractérise par une attitude de communication nommée «illocution» et un effet visé, souvent appelé «perlocution».

189 L'énoncé verbal : linéarisation et attitude communicative

La construction de l'énoncé verbal peut être décrite selon diverses perspectives.

L'alignement des groupes ou de la linéarisation en chaîne

On distingue des **positions** qui sont alors de gauche à droite : l'avant-première position, les première et deuxième positions puis, après les autres membres éventuels du groupe verbal, la dernière position et l'après-dernière position.

AVANT-1RE POSITION	1RE POSITION	2E POSITION	...	DERNIÈRE POSITION	APRÈS-DERNIÈRE POSITION
Peter,	dein Vater	hat	dich	angerufen,	weißt du?
Pierre,	ton père	t'a		appelé,	tu sais?

L'attitude de communication

Elle est marquée entre autres par l'intonation et par la place de la forme variable du verbe en deuxième position. On distingue essentiellement les attitudes déclarative, interrogative, injonctive et exclamative.

190 L'énoncé verbal : l'information communiquée

L'information communiquée permet de distinguer, sur le plan du sens :
– le **thème**, c'est-à-dire le sujet de la communication ou les données regroupées dont on parle (ce n'est pas toujours le sujet grammatical, mais celui-ci fait le plus souvent partie du thème).

Par exemple, dans l'énoncé :

> Peter, dein Vater hat dich angerufen, weißt du?
> *Pierre, ton père t'a appelé, tu sais ?*

le thème est à la fois **Peter** et **dein Vater** dans la situation décrite avec au minimum le cadre temporel.

- le **propos** ou **rhème**, c'est-à-dire l'information qu'on fournit à propos du thème. Dans l'exemple précédent, il s'agit de l'acte d'avoir été appelé ; il comprend, sur le plan de l'expression, au moins le verbe lexical.

- l'ensemble des éléments qui permettent de nuancer tout l'énoncé, à savoir l'adéquation du propos par rapport au thème, donc la qualité de l'énonciation, les éléments d'appréciation du discours (**ja, doch, eben**...), de la vérité (**sicher, vielleicht**...), de la normalité, de la négation, etc. On peut regrouper ces éléments d'adéquation ou d'appréciation dans une **partie centrale** disposée entre le thème et le rhème. Comme ces unités caractérisent souvent la stratégie de l'énonciateur, on appelle aussi cette partie centrale le **centre stratégique**.

▸ **Tableau récapitulatif**

AVANT-1RE POSITION	1RE POS.	2E POS.	THÈME	CENTRE STRATÉGIQUE	RHÈME	APRÈS-DERNIÈRE POSITION
Was?	Du	hast	den Aufsatz	noch nicht	fertiggeschrieben,	du Faulpelz!
Quoi ?	*Tu*	*n'as*		*pas encore*	*fini ta rédaction ?*	*Paresseux, va !*

191 La structure du groupe verbal : détermination et régressivité

La structure syntaxique du groupe verbal allemand est caractérisée par la **construction régressive du rhème** et par la **position de la forme variable du verbe**.

La **construction déterminative régressive** est, en comparaison avec le français, la structure typique de l'allemand. Pour rendre compte du sens, les membres s'enchaînent à partir de la fin, c'est-à-dire que l'élément le plus à droite dans la langue écrite est déterminé par ceux qui sont placés devant lui.

FRANÇAIS (PROGRESSIF)	ALLEMAND (RÉGRESSIF)
trente et °un →	°einunddreißig ←
les légumes du jardin *le jardin de légumes* →	das °Gartengemüse der Ge°müsegarten ←
une maison de rêve →	ein °Traumhaus ←
une réception amicale →	ein freundlicher Empfang ←

la porte de la <u>chambre à coucher</u> →	die °Schlafzimmertür ←
aller <u>vite à la maison</u> →	°schnell nach Hause gehen ←
Ils voulaient <u>acquérir une nouvelle maison</u> →	Sie wollten <u>ein neues °Haus kaufen</u> ←
parce qu'ils voulaient <u>acheter une nouvelle maison</u> →	weil sie <u>ein neues °Haus kaufen wollten</u> ←

192 La structure du groupe verbal : place de la forme variable du verbe

▶ La place occupée par la **forme variable du verbe** peut être la **dernière position** du groupe verbal. Elle est, en principe, neutre du point de vue de l'attitude communicative, mais peut aussi être constitutive d'un énoncé.

> Dass er immer so früh **aufsteht**!
> *Bizarre qu'il se lève toujours si tôt!* (énoncé exclamatif)
> Bitte, die Fahrkarten nicht **wegwerfen**! (groupe infinitif)
> *S'il vous plaît, ne pas jeter les billets!* (énoncé injonctif)

Elle peut aussi être suivie en après-dernière position d'autres éléments hors construction.

> weil er nicht °**mitkommt**, der °Feigling
> *parce qu'il ne vous/ nous accompagnera pas, le lâche*

▶ La forme variable du verbe peut aussi occuper la **deuxième position** qui est la place caractéristique des énoncés marqués du point de vue communicatif.

> Er **steht** immer so früh auf.
> *Il se lève toujours si tôt.* (énoncé déclaratif)
> Wann **steht** er denn auf?
> *Quand se lève-t-il donc?* (énoncé interrogatif partiel)
> Was? Ø **Steht** er immer so früh auf?
> *Quoi? Est-ce qu'il se lève toujours si tôt?* (énoncé interrogatif global)
> Peter, Ø **komm** doch!
> *Pierre, viens donc!* (énoncé injonctif)

LA STRUCTURE AVEC LE VERBE EN DERNIÈRE POSITION

193 ## La forme variable du verbe en dernière position

C'est ce qui diffère le plus de la construction des groupes verbaux correspondants du français. On la trouve dans :

– les **groupes verbaux, membres des groupes conjonctionnels** (→ 558-563) ;

> Dass **er mir nicht mehr ins Haus kommt.**
> *Qu'il ne mette plus les pieds chez moi.*

> (Ich weiß nicht,) ob **er morgen früh mitkommt.**
> *(Je ne sais pas) s'il nous accompagnera demain matin à l'aube.*

> Damit **ich es nicht vergesse:** Dein Freund kommt heute Abend.
> *Avant que je ne l'oublie : ton ami vient ce soir.*

– les **groupes verbaux en w- et en d-** membres de groupes verbaux d'accueil ;

> **Was er sagt,** kann man glauben.
> *On peut croire ce qu'il dit.*

> **Die Geld haben,** können bezahlen !
> *Ceux qui ont de l'argent payeront !*

– les **groupes verbaux interrogatifs, exclamatifs** et **concessifs partiels**, membres d'un groupe d'accueil ;

> Ich frage dich, **wann sie ihren Geburtstag feiert.**
> *Je te demande quand elle fête son anniversaire.*

> Die Frage, **wann sie ihren Geburtstag feiert.**
> *La question de savoir quand elle fête son anniversaire.*

> Weißt du, **wo sie wohnen?** Sais-tu où elles habitent ?

> Sie erzählte, **wie schön das Fest gewesen war.**
> *Elle raconta combien la fête avait été belle.*

> **Was er auch immer sagt,** mir ist es egal.
> *Quoi qu'il dise, ça m'est indifférent.*

> **So schwer es auch ist,** ich komme.
> *Quelle que soit la difficulté, je viendrai.*

– les **groupes verbaux relatifs,** c'est-à-dire membres de groupes nominaux ;

> Der Mann, **dem er die ganze Geschichte erklären musste...**
> *L'homme auquel il dut expliquer toute l'histoire...*

> Die Art, **wie er das sagte...** Sa manière de dire cela...

> Ich glaube dem[jenigen], **der die Wahrheit sagt.**
> *Je crois quiconque dit la vérité.*

– d'**autres groupes verbaux dépendants**.

> **Je öfter ich ihn sah,** umso seltsamer kam er mir vor.
> Plus je le voyais, plus il me paraissait étrange.
>
> **Wie du sagst!** Comme tu dis!
>
> **Wie [es] geplant [war]!** Comme prévu!
>
> **Wenn du willst.** Si tu veux.

REMARQUE

Le terme «(proposition) **subordonnée**» de la grammaire traditionnelle est ambigu. Il désigne la structure d'un groupe verbal avec la forme variable du verbe en dernière position (en ce sens le verbe est en position finale dans toutes les subordonnées, sauf dans le cas du double infinitif). Mais il désigne aussi la fonction d'un groupe verbal dépendant, c'est-à-dire membre d'un groupe d'accueil. Dans ce cas, toutes les subordonnées au sens de dépendantes n'ont pas le verbe en position finale.

> **Kommt er,** so besichtigen wir die Stadt. *S'il vient, nous visiterons la ville.*
>
> Und er erzählte, **er sei zu spät nach Hause zurückgekehrt.**
> *Et il raconta qu'il était revenu trop tard à la maison.*
>
> Und er fragte, **kommst du mit?** *Et il demanda si j'allais l'accompagner.*
>
> (Er tat,) als **sei er krank gewesen.** *(Il fit) comme s'il avait été malade.*

194 L'ordre des éléments des formes verbales à la fin du groupe verbal

Cet ordre est grammaticalisé. On peut distinguer le cas général et le cas particulier qui présente un type de séquence avec un verbe de modalité entraînant la construction dite du double infinitif.

	CAS GÉNÉRAL	CAS PARTICULIER
ACTIF (weil) er ja doch nicht	mitkommt	mitkommen kann
	mitkommen wird	mitkommen können wird
		ou **wird** mitkommen können
	mitgekommen ist	**hat** mitkommen **können**
	mitgekommen sein wird	**wird haben** mitkommen können
PASSIF (weil) er doch schon	angerufen wird	angerufen werden kann
	angerufen werden wird	**wird** angerufen werden können
	angerufen worden ist	**hat** angerufen werden **können**
	angerufen worden war	**hatte** angerufen werden **können**

Traductions

– actif:

> parce que de toute façon → il ne nous accompagne/ accompagnera pas
> il ne nous a pas accompagné/ il ne nous aura pas accompagné
> parce que de toute façon → il ne peut pas/ ne pourra pas/ n'a pas pu
> n'aura pas pu nous accompagner

– passif :

parce que de toute manière → *on l'appelle/ l'appellera/ on l'a/ l'avait appelé*
parce que de toute manière → *il peut être appelé/ il pourra être appelé/ il*
a pu être appelé/ il avait pu être appelé.

195 La construction du double infinitif

▶ Le cas particulier est celui de la construction dite du **double infinitif** avec laquelle, comme le montrent les formes imprimées en gras (→ 194), la forme variable du verbe précède les infinitifs et ne les suit pas.

En réalité, il s'agit d'une **deuxième forme de participe II** des verbes de modalité *können, dürfen, müssen, sollen, wollen, mögen, (nur/ nicht) brau-chen,* ainsi que des verbes *lassen, heißen* (+ groupe infinitif : *vouloir/ souhai-ter*) et parfois *sehen, hören, helfen, spüren, fühlen, lehren, lernen.*

▶ Aux formes du parfait/plus-que-parfait de l'actif, ces verbes de modalité ou semi-auxiliaires peuvent être précédés d'un autre infinitif. Ils ont alors cette 2e forme du participe II qui est identique à celle de l'infinitif.

*weil er **hat** kommen können et non weil er kommen können hat*

*weil er **hat** angerufen werden können et non weil er angerufen*
werden können hat

Dans la langue courante, on emploie cependant dans ce dernier cas le prétérit.

weil er kommen konnte/ weil er angerufen werden konnte

On trouve la même construction avec **werden + deux infinitifs** dans un registre littéraire.

196 Le groupe nominal sujet au nominatif avant le groupe nominal objet à l'accusatif

Dans la construction avec forme variable du verbe en dernière position, **le groupe nominal sujet au nominatif précède le groupe nominal objet à l'accusatif**, même quand le marquage n'est pas ambigu ; cette priorité n'existe évidemment pas dans les structures dont la forme variable du verbe est en deuxième position.

Der Vater suchte seinen Sohn. → *Seinen Sohn suchte der Vater.*
Le père cherchait son fils. → *C'est son fils que cherchait le père.*
mais *als der Vater seinen Sohn suchte.*
lorsque le père cherchait son fils.

Dans *wenn die Mutter die Tochter sucht* (*quand la mère cherche la fille*) et *wenn Paul Frida besucht* (*quand Paul rend visite à Frida*), c'est clairement le premier groupe nominal qui est sujet grammatical.

197 ## Les pronoms personnels en tête du thème

Dans la construction du groupe verbal avec verbe final, **les pronoms personnels sont placés en tête du thème**. Ils ne peuvent être précédés que par le groupe nominal en fonction de sujet au nominatif.

> dass **mir** meine Mutter nichts gesagt hat/ dass meine Mutter **mir** nichts gesagt hat, *que ma mère ne m'a rien dit*

Dans les cas d'ambiguïté, l'ordre peut être exploité pour marquer des fonctions différentes.

> dass jemand **sie** belogen hatte, *que quelqu'un lui avait menti*
> dass **sie** jemand belogen hatte, *qu'elle avait/ ait menti à quelqu'un*

Quand on a **plusieurs pronoms personnels** sans effet contrastif, l'ordre est le pronom au nominatif avant le pronom à l'accusatif, avant le pronom au datif, avant le pronom au génitif.

> da **du dich seiner** erbarmt hast, *puisque tu as eu pitié de lui*
> weil **sie es dir** erzählt hat, *parce qu'elle te l'a raconté*

198 ## La place du pronom *sich*

Le pronom sich fait exception suivant les régions et les styles ; il est relativement libre, mais suit toujours les pronoms sujets er/es/sie.

> dass **sich** die Kranken heute wegen der Hitze beklagt haben
> → dass die Kranken **sich** heute wegen der Hitze beklagt haben
> → dass die Kranken heute **sich** wegen der Hitze beklagt haben
> → dass die Kranken heute wegen der Hitze **sich** beklagt haben
> → dass **sie sich** heute wegen der Hitze beklagt haben
> *que les malades aujourd'hui se sont plaints de la canicule*

199 ## L'ordre d'importance de l'information

Dans la construction du groupe verbal avec verbe final – à l'exception des formes verbales, du sujet grammatical thématique et des pronoms personnels –, les autres unités ou groupes sont rangés selon l'ordre d'importance de l'information, c'est-à-dire suivant leur appartenance au **thème**, au **centre stratégique** ou au **rhème**.

Le **rhème** comprend les membres du groupe verbal qui forment avec la base verbale un bloc de sens. Il occupe la **fin de l'énoncé verbal**. Sa structure est **régressive**. Les membres situés à gauche déterminent un (complexe de) sens placé à leur droite. Un déplacement d'élément entraînerait soit un énoncé incorrect soit une modification de sens importante. Cet **ordre de détermination** est strict au point que l'on ne peut infiltrer **ni greffe, ni commentaire**.

C'est ce qui explique la solidarité des ensembles comme :
– les verbes à **particules/ préverbes séparables** accentués ;

> weil er // keinen °Rucksack mitnimmt,
> *parce qu'il n'emporte pas de sac à dos*

(Les deux barres obliques montrent la place qu'occupe ou que pourrait occuper le centre stratégique.)
– les verbes + **adverbe ou attribut** ;

> da sie // °laut spricht, *puisqu'elle parle fort* ;
> weil sie den Brief // °fertig schreibt, *parce qu'elle termine la rédaction de sa lettre*

– les verbes + **verbes** ;

> Sie wollen spazieren gehen. *Ils veulent aller se promener.*

– les verbes + **base nominale** ;

> Radio hören, *écouter la radio* ; Karten spielen, *jouer aux cartes* ;
> Schi fahren, *faire du ski*

– les verbes + **groupes prépositionnels** plus ou moins figés.

> ums Leben kommen, *perdre la vie* ;
> in die Schule gehen, *aller à l'école* ;
> von den Freunden träumen, *rêver des amis*

▶ Le **thème** rassemble les données qui expriment la situation ou l'état de choses dont le rhème dit quelque chose. Dans la structure à verbe final, le thème est au **début de l'énoncé** verbal. S'il comprend plusieurs membres, ils sont, à l'exception des pronoms, moins strictement ordonnés que ceux du rhème.

Leur déplacement à l'intérieur du bloc n'entraîne le plus souvent pas de changement de sens notable. Il n'est pas rare qu'il puisse accueillir des greffes et des commentaires, y compris des unités qui ont normalement leur place dans le centre stratégique.

> (nachdem) im letzten Jahr die Volkswagen-Werke / schließlich / Kurzarbeit einführen mussten
>
> → (nachdem) die Volkswagen-Werke im letzten Jahr / schließlich / Kurzarbeit einführen mussten
>
> → (nachdem) schließlich im letzten Jahr die Volkswagen-Werke...
> → (nachdem) schließlich die Volkswagen-Werke im letzten Jahr...
>
> *Après qu'en définitive les usines Volkswagen furent obligées d'introduire l'an dernier la réduction du travail...*

▶ Le **centre stratégique** rassemble en principe l'ensemble des éléments qui permettent de nuancer le rapport du rhème au thème ou la qualité de l'énonciation.

LE GROUPE VERBAL

Ces éléments expriment un jugement de réalité, vérité, normalité, négativité ou répondant à d'autres critères logiques ou émotionnels. Ces éléments peuvent également nuancer l'information en totalité ou en partie ou encore l'attitude de communication.

> [weil] mein Freund heute Morgen °**nicht**/ **leider** °**nicht**/ °**noch nicht**/ **vielleicht** °**doch nicht**/ **tatsächlich** °**doch**/ **endlich** °**doch**/ **ja** °**doch** angekommen war
>
> *parce que mon ami n'était pas/ n'était malheureusement pas/ n'était pas encore/ n'était sans doute pas/ était effectivement/ était enfin et malgré tout arrivé*

L'**appartenance du même élément** au **rhème**, au **thème** ou au **centre stratégique** engendre des divergences de sens.

> Er ist °oft / °nicht / gekommen. *Souvent il n'est pas venu.*
> Er ist / °nicht / oft gekommen.
> *Je dis que l'affirmation qu'il soit venu souvent est fausse.*
> Er ist // nicht °oft gekommen. *Il est venu rarement.*

C'est elle aussi qui détermine en fin de compte l'ordre relatif des **groupes nominaux objets au datif et à l'accusatif**.

> (als) der Mann den Kindern // Ge°schenke überreichte
> *quand l'homme remit aux enfants des ca°deaux*
> (als) der Mann die Geschenke // den °Kindern überreichte
> *quand l'homme remit les cadeaux aux en°fants*

LA STRUCTURE AVEC LE VERBE EN DEUXIÈME POSITION

200 ## Les énoncés avec la forme variable du verbe en deuxième position

La forme variable du verbe en **deuxième position** est la structure la plus fréquente et celle qui se rapproche le plus du français. Elle marque l'énoncé verbal du point de vue de l'attitude communicative. Avec l'intonation, elle signale le **type d'énoncé verbal**. Mais elle ne suffit jamais pour caractériser syntaxiquement une attitude communicative. La forme variable du verbe est en deuxième position (= V) dans les cas suivants :

– des énoncés verbaux **indépendants**, c'est-à-dire autonomes du point de vue syntaxique et constituants immédiats d'un texte ;

– certains énoncés verbaux **dépendants**.

ÉNONCÉ	POSITION		EXEMPLES
DÉCLARATIF	**1RE**	**2E**	
(phrase énonciative)	occupée	V	Peter ist leider nicht zu Hause. *Pierre n'est malheureusement pas chez lui* Leider ist Peter nicht zu Hause. Zu Hause ist Peter leider nicht.
INTERROGATIF	**1RE**	**2E**	
GLOBAL	Ø	V	Ø Kommst du mit? Ø Fährst du nicht weiter? *Tu nous accompagnes?* *Tu ne continues pas ta route?*
– interro-injonctive	Ø	V	Ø Würden Sie mir bitte folgen? *Voulez-vous me suivre?*
PARTIEL	occupée*[1]	V	Wann kommst du? Mit wem fährst du? *Quand viendras-tu? Avec qui pars-tu?*
DE CONFIRMATION	occupée		Du °kommst doch heute Abend °mit ins °Kino? *Tu nous accompagnes bien au cinéma ce soir?*
EXCLAMATIF	**1RE**	**2E**	
GLOBAL	occupée	V	°Der hat vielleicht °Nerven! *Il est gonflé, celui-là!*
	Ø	V	Ist das aber schön! *Mais que c'est beau!*
– souhait/regret	Ø	V	Hättest du doch deinen Mund gehalten! *Si tu avais gardé le silence!* Möge er noch lange leben! *Qu'il vive encore longtemps!*
PARTIEL	occupée*	V ou V final	Wie schön ist das! *Que c'est beau!* Wie schön das ist! Würden Sie mich bitte hereinlassen! *Voulez-vous me laisser entrer!*
INJONCTIF	**1RE**	**2E**	
AVEC UN IMPÉRATIF	Ø	V	Komm mal her! Hören Sie mal! *Viens ici! Écoutez!*
	occupée*	V	Nun sag mal, was los ist! *Maintenant dis un peu ce qui se passe!*
SANS IMPÉRATIF	Ø	V	Würden Sie mich bitte hereinlassen! *Voulez-vous me laisser entrer!*
	occupée	V	Du bleibst hier, verstanden? *Tu restes ici, compris?*

1. L'astérisque après « occupée » ne dit pas que la première position est obligatoirement occupée. Quand elle est occupée, elle l'est par un même type de groupe fonctionnel. Par exemple, dans l'interrogative partielle, la première position est obligatoirement occupée par le groupe sur lequel porte l'interrogation.

L'énoncé déclaratif

▶ L'énoncé déclaratif est aussi appelé **phrase énonciative**. Il fournit simplement une information. **Le verbe est en deuxième position**; la première position est occupée par un membre ou un élément thématique, stratégique ou appartenant au rhème.

> Peter ist leider nicht zu Hause.
>
> *Pierre n'est malheureusement pas chez lui.*
>
> Leider ist Peter nicht zu Hause.
>
> *Malheureusement, Pierre n'est pas chez lui.*
>
> Zu Hause ist Peter leider nicht.

▶ Mais tout énoncé verbal dont le verbe est en deuxième position avec une première position occupée n'est pas nécessairement déclaratif. Accompagné d'autres signaux, notamment des particules (→ 604, 613-617), il peut constituer :

– une **question**, dite « de confirmation » ;

> Du °kommst doch heute Abend °mit ins °Kino?
>
> *Tu nous accompagneras bien ce soir au cinéma?*

– une **interrogation partielle** (la première position est alors obligatoirement occupée par l'élément ou le groupe sur lequel porte la question) ;

> Wann kommst du?
>
> *Quand viendras-tu?*
>
> Mit wem gehst du?
>
> *Avec qui vas-tu?*

– une **exclamation** ;

> °Der hat vielleicht °Nerven!
>
> *Il est gonflé, celui-là!*

– une **injonction** (ordre, invitation).

> Du bleibst hier, verstanden?
>
> *Tu restes ici, compris?*
>
> Nun/ Jetzt sag mal, was dir eigentlich ist!
>
> *Maintenant, dis-moi ce que tu as vraiment!*
>
> Hier wird gearbeitet!
>
> *Ici on travaille!*

L'énoncé interrogatif

L'énoncé interrogatif pose une **question** ou émet au minimum un **doute**. Dans le style direct, la forme personnelle du verbe est en deuxième position.

Mais, quand l'interrogation est **globale**, c'est-à-dire qu'elle porte sur toute l'information, la première position reste vide. En revanche, quand l'interrogation est **partielle**, le groupe sur lequel porte la question est obligatoirement en première position.

> Kommst du mit?
> *Est-ce que tu nous accompagnes?*
> Fährst du nicht weiter?
> *Tu ne continues pas?*
> *mais* **Wann** kommst du? *Quand viendras-tu?*
> **Mit wem** fährst du? *Avec qui pars-tu?*

203 L'énoncé exclamatif

▶ L'énoncé exclamatif peut lui aussi être **global** ou **partiel**. À côté de la structure à verbe final, la forme variable du verbe est en deuxième position. Mais, si l'exclamation est **globale**, la première position reste vide. En revanche, si elle est **partielle**, le groupe sur lequel elle porte est obligatoirement en première position.

> Ist das aber schön!
> *Qu'est-ce que c'est beau!*
> **Wie schön** ist das!
> *Comme c'est beau!*

▶ Il n'est pas rare qu'un énoncé exclamatif ou interrogatif ait une deuxième illocution, c'est-à-dire exprime, par exemple, un souhait, un regret ou un ordre déguisé.

> Möge er noch lange leben!
> *Qu'il vive encore longtemps!*
> Würden Sie mir bitte folgen?
> *Si vous voulez bien me suivre!*

204 L'énoncé injonctif

L'énoncé injonctif exprime un ordre, un conseil ou une invitation. La forme variable du verbe est en deuxième position. Si le verbe est à l'**impératif**, la première position est en général inoccupée. Toutefois, cette première position peut être occupée par un adverbe qui renvoie à la situation (fonction déictique) ou organise le texte (fonction de connecteur): nun/ jetzt (maintenant), zuerst/ zunächst (d'abord), dann (puis/ alors), vor allem (avant tout)...

> Nun sag mir mal was ist. *Maintenant, dis-moi ce qu'il y a.*

Les énoncés verbaux dépendants

Les énoncés verbaux dépendants sont membres d'un groupe d'accueil et ont aussi le verbe en deuxième position.

205 Les énoncés verbaux dépendants en fonction d'objet

Ils dépendent de verbes signifiant *dire, croire, penser, sentir*. Ces énoncés peuvent aussi apparaître sous la forme d'un groupe conjonctionnel avec dass (→ 568).

> Er denkt wohl, er kann/ könnte sich alles erlauben.
> Er denkt wohl, dass er sich alles erlauben kann/ könnte.
> *Il pense sans doute qu'il peut/ pourrait tout se permettre.*

Seuls fonctionnent ainsi des **énoncés déclaratifs**.

Ils peuvent aussi être membres d'un groupe nominal dont la base est une nominalisation d'un verbe de communication.

> Die Behauptung, er hätte gelogen...
> *L'affirmation qu'il aurait menti...*

206 Les énoncés hypothétiques

La plupart des énoncés hypothétiques dont la forme est celle d'un groupe conjonctionnel avec wenn peuvent aussi apparaître sous forme d'un énoncé avec **verbe en deuxième position** précédé d'une première position inoccupée (Ø).

> **Wenn** ich Geld gehabt hätte, wäre ich ein paar Tage länger geblieben.
> **Hätte** ich Geld gehabt, (so) wäre ich ein paar Tage länger geblieben.
> *Si j'avais eu de l'argent, je serais resté quelques jours de plus.*

Certains groupes conjonctionnels avec ob (si/que) peuvent être transformés de la même manière.

> **Ob** er kommt oder nicht, mir ist das egal.
> **Kommt** er oder kommt er nicht, mir ist das egal.
> *Qu'il vienne ou non, ça m'est égal.*
> Es war mir, **als ob** die Nacht nicht enden wollte.
> Es war mir, **als wollte** die Nacht nicht enden.
> *J'avais l'impression que la nuit ne voulait pas finir.*

207 L'énoncé justificatif avec *doch* ou *ja*

Il mérite d'être signalé, car son verbe est en première position et il a une construction alternative avec un groupe conjonctionnel en da (*puisque/ étant donné que/ vu que*).

> Das Fernsehen war auch dabei, ist sie **doch** die Frau des Außenministers.
> Das Fernsehen war auch dabei, **da** sie doch die Frau des Außenministers ist.
> *La télévision était également présente ; cela n'a rien d'étonnant puisqu'elle est la femme du ministre des Affaires étrangères.*

LA PREMIÈRE POSITION OCCUPÉE OU NON-OCCUPÉE

Les énoncés actualisés de l'allemand ont le verbe en deuxième position, **la première position est donc pertinente**.

208 La première position non-occupée dans les énoncés verbaux

La première position n'est en général pas occupée dans les cas suivants.

- **L'énoncé injonctif** avec verbe à l'impératif ou au subjonctif avec würde.
  > Geben Sie mir doch bitte den Hammer!
  > *Donnez-moi donc s'il vous plaît le marteau !*
  > Würden Sie bitte das Fenster aufmachen.
  > *Soyez assez aimable pour ouvrir la fenêtre.*
- **L'énoncé interrogatif** ou **exclamatif global**.
  > Kommen Sie mit?
  > *Est-ce que vous nous accompagnez ?*
  > Ist °der aber nett! *Qu'il est gentil, cet homme !*
  > Hätte ich doch nur auf ihn gehört! (regret/souhait sans wenn!)
  > *Si seulement je l'avais écouté !*
- **les énoncés verbaux** particuliers, membres d'un groupe **d'accueil** exprimant :
- une virtualité (sans ob) ;
  > Kommt er oder kommt er nicht, mir ist das egal.
  > *Qu'il vienne ou ne vienne pas, ça m'est égal.*

– une hypothèse (sans wenn);

> Kommt er, so gehen wir ins Kino. *S'il vient, nous irons au cinéma.*

– une justification avec doch/ ja ou wo... doch.

> Lass ihn eben malen, **wo** er **doch** nichs anderes kann.
> *Eh bien, laisse-le peindre, puisqu'il ne sait pas faire autre chose.*

209 La première position occupée dans les énoncés verbaux

La première position est occupée dans les énoncés verbaux déclaratifs:

– **indépendants**;

> Peter ist leider nicht zu Hause.
> *Pierre n'est malheureusement pas chez lui.*

– **dépendants** (membres d'un groupe d'accueil).

> Er behauptet/ Die Behauptung, er sei gekommen.
> *Il affirme/ L'affirmation qu'il est venu.*
>
> Der Arzt entscheidet nach gewissenhafter Untersuchung: der Patient muss operiert werden.
> *Après une auscultation consciencieuse, le médecin décide qu'il faut opérer le patient.*
>
> «Das geht nicht», antwortete er.
> *«Cela ne va pas», répondit-il.*

LES DEUX POSITIONS HORS-CONSTRUCTION

210 Définition des positions hors-construction

Par **hors-construction** (ou **extraposition**), on entend tout ce qui peut précéder les éléments en première position (y compris Ø), donc tout ce qui peut apparaître en **avant-première position**, ainsi que tout ce qui peut suivre la dernière position ou le dernier élément du rhème, donc tout ce qui peut occuper l'**après-dernière position**.

L'avant-première position

L'avant-première position peut être occupée par des groupes ou des éléments qui peuvent avoir **trois fonctions** différentes.

211 L'avant-première position à fonction communicative

Les éléments qui expriment une prise de contact, un maintien de contact ou une rupture de contact (→ Contactifs: hallo, du, 618) et/ou ceux qui marquent des réactions (doch, ja, nein, oje, aber et autres interjections) se trouvent souvent en début d'énoncé sans faire vraiment partie de l'information de cet énoncé.

> **Hallo Franz**, wie geht es dir?
> Allo, François, comment ça va?
> **Doch**, er kommt! Si, il viendra!

ATTENTION Les **termes d'adresse**, c'est-à-dire les unités employées pour appeler/attirer l'attention des allocutés, ont aussi cette fonction contactive, par exemple Franz cité précédemment, ou bien:

> Ja, **Kinder**, die Geschichte begann so: ...
> Oui, mes enfants, l'histoire commença ainsi: ...

212 L'avant-première position à fonction informative sur le texte

▶ Cette fonction est celle des **conjonctions de coordination** qui occupent précisément l'avant-première position sans être séparées par des virgules et qui fournissent des instructions très larges comme «ce n'est pas fini» (und), «attention, on dévie» (aber), «attention, on oppose» (doch)... (→ 620-632).

> **Und** der Peter, ja, Kinder, der ging wieder weinend nach Hause.
> Et Pierre, oui, mes enfants, Pierre, il retourna chez lui en pleurant.

▶ Cette fonction d'organisation textuelle ou argumentative est aussi en règle générale celle des **adverbes connecteurs** qui, eux, sont placés le plus souvent en première position et marquent une transition **anaphorique** ou **logique** (→ 597, 599).

Avant-première position	1re position	2e position
Der Peter, ja, Kinder,	der	ging wieder weinend nach Hause
Pierre, oui, mes enfants,	il	retourna chez lui en pleurant

Avant-première position	1re position	2e position
und	**deshalb**	konnten wir auch nicht froh sein.
et voilà pourquoi		nous ne pouvions pas non plus être heureux.

L'avant-première position à fonction informative mise en relief

Dans ce cas, un contenu est mis hors construction ou mis en relief «vers l'avant» (= extraposition avant). C'est le cas pour le membre sujet Der Peter qui passe en avant-première position et est remplacé dans le groupe verbal par le pronom anaphorique (de rappel) der.

> **Der Peter,** °**der** ging nach Hause. *Pierre, il alla à la maison.*

Cette construction de l'énoncé segmenté est caractéristique de l'**expression orale**.

L'avant-première position plurifonctionnelle

Si l'on tient compte d'éventuelles greffes et commentaires qui peuvent encore s'ajouter en avant-première position, on peut avoir, par exemple, au début d'un énoncé verbal:

> Allerdings,   lieber Freund,   wenn ich ehrlich sein soll,
> coordinateur   terme d'adresse   commentaire
>
> diesem Mann – dem traue ich alles zu.
> extraposition avant   groupe verbal
>
> *Certes, cher ami, s'il me faut être honnête,*
> *cet homme – je le crois capable de tout.*
>
> Nun,   wenn ich fragen darf,   liebes Fräulein
> organisateur textuel commentaire   terme d'adresse
> – wie alt sind Sie denn?
> groupe verbal
> *Eh bien, si je peux me le permettre, chère mademoiselle, quel âge avez-vous?*

L'après-dernière position

L'après-dernière position peut être occupée par des groupes ou des éléments qui peuvent avoir **trois fonctions**.

L'après-dernière position à fonction communicative

▶ Elle concerne, par exemple, le maintien ou la relance du contact par un terme d'adresse et/ou un autre contactif.

> Das ist eine herrliche Gegend, nicht wahr, lieber Freund?
> groupe verbal   contactif de relance   terme d'adresse
> *C'est une région superbe, n'est-ce pas, cher ami?*

Beaucoup d'unités à valeur commentative (appréciatifs, modalisateurs, rectificatifs, organisateurs textuels) sont mises en relief en après-dernière position.

> Es ist ja nichts passiert, **zum Glück**.
> Ça s'est bien passé, par chance.
> Ich muss ihn sprechen, **und sei es nur eine Minute**.
> Je dois lui parler, ne fût-ce qu'une minute.
> Er war um vier im Verlag, **wie vereinbart**.
> À quatre heures, il était à la maison d'édition, comme convenu.

216 L'après-dernière position à fonction informative mise en relief

Les groupes, le groupe ou l'élément mis en extraposition «arrière» peuvent représenter:

– le rejet d'un groupe informatif lourd et étoffé comme une **énumération** ou des **appositions**;

> Der Bezirk hat allein in diesem Semester fünfhundert Sozialwohnungen gebaut, **sechs Schulen sowie zwei Gymnasien mit Schwimmhalle**.
> Le district a au cours de ce seul semestre construit cinq cents logements sociaux, six écoles ainsi que deux lycées avec piscine couverte.
> Wir interessieren uns für Malerei, **vor allem expressionistische**.
> Nous nous intéressons à la peinture, et avant tout à la peinture expressionniste.

– le rejet d'une unité **peu informative** en rappel (construction fréquente à l'oral pour les groupes prépositionnels, par exemple);

> Ich hatte dich doch ge°warnt °**damals in °München**.
> Je t'avais bien mis en garde à ce moment-là à Munich.
> Ich gebe °nichts mehr her **für °so was**!
> Je ne donnerai plus un sou pour quelque chose comme ça!

– la position **hors-construction** d'une information dans un énoncé segmenté. L'information extraposée ou mise en relief vers l'arrière est remplacée dans le groupe verbal par un pronom.

> **Die** °spinnen, **die Römer**!
> Ils sont fous, ces Romains!
> Sein °Wort hat **er** natürlich °nicht gehalten, **der Prahlhans**.
> Sa promesse, il ne l'a évidemment pas tenue, ce vantard!

LE GROUPE VERBAL

À l'oral, le français fait sans doute davantage appel à l'énoncé segmenté que l'allemand.

Maman, elle sait bien les faire, les frites!

Mutti macht sie gut, die Pommes Frites!

Moi, mon papa, sa voiture, il l'a mise au garage.

Du, mein Papa, seinen Wagen, den hat er in die Garage gestellt.

217 ## Extraposition en après-dernière position de groupes de type verbal

Quand il s'agit de groupes de type verbal, la raison de leur place en après-dernière position est différente. Ainsi sont rejetés en **après-dernière position** :

– obligatoirement les **groupes verbaux dépendants compléments d'un pronom-relais** ;

Mich interessiert überhaupt nicht, **was Sie denken.**

Ça ne m'intéresse pas du tout, ce que vous pensez.

Weil ich leider nicht immer tun kann, **was ich will.**

Parce que je ne peux malheureusement pas toujours faire ce que je veux.

Freust du dich nicht (°darüber), **dass deine Eltern in °Urlaub fahren?**

Est-ce que tu ne te réjouis pas que tes parents partent en vacances?

– facultativement les **groupes verbaux** ou **groupes infinitifs membres d'autres groupes** ;

Er konnte das Gefühl nicht loswerden, **dass man ihm folgte.**

Il ne pouvait se débarrasser de l'impression qu'on le suivait.

Er hat mit seinem Freund gespielt, **der im Nachbarhaus wohnte.**

Il a joué avec son ami, qui habitait la maison voisine.

mais Er hat mit seinem Freund, der im Nachbarhaus wohnte, Tennis gespielt.

Il a joué au tennis avec son ami qui habitait la maison voisine.

– facultativement les **expansions de termes graduatifs** avec wie ou als.

Wir werden uns **so viel** Zeit nehmen **wie** nötig.

Nous prendrons le temps nécessaire.

Wir werden uns **so viel** Zeit nehmen, **wie** wir brauchen.

Nous prendrons le temps dont nous avons besoin.

Le groupe nominal

Besc
ner
elle

Allemand

Les numéros renvoient aux paragraphes.

Les noms et nominalisations avec leur genre

218 Classifications des bases du groupe nominal

Dans un groupe nominal, la base peut être **simple** ou **complexe**. Dans le cas d'une base nominale complexe, elle peut être dérivée ou composée, nom (substantif) ou nominalisation.

Du point de vue du sens, on peut aussi considérer comme base nominale certains **complexes polylexicaux**, écrits en plusieurs mots reliés ou non par un trait d'union.

BASE NOMINALE
ÉCRITE EN UN SEUL MOT

BASE NOMINALE
ÉCRITE EN PLUSIEURS MOTS

NOM SIMPLE

(die) Tür, (das) Haus, (der) Wein, (die) 'Leber *la porte, la maison, le vin, le foie*

NOM DÉRIVÉ

(der) Be'ginn, (der) 'Anfang, (die) Fahrt *le début, le commencement, le voyage*

NOM MODIFIÉ

(die) Male'rei, (der) 'Fußballer *la peinture, le joueur de football*
(die) 'Landschaft, (der) 'Fremdsprachler *le paysage, l'étudiant de langue étrangère*

NOMINALISATION

(das) 'Essen, (der/die/das) 'Schöne *le repas, le beau/la belle/le beau*
(der) Ge'sang, (die) 'Dunkelheit *le chant, l'obscurité*

NOM COMPOSÉ

(das) 'Wohnzimmer, (der) 'Fremdarbeiter *la salle de séjour, le travailleur étranger*
(die) 'Fußball'weltmeisterschaft *le championnat du monde de football*

NOM AVEC TRAIT D'UNION

Baden-'Württemberg,
(die) Konrad 'Adenauer-Straße
Baden-Wurtemberg,
la rue Konrad Adenauer
der °I-Punkt,
das E°G-Gipfeltreffen
le point I, le sommet
de la Communauté européenne

COMPLEXE POLYLEXICAL (SANS TRAIT D'UNION)

(die) Stadt Ber°lin,
drei Pfund °Fleisch (→ 313-318)
la ville de Berlin,
trois livres de viande
(der) Herr Gene°raldirektor,
ein starker °Raucher
Monsieur le Directeur Général,
un gros fumeur
Anfang/ Ende A°pril,
(der) Sturm und °Drang
début/ fin avril,
le Sturm und Drang
(période littéraire)

219   Le genre

▶ La base nominale donne son genre à l'ensemble du groupe nominal. Le genre peut être **masculin**, **féminin** ou – c'est une caractéristique de l'allemand par rapport au français – **neutre**.

> der kleine Tisch, *la petite table* ;
> die kleinen Tische, *les petites tables*
>
> das große Haus, *la grande maison* ;
> die großen Häuser, *les grandes maisons*
>
> die grüne Anlage, *l'espace vert* ;
> die grünen Anlagen, *les espaces verts*

▶ Le genre n'est significatif que si la base nominale désigne un **être animé** (mâle ou femelle).

> der Mann, *l'homme* ; die Frau, *la femme*
> der Hund, *le chien* ; die Hündin, *la chienne*
> der Hengst, *l'étalon* ; die Stute, *la jument*

Il ne faut donc pas confondre le genre naturel (mâle, femelle, inanimé) avec le genre grammatical, qui a une fonction distinctive et permet de mieux pronominaliser les groupes nominaux.

ATTENTION Dans un certain nombre de couples de mots, le genre permet de **différencier des homonymes** (mots qui ont la même forme, mais un sens différent).

– En français :

> *le mousse, la mousse* ; *le tour, la tour.*

– En allemand :

> das Steuer, *le volant* ; die Steuer, *l'impôt*
> das Gehalt, *les appointements* ; der Gehalt, *la teneur*
> das Band, *le ruban* ; der Band, *le volume* [livre].

Ces homonymes se différencient aussi parfois par un pluriel différent.

> das Wort → die Worte, *les paroles* (mots en contexte) ;
> die Wörter, *les mots pris isolément*

220   Les critères du genre

Le genre du groupe nominal dépend (surtout quand la base désigne un être non-animé) de différents critères.

▶ **Les critères morphologiques et phonétiques**

• Les noms composés ont le genre du déterminé.

> das Auto, **die** Bahn → **die** Autobahn, *l'autoroute*

- Les noms dérivés à l'aide de suffixe(s) ont le genre de leur suffixe.

> **das** Mäd**chen**, *la jeune fille* ; **die** Freude, *la joie* ;
> **der** Lautsprech**er**, *le haut-parleur*

- Les nominalisations sont au neutre, sauf quand elles désignent des êtres sexués.

> **das** Ich, *le moi* ; **das** Alte, *la vieille chose*
> *mais* **der** Alte, *le vieux* ; **die** Alte, *la vieille*

- Certains sons terminaux entraînent ou excluent tel ou tel genre.

> **das** Kino, *le cinéma* ; **das** Radio, *la radio* ;
> **das** Büro, *le bureau mais* **die** Lava, *la lave*

▶ **Les critères notionnels**

- De nombreuses bases nominales font partie de classes de réalités ayant souvent le même genre. Par exemple, les quantités sont neutres (**das** Hundert, *la centaine* ; **das** Tausend, *le millier*), mais les chiffres sont féminins (**die** Hundert, *le chiffre 100* ; **die** Tausend, *le chiffre 1 000*).

- Il n'est pas rare que le genre du terme générique s'étende aux éléments de la classe qu'il désigne. Ainsi, les mois sont du masculin en raison de der Monat ; les voitures sont du masculin en raison de der Wagen ; les avions sont du féminin en raison du terme die Flugmaschine (die Boeing) alors que le composé das Flugzeug est du neutre (das Zeug) et le composé der Airbus du masculin (en raison de der Bus).

LE NOM SIMPLE

221 Définition du nom simple

Le nom simple est formé d'**un radical sans préfixe ni suffixe**. Son genre est quasiment imprévisible et doit être appris avec le nom.

> die Frau, *la femme*
> *mais* das Weib, *la femme* (sens péjoratif)
> die Tür, *la porte* et das Tor(**-e**), *le portail* ;
> *mais* der Tor(**-en**), *l'idiot*
> der Bach, *le ruisseau* ; das Dach, *le toit*
> das Blei, *le plomb* ;
> *mais* der Stahl, *l'acier*
> die Maus, *la souris* ;
> *mais* das Haus, *la maison*

LE NOM DÉRIVÉ

222 ## Définition du nom dérivé

Le nom dérivé s'écrit en un mot ; il est constitué d'unités lexicales – simples ou complexes – et de suffixes, voire de préfixes, accompagnés éventuellement de modifications sonores (phonétiques) comme l'inflexion. Son genre (et souvent aussi son pluriel) est dans la plupart des cas prévisible.

Suivant l'unité lexicale sur laquelle est formé le nom dérivé, on distingue :

• **le nom modifié ;**

      die Stadt → das Städtchen, la ville, la petite ville

      der Feind → die Feindschaft → feindschaftlich (adjectif), l'ennemi, l'inimitié, hostile.

• **la nominalisation.**

Elle permet de transférer dans la classe des noms des unités lexicales ou des amalgames d'unités lexicales d'autres classes comme, par exemple, un adjectif (der Stolz, la fierté), un verbe (das Essen, le repas), des complexes prédicatifs (Brief(e) trag(en) → der Briefträger, le facteur).

223 ## Les préfixes

▸ Les préfixes n'ont pas d'influence sur le genre des noms modifiés, mis à part les dérivés à sens collectif constitués de Ge… (e) et qui sont, pour la plupart, neutres.

      das Gestein (← der Stein), la pierraille

      das Gebirge (← der Berg), les montagnes/ la chaîne de montagnes

    mais **der** Geruch (← riechen), l'odorat/ l'odeur ; **die** Gefahr, le danger

▸ Les préfixes/préfixoïdes apportent aussi leur signification propre.

– Les préfixes allemands

      der **Aber**glaube, la superstition

      der **Alt**bundeskanzler, l'ex-chancelier

      der **Erz**bischof, l'archevêque

      die **Fehl**geburt, la fausse-couche

      der **Grund**gedanke, l'idée de base

      der **Haupt**bahnhof, la gare centrale

      der **Mit**arbeiter, le collaborateur

      der **Nicht**raucher, le non-fumeur

      das **Sonder**blatt, l'édition spéciale [journal]

      das **Un**behagen, le malaise

      die **Ur**großmutter, l'arrière-grand-mère

LE GROUPE NOMINAL

– Les préfixes étrangers ou scientifiques

Anti-, Epi-, Extra-, Hyper-, Hypo-, Ko-, 'Infra-, Iso-, -Makro-, 'Mega-, 'Meta-...

– Les préfixes graduatifs

ein **Bomben**erfolg, un succès monstre
ein **Höllen**tempo, un train d'enfer
ein **Mammut**konzern, un consortium gigantesque
ein **Monster**programm, un programme monstre
ein **Mord**sappetit, un appétit terrible
eine **Riesen**arbeit, un travail de géant/ immense/ gigantesque
eine **Spitzen**leistung, une performance de premier ordre

224 Les suffixes

▶ Ils permettent de modifier des noms et la plupart servent aussi à former des nominalisations. On a par exemple :

• **des diminutifs** ;

– (¨)chen, -lein (neutres)

das Städt**chen**, la petite ville ; das Büch**lein**, le petit livre

– -ling (masculin)

der Jüng**ling**, le jeune homme

– -i (qui ne modifie pas le genre du nom)

der Vat**i**, le petit papa ; der Schatz**i**, le petit trésor ;
die Mutt**i**, la petite maman

• **des noms** de **personnes** ou d'**animaux** de **sexe féminin** ;

– -in (non-accentué, avec ou sans inflexion, pluriel : -innen)

die Ärzt**in**, la doctoresse ; die Lehrer**in**, l'institutrice ;
die Beamt**in**, la femme fonctionnaire ; die Löw**in**, la lionne ;
die Hünd**in**, la chienne

• **d'autres classes** d'**objets** ou de **personnes** abstraites ou concrètes, particulières ou collectives.

– -schaft, -heit, -ung (féminins)

die Freund**schaft**, l'amitié ;
die Bekannt**schaft**, la connaissance/ les connaissances ;
die Christen**heit**, la chrétienté ; die Zeit**ung**, le journal ;
die Send**ung**, l'émission

– -tum (en général neutre)

das Königt**um**, le royaume ; das Beamtent**um**, le fonctionnariat

Des termes déterminés dans des mots composés servent de suffixes pour des désignations surtout collectives.

– -gut

   das Gedanken**gut**, *la pensée*

– -kreis

   der Familien**kreis**/ der Arbeiter**kreis**, *le cercle de famille/ d'ouvriers*

– -mann, -frau, -leute, -material, -volk, -welt, -werk, -wesen, -zeug...

   das Transport**wesen**, *les transports*;
   das Schul**wesen**, *l'organisation scolaire*;
   das Nachschlage**werk**, *l'ouvrage de référence*;
   das Werk**zeug**, *les outils*

LES NOMINALISATIONS

225 ## Définition des nominalisations

Les nominalisations sont des bases nominales formées à partir de transpositions de complexes verbaux, adjectivaux, adverbiaux, et qui exigent que l'on tienne compte de la construction des éléments transposés. Elles peuvent être très complexes.

   das gekidnappte Kind aus den Händen der Verbrecher befreien
   libérer l'enfant kidnappé des mains des criminels

   → die Befreiung des gekidnappten Kindes aus den Händen der Verbrecher, *la libération de l'enfant kidnappé des mains des criminels*

On distingue :

– les **conversions** sans préfixe ni suffixe ;

– les **transferts** avec préfixes et/ou suffixes et/ou d'autres changements.

Les conversions sans préfixe ni suffixe

226 ## Le genre neutre

Les conversions d'éléments ou de complexes non-nominaux en bases nominales se font par le neutre.

   das Für und Wider, *le pour et le contre*;
   das Jenseits, *l'au-delà*; das Ich, *le moi*;
   das Schwimmen auf dem Rücken, *la natation sur le dos*

227 Les adjectifs et groupes adjectivaux

On distingue :

- **la simple transposition** ;

  das Grün, *la verdure* ; das Dunkel, *l'obscurité* ;
  der Ernst, *le sérieux* ; der Stolz, *la fierté*

- **l'adjectif nominalisé**, c'est-à-dire les conversions déclinées dont le genre est significatif.

  der/die Bekannte, *personne connue homme/ femme* ;
  das Bekannte, *la chose connue*
  die Bekannten, *les connaissances/personnes*
  ein Bekannter/ eine Bekannte/ etwas Bekanntes/
  nichts Bekanntes/ Bekannte, *une personne connue homme ou femme/ quelque chose/ rien de connu/ des personnes connues*

ATTENTION Ne pas confondre :

• les adjectifs nominalisés (conversions)	• autres nominalisations ou noms en -e
– der Deutsche/ ein Deutscher die/eine Deutsche/ Deutsche	– der/ein Franzose/ die/eine Französin/ Franzosen
– ein Langer/ eine Lange/ etwas Langes	– die Länge, *la longueur*
– der Fremde/ ein Fremder : *l'/un étranger* die/eine Fremde : *l'/une étrangère*	– die Fremde, *l'étranger* (en tant que lieu)

228 Les groupes participes I et II

Dans le cas des groupes participes I et II , seule la conversion déclinée est possible.

  der/die Gefangene/ ein Gefangener/ eine Gefangene/ Gefangene,
  le prisonnier
  der/die Vorsitzende/ ein Vorsitzender/ eine Vorsitzende/
  Vorsitzende, *le président de séance*
  der Alleinstehende/ ein Alleinstehender, *la personne seule [dans la vie]*

229 Les radicaux verbaux

De nombreux **radicaux verbaux** donnent lieu à des dérivés sans suffixe dénommant l'action, l'état et/ou le résultat du procès. Beaucoup de ces dérivés sont **masculins**.

  der Besuch, *la visite rendue ou la visite reçue*

▶ Les conversions peuvent se faire :

* à partir du **radical de l'infinitif**
– au masculin ;

  der Ärger, l'énervement ; der Verkauf, la vente
– au féminin ;

  die Arbeit, le travail ; die Klingel, la sonnette
– au neutre.

  das Leid, la souffrance ; das Spiel, le jeu ; das Versteck, la cachette
* avec **changement de sonorité**

  der Druck (l'impression : drucken ou la pression : drücken) ;
  der Tritt (le pas : treten) ; die Furcht (la peur : fürchten) ;
  die Scham (la honte : sich schämen)
* sur le **radical du prétérit ou du participe II**

  der Abschied (l'au revoir : scheiden) ;
  der Fund (la trouvaille, l'objet trouvé : finden) ;
  der Diebstahl (le vol : stehlen) ;
  der Klang (le son : klingen) ;
  der Pfiff (le coup de sifflet : pfeifen)
* avec un **changement de voyelle** o → u

  der Betrug (l'escroquerie ; prétérit et participe : betrog-, betrogen) ;
  der Bruch (la rupture : brechen) ;
  der Flug (le vol : fliegen) ; der Fluss (la rivière : fließen) ;
  der Schuss (le coup de feu/ le tir : schießen) ;
  der Spruch (la sentence : sprechen) ; der Wurf (le jet : werfen)
  der Zug (le train : ziehen)

Les transferts avec préfixes et/ou suffixes

Les autres transferts ou nominalisations se font par l'addition de suffixes
avec éventuellement des préfixes et des changements sonores.

230 Les suffixes fréquents très productifs

Ces suffixes sont :
– -ung (pour des dérivés féminins sur des verbes) ;

  die Werb**ung** (← werben), la publicité
– -heit/-(ig)keit pour des dérivés féminins sur des adjectifs ou participes ;

  die Frei**heit** (← frei), la liberté

- -er/-ler/-ner pour des modifications de noms au masculin ;
    der Schül**er**, l'écolier ; der Rent**ner**, le rentier/ le retraité
- -er/-ler/-ner pour des dérivés sur verbes ;
    der Bäck**er**, le boulanger ; der Weck**er**, le réveil
- -er/-ler/-ner sur des amalgames syntaxiques.
    der Briefträg**er**, le facteur ; der Büstenhal**ter**, le soutien-gorge ;
    der Viersitz**er**, le quatre places ; der Zweimas**ter**, le deux-mâts

231 Les suffixes moins fréquents encore productifs

Ces suffixes sont :
- -e pour des dérivés féminins sur des adjectifs et des verbes ;
    die Breit**e** (la largeur : breit) ; die Wärm**e** (la chaleur : warm) ;
    die Deck**e** (la couverture : decken) ; die Gab**e** (le don : geben)
- -(e)(r/l)'ei accentué pour des dérivés féminins sur des noms ou des verbes ;
    die Part**ei**, le parti ; die Kart**ei**, le fichier/ le classeur ;
    die Schweiner**ei**, la cochonnerie ;
    die Kondit**or**ei, la pâtisserie ;
    die Metzger**ei**/ die Fleischer**ei**, la boucherie ;
    die Träumer**ei**, la rêverie ;
    die Schmeichel**ei**, la flatterie
- -schaft pour des dérivés féminins sur des noms, adjectifs et verbes ;
    die Mann**schaft**, l'équipe ;
    die Schwanger**schaft**, la grossesse ;
    die Bürg**schaft**, la caution/ la garantie
- le préfixe Ge- souvent combiné avec le suffixe -e.
    das **Ge**rede, le verbiage ; das **Ge**witter, l'orage ;
    der **Ge**danke, la pensée ; die **Ge**walt, la violence ;
    die **Ge**fahr, le danger

232 Les suffixes peu productifs

Ces suffixes sont :
- -el/ -sal/ -sel ;
    der Schlüss**el**, la clé ; die Schacht**el**, la boîte ;
    das Schick**sal**, le destin ; das Rät**sel**, l'énigme
- -ling pour des dérivés masculins ;
    der Zwil**ling**, le jumeau ; der Früh**ling**, le printemps

- -nis pour des féminins et des neutres sur des noms, verbes et adjectifs ;

> das Verhält**nis**, *le rapport* ; die Kennt**nis**, *la connaissance*

- -t/ -de pour des dérivés anciens sur des verbes et des adjectifs ;

> die °Unterschri**ft**, *la signature* ;
> die °Übersich**t**, *le panorama/ la vue générale* ; die Freu**de**, *la joie*

- -tum pour des dérivés neutres.

> das Bis**tum**, *l'évêché* ; das Eigen**tum**, *la propriété*
> *mais* der Irr**tum**, *l'erreur* ; der Reich**tum**, *la richesse*

233 Les autres suffixes

D'autres suffixes, notamment des **terminaisons** de **mots étrangers**, sont caractéristiques d'un genre dans des noms d'emprunt.

▶ **Le masculin** (Ces noms désignent le plus souvent des personnes.)

-'and : Doktor**and**, *le thésard*
-'ant : Praktik**ant**, *le stagiaire*
-'ar : Kommiss**ar**, *le commissaire*
-'är : Sekret**är**, *le secrétaire*
-'ast : Gymnasi**ast**, *le lycéen*
-'at : Demokr**at**, *le démocrate*
-'ent : Konkurr**ent**, *le concurrent* ; Kontin**ent**, *le continent*
-'eur/-ör : Ingeni**eur**, *l'ingénieur* ; Fris**ör**, *le coiffeur*
-'ier prononcé [iːr] : Offiz**ier** ou [je] : Bank**ier**
-iker : Polit**iker**, *l'homme politique*
-'ismus : Optim**ismus**, *l'optimisme*
-'ist : Ideal**ist**, *l'idéaliste*
-'log(e) : Bio**loge**, *le biologiste*
-('at)or : Ventil**ator**, *le ventilateur* ; Mot**or**, *le moteur* ; Dokt**or**, *le docteur*
-us : 'Rhythm**us**, *le rythme*

▶ **Le neutre**

-'at (désignant le plus souvent des choses) : Inser**at**, *la petite annonce mais* der Appar**at**, *l'appareil* ; der Autom**at**, *l'appareil* ; der Sal**at**, *la salade* ; der Sold**at**, *le soldat*
-'ett : Ball**ett**, *le ballet* ; Tabl**ett**, *le plateau*
-'in [iːn] : Vitam**in**
-(i)um : 'Stad**ium**, *le stade* ; 'Zentr**um**, *le centre*
-(m)ent : Argu**ment** ou, prononcé à la française : Engage**ment**
-'phon/ -'fon/ -'skop : Mikro**phon**, *le microphone* ; Tele**fon**, *le téléphone* ; Stetho**skop**, *le sthétoscope*

Le féminin

-'ade: Marmel**ade**, la confiture
-'age: Et**age**, l'étage
-'anz/ -'ance: Bil**anz**, le bilan; Nu**ance**, la nuance
-'ät/ -'tät: Di**ät**, le régime; Universi**tät**, l'université
-'enz: Tend**enz**, la tendance
-'esse: Delikat**esse**, la spécialité en cuisine
-'ette: Tabl**ette**, le comprimé
-ie [jə] ou ['iː] (à la française): Famil**ie**; Demokra'**tie** [tiː]; Re'g**ie** [giː]
-'ik: accentué ou non Mu's**ik**, mais 'Lyr**ik**
-'ine: Margar**ine**, la margarine; Blond**ine**, la femme blonde
-'ion: accentué Na'**tion**; Reli'g**ion** mais das °Stad**ion**, le stade
- is: 'Bas**is**, la base; 'Dos**is**, la dose
-'isse: Ku'l**isse**, la coulisse
-'ive: Perspek'**tive**, la perspective
-'ose: Neu'r**ose**, la névrose
-'ur: Na'**tur**, la nature; Kul'**tur**, la culture; Mix'**tur**, la mixture

LES NOMS COMPOSÉS ÉCRITS EN UN SEUL MOT

234 La structure sémantique binaire

Sur le plan formel, les noms composés offrent de nombreuses combinaisons. Mais, sur le plan sémantique, ils ne se composent que de deux parties, que nous séparons, pour une meilleure lisibilité, par une double barre oblique (//).

• Le **dernier élément** est un nom qui donne son genre, son nombre et sa déclinaison à l'ensemble.

• Le **premier élément** est très largement figé dans sa forme et ne peut plus recevoir d'expansions (sauf dans de rares expressions lexicalisées comme die deutsche Sprachwissenschaft, la linguistique allemande). Il peut être de nature diverse:

– **nom** (simple, dérivé, composé) + **nom** (simple, dérivé, composé);

       der Bank//direktor, le directeur de banque
       das Frauen//problem, le problème de femme
       die Fußball//weltmeisterschaft,
       le championnat du monde de football

– **verbe + nom**;

       das Ess//zimmer, la salle à manger
       das Lese//buch, le livre de lecture

– **adjectif/ participe + nom** (souvent des amalgames syntaxiques);

 die Groß//stadt, *la grande ville*;
 der Gebraucht//wagen, *la voiture d'occasion*;
 die Höchst//geschwindigkeit, *la vitesse maximale*

– **élément invariable + nom**.

 der Vor//ort, *la banlieue*; der Aber//glaube, *la superstition*

▶ Du point de vue du moule sémantique qui relie les deux parties, on distingue l'immense majorité des **composés déterminatifs** et les autres structures que l'on regroupe sous l'expression «**composés copulatifs**».

Les composés déterminatifs

235 La structure du composé déterminatif

▶ Les composés déterminatifs présentent la structure régressive typique de l'allemand: **le déterminant précède le déterminé**. Sur la chaîne écrite, la gauche détermine donc la droite.

 der Haus//schlüssel, *la clé de la maison*
 déterminant + déterminé déterminé + déterminant

 das Krankenhaus//personal, *le personnel de l'hôpital*

 die Fernsprech//gebührentabelle,
 le tableau des taxes téléphoniques longues distances

▶ Dans une optique de production, ces composés posent deux types de problèmes:

– les relations sémantiques entre les termes du composé;

– les jonctures (ou jointures).

236 La sémantique de la structure déterminative

▶ Beaucoup de relations sémantiques sont possibles entre les deux termes d'un nom composé à structure déterminative. Ces relations dépendent en réalité du sens des termes mis en présence et remplissent, tel des gâteaux différents, un même moule de détermination. Il s'agit d'une:

– relation d'appartenance ou de possession;

 das °Vaterhaus, *la maison paternelle*

– relation de sujet ou d'objet;

 die °Schülerarbeit, *le travail de l'écolier* (Qui fait le travail?);
 die °Kinderbetreuung, *la garde des enfants* (Qui est gardé?)

- relation de lieu;
  > die °Frankreichreise, *le voyage en France*
- relation de qualité;
  > die °Altstadt, *la vieille [partie de la] ville*
- relation de matière;
  > die °Golduhr, *la montre en or*
- relation de cause;
  > der °Liebeskummer, *le chagrin d'amour*
- relation de but;
  > die °Waschmaschine, *le lave-linge*
- relation de comparaison.
  > der °Staubzucker, *le sucre en poudre*

▶ Il n'est pas rare que les composés:
- soient à prendre dans un sens **imagé**;
  > der °Dickkopf, *l'entêté*;
  > der °Geizkragen, *l'avare*;
  > der °Faulpelz, *le paresseux*;
  > der °Höllenlärm, *le bruit d'enfer*
- renvoient à un usage **métaphorique**.
  > die °Schlafmütze, *l'abruti*;
  > der Kul°turpapst, *le pape culturel*

237 Les jonctures

▶ Ce sont des marques de déclinaison figées, portées par les premiers termes des composés: -s, -es, -en, -ens, -e, ⸚e, ⸚. Environ 60 % des déterminants des composés n'en ont pas.

> der Bahnhof, *la gare*; das Gipfeltreffen, *la rencontre au sommet*;
> der Weltmachtanspruch, *la prétention d'être (ou de devenir) une puissance mondiale*

▶ Souvent étendues par analogie, les jonctures peuvent ne plus être justifiées du point de vue grammatical et le même lexème déterminant peut être muni de jonctures différentes.

> das °Kindsein, *le fait d'être enfant*
> nominalisation d'un amalgame syntaxique, pas de joncture

> ein °Kind**s**kopf, *un grand enfant/ être puéril*
> das °Kind**es**alter, *l'enfance premier âge*
> der °Kind**er**wagen, *la voiture d'enfant*

▶ Dans une centaine de couples de mots, les jonctures signalent des différences de sens.

> der Par°teistaat, l'État à parti unique
> der Par°tei**en**staat, l'État à plusieurs partis

Dans l'exemple suivant, le pluriel -**en** est justifié.

> die Ge°burt**en**kontrolle, le contrôle des naissances ;
> *mais* der Geburtstag (l'anniversaire)

▶ Le -**s** est raccroché presque automatiquement à une terminaison d'infinitif et aux suffixes -heit, -keit, -schaft, -ung, -ion, -(i)tät, -mut, -(l)ing, -tum. Dans ce cas, il n'est donc pas significatif.

> die °Daseinsberechtigung, le droit à l'existence
> das °Leben**s**mittel, l'aliment
> der °Freiheit**s**kampf, le combat pour la libération/ liberté
> der °Schwangerschaft**s**urlaub, le congé de maternité
> die °Ansicht**s**karte, la carte postale illustrée

Près de 90 % des formations composées avec la joncture -s ont de ce fait un déterminant féminin pour lequel l'élément de liaison n'est pas justifié du point de vue grammatical.

Il en va de même pour d'autres jonctures comme -(e)n.

> die °Nasenspitze, le bout du nez ;
> der °Krisenstab, la cellule de crise

▶ Dans les composés à multiples constituants, les jonctures ont assez souvent une fonction de **démarcation**.

> der °Hofplatz, la place de la cour ;
> der °Bahnhof**s**platz, la place de la gare

Les composés copulatifs

238 Les composés non-déterminatifs

Ils sont moins nombreux. On les regroupe sous l'expression « **composés copulatifs** ».

On distingue :

– les **composés explicatifs** que l'on peut paraphraser par une structure verbale en sein ou heißen ;

> das °Rentier, le renne ; das °Maultier, le mulet ;
> der °Walfisch, la baleine ; der Vati°kanstaat, l'État du Vatican ;
> die °Schillerstraße, la rue Schiller

– les **composés additionnels** que l'on peut paraphraser par und.

der Strichpunkt, *le point-virgule*; die Hemdhose, *la combinaison*;
der Nord°westen, *le nord-ouest*

239 Le composé déterminatif et le composé explicatif

Il n'est pas toujours facile de distinguer le composé **déterminatif** du composé **explicatif**, voire additionnel.

À l'origine, der Bürger°meister (*le citoyen nommé maître*) était du type **explicatif**; aujourd'hui, prononcé der °Bürgermeister, il est de type **déterminatif**: *le maître des citoyens.*

Das °Uhrenradio (*le radio-réveil*) est additionnel autant que déterminatif.

Der Tannenbaum (*le sapin*) est-il explicatif (*l'arbre appelé* Tanne) ou déterminatif, Tanne sélectionnant une sous-espèce d'arbres?

Souvent, plusieurs interprétations sont possibles au niveau du « moule » sémantique de la relation, en fonction du « gâteau » fourni par les termes rapprochés, juxtaposés ou simplement amalgamés dans le mot composé.

Il faut parfois tenir compte de l'emploi du mot en contexte. Ainsi, les explicatifs das Jahr°hundert/ das Jahr°tausend (*l'année cent*/ *l'année mille*) ont subi une réinterprétation en « siècle » et « millénaire ».

Il n'en va pas de même du mot Aller°heiligen (*Toussaint*) qui n'est que le résidu amalgamé du membre au génitif du groupe nominal: das Fest aller Heiligen, comme die Apfel°sine (*l'orange amère*) est l'amalgame explicatif de Apfel aus China et Mittwoch l'amalgame écourté de Mitt(e)woch(e)(tag) comme l'atteste son genre masculin et non féminin.

LES COMPLEXES NOMINAUX POLYLEXICAUX

Écrits en plusieurs mots, avec ou sans trait d'union, les complexes polylexicaux posent le problème de la différence entre la **base syntaxique** (l'élément décliné) et le **noyau sémantique** (l'élément qui apporte le sens principal). On distingue, pour la structure interne, complexes copulatifs et complexes polylexicaux occasionnels.

240 Les complexes copulatifs (→ 238-239)

Ils sont de type:

– **additionnel,** que l'on peut paraphraser par und;

Baden[-]°Württemberg; Elsas[-]°Lothringen; Mönchen[-]°Gladbach

– **explicatif,** paraphrasable par une structure avec sein ou heißen (l'élément qui identifie ou explique est accentué; il peut être placé à droite ou à gauche du nom décliné qui est la base syntaxique).

> Frau Doktor °Ebert, Madame le docteur Ebert;
> das Schloss Sans°souci, le château (de) Sans-Souci;
> die Stadt °Bochum, la ville de Bochum;
> das Wort °Gott, le mot de dieu; der Monat °Mai, le mois de mai;
> Kapitel °10, chapitre 10; Bahnsteig °sieben, quai 7;
> Pi°relli Reifen, les pneus Pirelli; °Jakobs Kaffee, le café Jakobs;
> Glo°bal Möbel, les meubles Global; Hans °Meier ou Meier °Hans

241   Les complexes polylexicaux occasionnels

Ils sont reliés par un trait d'union. Leur structure sémantique varie.

> der Albrecht-Dürer-Platz, la place Albrecht Dürer (explicatif)
> die CDU-FDP-Koalition (die Koalition der CDU mit der FDP),
> la coalition de la CDU et de la FDP
> die Boden-Luft-Rakete (vom Boden in die Luft), la fusée sol-air
> der Moskauer Zwei-plus-Vier-Vertrag,
> la convention 2 + 4 de Moscou

242   Distinctions utiles

Il ne faut pas confondre les complexes nominaux en plusieurs mots avec ceux qui comprennent un groupe nominal de **quantité** ou de **mesure** (zwei Glas Wein, → 313-318), ni avec des complexes nominaux plus isolés comme:

– la **réduction de groupes**;

> (am) Anfang, (au) début; (am) Ende April, (à la) fin avril

– le groupe nominal **à l'accusatif de mesure**;

> vierzig Jahre nach dem Krieg, quarante ans après la guerre
> zehn Kilometer hinter der Front, (à) dix kilomètres derrière le front
> zwei Monate vor der Ausstellung, deux mois avant l'exposition

– les **nominalisations d'amalgames verbaux.**

> ein starker Raucher, un gros fumeur
> dérivé de stark rauch(en) (fumer beaucoup)
> ein feiner Beobachter, un observateur perspicace
> dérivé de fein beobacht(en) (observer finement)
> eine glücklose Tätigkeit, une activité malheureuse
> dérivé de glücklos tätig (sein)

Le pluriel des bases nominales

243 La base nominale

Comme en français, le groupe nominal allemand a pour base syntaxique un **nom** ou une **nominalisation**, c'est-à-dire au minimum un **lexème-base**.

244 Le nombre : singulier et pluriel

Dans ce chapitre, sont présentées les règles concernant la formation du **pluriel** de ces bases nominales. En général, le pluriel s'oppose au singulier et signale qu'il s'agit d'un ensemble d'unités dénombrables supérieures à un.

Cependant, il existe aussi des bases nominales qui ne fonctionnent qu'au singulier ou au seul pluriel : dans ce cas, le singulier et le pluriel ne sont pas nécessairement significatifs.

245 Les bases nominales n'existant qu'au pluriel

Il arrive que le singulier du nom fonctionne aussi soit comme collectif soit avec un sens différent.

> die Alp (vieilli), *le cauchemar.*

Ce pluriel concerne :

– des noms géographiques ;

> die Alpen, *les Alpes* ; die Anden, *les Andes* ;
> die Niederlande, *les Pays-Bas*

– des groupes de personnes ;

> die Eltern, *les parents* ; die Geschwister, *les frères et sœurs* ;
> die Zwillinge, *les jumeaux*

– des désignations de temps ;

> die Ferien, *les vacances*

Beaucoup de fêtes religieuses ont une forme plurielle ;

> (das Fest) Allerheiligen, *la Toussaint* ;
> (frohe) Ostern, *(joyeuses) Pâques* ;
> frohe Weihnachten, *joyeux Noël*

– des termes liés à la physiologie ;

> die Eingeweide, *les intestins* ; die Masern, *la rougeole* ;
> die Pocken, *la variole* ; die Röteln, *la rubéole*

– des collectifs ;

> die Bohnen, *les haricots* ; die Erbsen, *les petits pois* ;
> die Lebensmittel, *les aliments* ; die Textilien, *le textile* ;
> die Utensilien, *les ustensiles* ; die Trümmer, *les ruines*

– des termes juridiques ou économiques ;

> die Alimente, *la pension alimentaire* ; die Güter, *les marchandises* ;
> die Personalien, *l'identité* ; die (Un)kosten, *les (faux) frais*

– d'autres éléments.

> die Machenschaften, *les combines* ; die Schliche, *les manœuvres* ;
> die Umstände, *les circonstances/ les manières* ;
> die Gewissensbisse, *le remords* ; die Wirren, *les troubles*

LES BASES NOMINALES NE FONCTIONNANT QU'AU SINGULIER

246 ## Les bases nominales renvoyant à des domaines non-dénombrables

Les bases nominales qui ne fonctionnent qu'au singulier renvoient à des domaines **non-dénombrables**, c'est-à-dire non-comptables ou à des ensembles continus ou massifs. Par exemple, Holz (*du bois*) désigne la matière en tant que telle, alors que Hölzer (*des sortes de bois*) désigne des éléments dénombrables.

Ces bases nominales réfèrent à :

– des matières ;

> das Holz, *le bois* ; Holz, *du bois*
> das Wasser, *l'eau* ; Wasser, *de l'eau*
> das Blei, *le plomb* ; Blei, *du plomb*

– des abstractions, qualités, propriétés ou états psychologiques ;

> die Geduld, *la patience* ; Geduld, *de la patience*
> die Reinheit, *la pureté* ; Reinheit, *de la pureté*
> die Kälte, *le froid* ; zwei Grad Kälte, *deux degrés en dessous de zéro*
> das Schöne, *le beau* ; etwas Schönes, *quelque chose de beau*

– des singuliers collectifs ;

> das Gemüse, les légumes ; Gemüse, des légumes
> das Gepäck, les bagages ; Gepäck, des bagages
> die Polizei : la police ; das Bürgertum, la bourgeoisie ; das Vieh, le bétail
> das Unkraut, les mauvaises herbes

– des noms qui désignent des actions répétées ;

> das Geschrei, les cris ; das Gerede, les bavardages

– des infinitifs nominalisés et d'autres nominalisations qui expriment un processus ;

> das Fahren, le fait de rouler/ de conduire
> die Sendung, le fait d'émettre/ d'envoyer
> (mais aussi l'émission/ la mission concrète qui s'emploie au pluriel)

– des noms propres.

> Peter, Pierre ; Anna, Anne ; Adenauer, Adenauer
> Deutschland, l'Allemagne ; die Schweiz, la Suisse

247 *Ein* pour la sous-classe qualitative

Toutes ces bases nominales au singulier peuvent fonctionner avec l'article ein dès lors qu'il s'agit de faire ressortir une sous-classe caractérisée par une **qualité** ou une **propriété** (→ 276).

> Das war (eine) bittere Freude.
> C'était une joie amère.
> Er geriet in eine panische Angst.
> Il fut gagné par une peur panique.
> Der hat mir eine Geduld!
> Il en a une de ces patiences !/ Il en a de la patience !
> Du bist eine Mickey Mouse.
> Tu es un personnage de dessin animé.
> Ein Adenauer hätte das nicht getan.
> Quelqu'un comme Adenauer n'aurait pas fait cela.

REMARQUE

La présence de l'article ein ne signifie pas que ces groupes nominaux fonctionnent obligatoirement au pluriel.

248 ## Les bases nominales employées comme unité de mesure

D'autres bases nominales ne fonctionnent qu'au singulier si elles sont employées comme **unités de mesure**. Il s'agit, dans l'allemand standard :

– de noms masculins et neutres pour la plupart ;

> zehn **Pfund**, dix livres ;
> zehn **Kilo** Kartoffeln, dix kilos de pommes de terre ;
> zehn **Grad** Kälte, dix degrés au-dessous de zéro ;
> sechzig **Prozent**, 60 % ;
> zwei **Glas** Wein, deux verres de vin ;
> sechs **Blatt** Papier, six feuilles de papier ;
> vier **Paar** Socken, quatre paires de soquettes ;
> 300 **Euro**, 300 euros ;
> 400 **Dollar**, 400 dollars ;
> 500 **Yen**, 500 yens

– de quelques noms féminins d'une syllabe.

> zwei **Uhr**, deux heures ;
> 300 **Mark**, 300 marks ;
> zwei **Hand** voll Salz/ zwei **Handvoll** Salz, deux poignées de sel

ATTENTION Font exception, outre les noms féminins de plus d'une syllabe, les noms masculins et neutres des **unités de temps** : zehn Tage/ Monate/ Jahre Gefängnis (dix jours/ mois/ années de prison).

LES MARQUES COURANTES DU PLURIEL

249 ## Les neuf marques de pluriel

Si l'on ne tient compte que des noms allemands et des bases nominales assimilées du point de vue de la morphologie, on peut distinguer au nominatif **neuf marques de pluriel**, dont la fréquence dans le vocabulaire allemand et son emploi sont variables.

Ces marques sont : -ø et ¨ø / -e et ¨e / -er et ¨er / -en et -n / -s.

250 ## Les classes de pluriel

On regroupe habituellement ces neuf marques du pluriel en cinq classes : -ø, -e, -er, -(e)n, -s. Les trois premières peuvent aussi prendre l'inflexion (Umlaut) marquée par le tréma.

LE GROUPE NOMINAL

On peut réduire le nombre de ces classes à quatre si l'on tient compte des règles suivantes:

▶ **Classe A:** Les **pluriels en** -en, voire en -nen et en -n sont en distribution complémentaire. Ainsi on trouve:

– -n qui suit les finales atones -e, -el, -er;

die Schwester → die Schwestern, *la sœur*

der Junge → die Jungen, *le garçon*; die Kopie → die Kopien, *la copie*

– -(n)en dans les autres cas;

die Lehrerin → die Lehrerinnen, *l'enseignante/ l'institutrice*

die Frau → die Frauen, *la femme*

▶ **Classe B**: Comme on ne peut plus avoir, en terminaison dans les noms au pluriel, ni deux -e- de suite, ni el-e(r), er-e(r), en-e(r), em-e(r), l'absence de marque -ø et les marques avec -e ou -er sont également en distribution complémentaire.

▶ **Classe C**: La classe en (¨)er est nettement minoritaire dans l'allemand actuel. Dans l'allemand standard, elle ne concerne que des noms neutres et une douzaine de masculins; l'inflexion se met toujours quand elle est possible, c'est-à-dire quand la voyelle est:

– -a- → -ä- das Dach → die Dächer: *le toit*

– -o- → -ö- das Loch → die Löcher: *le trou*

– -u- → -ü- das Buch → die Bücher: *le livre*

– -au- → -äu- das Maul → die Mäuler: *la gueule*

▶ **La classe D** avec la terminaison -s- comprend:

– un très grand nombre de noms qui se terminent par une voyelle non-accentuée;

das Auto, *la voiture*; die Oma, *la grand-mère*;

der Wessi/ Ossi, *l'Allemand de l'ouest/ de l'est*

– les abréviations syllabiques et alphabétiques;

die Uni, *l'université*; der LKW, *le camion*;

der VW, *la voiture Volkswagen*

– beaucoup de noms étrangers;

die Saison; der Job; das T-Shirt; der Tip

– des formes particulières d'origines diverses.

das Mädel → die Mädels, *la fille*;

der Stau → die Staus, *le bouchon [circulation]*;

das Wrack → die Wracks, *l'épave*; (die) Müllers, *la famille Müller*

251 Tableau du pluriel des noms

LE PLURIEL DES NOMS

CLASSES	MARQUES	GENRE	REMARQUES	EXEMPLE
A	-(en)	• masc.	rares sauf faibles	• Diamant (-en), Muskel (-n) le diamant, le muscle
		• neutre	rare	• Bett (-en), Auge (-n) le lit, l'œil
		• fém.	règle générale	• Tat (-en), Schwester (-n) l'acte, la sœur
	-nen	• fém.	en -in	• Schülerin, Chefin (nen) l'élève, le chef [féminin]
B	(¨)ø	• masc.	ne concerne que les noms en -el, -er, -en	• Vater (¨), Wagen (ø) le père, la voiture
		• neutre		• Kloster (¨), Kissen (-) le couvent, l'oreiller
		• fém.		• (rare) Mutter, Tochter (¨) la mère, la fille
	(¨)e	• masc.	souvent (¨)	• Ball (¨e), Zug (¨e) la balle, le train
		• neutre	jamais (¨)	• Jahr (-e), Tier (-e) l'année, l'animal
		• fém.	toujours (¨)	• Stadt (¨e), Luft (¨e), la ville, l'air
C	(¨)er	• masc.	rare	• Mann (¨er), Geist (-er) l'homme, l'esprit
		• neutre	fréquent	• Haus (¨er), Ei (-er) la maison, l'œuf
		• fém.	aucun	
D	-s	• masc.	structure sonore/ morphologique particulière	• LKW (s), Pulli (-s) le camion, le pullover
		• neutre		• Hotel (s), Foto (-s) l'hôtel, la photo
		• fém.		• Fiesta, Avocado la fiesta, l'avocat [fruit]

252 La classe des pluriels en -(e)n

La classe des pluriels en -(e)n, qui n'ajoutent jamais d'inflexion, comprend près de 60 % de **noms féminins** et à peu près 9 % de **masculins** dits **faibles** : ces derniers ont pour la plupart des finales caractéristiques (-e, -'ant, -'at, -'ent, -'aph, -'ist, -'nom, -soph, etc.) et prennent à tous les cas -(e)n sauf au nominatif singulier (→ 363-364).

Pour le reste, on y trouve des sous-classes avec un nombre plus ou moins réduit d'éléments qui se caractérisent aussi par leur marque au génitif singulier :

– les masculins qui ont -(e)s au génitif singulier ;

> Nerv, le nerf ; Schmerz, la douleur ; Strahl, le rayon ; Typ, le type ;
> Zins, l'intérêt [emprunt] ; Muskel, le muscle ; Stachel, l'aiguillon

– neuf noms masculins qui avaient aussi au nominatif une forme en -en et qui, de ce fait, ont -ens au génitif singulier ;

> Name (Namen, des Namens, die Namen), le nom ;
> Buchstabe, la lettre [alphabet] ; Friede(n), la paix ;
> Funke(n), l'étincelle ; Gedanke, l'idée ; Glaube(n), la foi ;
> Haufen, le tas ; Samen, la semence ; Wille(n), la volonté

– quelques noms neutres qui ont -(e)s au génitif singulier.

> Auge, l'œil ; Bett, le lit ; Ende, le bout/ la fin ; Hemd, la chemise ;
> Insekt, l'insecte ; Leid, la peine ; Ohr, l'oreille

Un nom neutre a -ens au génitif.

> das Herz/ dem Herzen/ des Herzens, le cœur

253 La classe des pluriels en (¨)ø et (¨)e

La classe des pluriels en (¨)ø ne comprend pour l'essentiel que des noms masculins et neutres se terminant par -e, -er, -en/-chen, -lein.

> das Gemälde, le tableau ; der Lehrer, le maître, l'enseignant ;
> das Leben, la vie

Dans la langue courante, une trentaine de noms masculins prennent l'inflexion :

> Apfel → Äpfel, la pomme ; Bruder → Brüder, le frère ;
> Garten → Gärten, le jardin ; Vogel → Vögel, l'oiseau...

Mais seuls deux ou trois noms neutres prennent l'inflexion :

> Kloster → Klöster, le couvent ; Abwasser → Abwässer, les eaux usées

ainsi que deux féminins :

> Mutter → Mütter, la mère ; Tochter → Töchter, la fille.

La classe des pluriels en (¨)e concerne environ 90 % des noms masculins, dont une bonne centaine de noms courants prennent l'inflexion.

> Gang → Gänge, le couloir/ la vitesse ; Gesang → Gesänge, le chant ;
> Kamm → Kämme, le peigne ; Kopf → Köpfe, la tête ;
> Sohn → Söhne, le fils...

- La variante -e est largement majoritaire, si l'on tient compte de la fréquence des noms neutres, qui n'ajoutent jamais l'inflexion, et surtout du grand nombre de suffixes souvent d'emprunt qui prennent ce pluriel.

-nis (nisse); -sal (sale); -'ar (der Not**ar**, le notaire); -ier [iːr] (das Klavi**er**, le piano); -in (der Term**in**, le délai); -ent (das Dokum**ent**, le document); -eur (der Ingeni**eur**, l'ingénieur); -at (das Inser**at**, l'annonce; das Plak**at**, l'affiche)...

- Les noms féminins courants qui prennent l'inflexion ⁻e et qui sont pour la plupart monosyllabiques sont une cinquantaine.

  Kraft → Kräf**te**, la force; Maus → Mäu**se**, la souris;
  Nacht → Näch**te**, la nuit; Kunst → Küns**te**, l'art;
  Auskunft → Auskünf**te**, le renseignement;
  Zusammenkunft → Zusammenkünf**te**, la rencontre...

254 Classe des pluriels en (⁻)er

La marque de pluriel (⁻)er ne concerne pas les noms féminins, mais seulement une douzaine de noms masculins qui prennent l'inflexion quand celle-ci est possible.

  Geist → Geis**ter**, l'esprit; Ski → Ski**er**, le ski [planches];
  Gott → Göt**ter**, dieu; Irrtum → Irrtü**mer**, l'erreur;
  Reichtum → Reichtü**mer**, la richesse; Mann → Män**ner**, l'homme;
  Wald → Wäl**der**, la forêt...

Les autres noms qui prennent la marque de pluriel (⁻)er sont neutres.

  Loch → die Lö**cher**, le trou; Spital → die Spitä**ler**, l'hôpital

LES PLURIELS SPÉCIAUX

Il existe en allemand des pluriels spéciaux : irréguliers, doubles et/ou d'emprunt.

255 Les pluriels irréguliers

  der Bau → die Bauten, les constructions/ bâtiments
  der Saal → die Säle, les salles
  das Spielzeug → die Spielsachen, les jouets
  der Sporn → die Sporen, les éperons
  die Werkstatt/ Werkstätte → die Werkstätten, les ateliers/ garages

256 Les doubles pluriels

Certains noms ont la particularité d'avoir deux formes de pluriel avec un sens différent.

SINGULIER	PLURIEL 1	PLURIEL 2
das Band	die Bänder, les bandeaux/ rubans	die Bande, les liens
der Band	die Bände, les volumes [livres]	
die Band [bɛnt]	die Bands, les orchestres pop/ jazz	
die Bank	die Bänke, les bancs	die Banken, les banques
der Block	die Blöcke, les masses	die Blocks, les carnets/ groupes
	Eisblöcke, les blocs de glace	Notizblocks, les bloc-notes
	Betonblöcke, les blocs de béton	Wohnblocks, les immeubles
das Denkmal	die Denkmäler, les monuments	die Denkmale, les vestiges
der Druck	die Drucke, les travaux d'imprimerie	die -drücke, les pressions
	Farbdrucke, le tirage couleur	Eindrücke, les impressions
	Neudrucke, le nouveau tirage	Fingerabdrücke, les empreintes digitales
das Gesicht	die Gesichter, les visages	die Gesichte, les visions
das Land	die Länder, les pays	die Lande, les provinces
die Mutter	die Mütter, les mères	die Muttern, les écrous/ boulons
der Rat	die Räte, les conseillers	die Ratschläge, les conseils
der Stock	die Stöcke, les cannes/ bâtons	die Stockwerke, les étages
der Strauß	die Sträuße, les bouquets	die Strauße, les autruches
das Wort	die Wörter, les mots isolés	die Worte, les paroles en contexte
	das Wörterbuch, le dictionnaire	die Willkommensworte, les mots de bienvenue

257 Le pluriel de *Mann*

Mann a deux formes de pluriel :
– Männer quand il s'oppose aux femmes ;

> Ehemänner, les maris ; Staatsmänner, les hommes d'État

– Leute dans un sens collectif.

> Eheleute, les époux ; Fachleute, les spécialistes ;
> Kaufleute, les commerçants

Parfois les deux formes coexistent.

> Seemänner/ Seeleute, les marins ;
> Feuerwehrmänner/ Feuerwehrleute, les pompiers

Quand il s'agit de l'unité de mesure, Mann ne se met pas au pluriel.

> hundert Mann : cent hommes

258   Le pluriel des mots d'emprunt

Les mots d'emprunt à d'autres langues anciennes ou actuelles (mots savants) forment leur pluriel non pas en ajoutant des marques, mais en remplaçant les terminaisons du singulier par d'autres terminaisons du pluriel. La liste suivante n'est pas exhaustive.

TRANSFORMATION DE LA MARQUE	SINGULIER	PLURIEL	TRADUCTION
-a → -en	das Drama	die Dramen	la pièce de théâtre
	das Thema	die Themen	le thème
-a → -ata/-as	das Komma	die Kommata/ Kommas	la virgule
-a- → -ate/-as	das Klima	die Klimate/ Klimas	le climat
-ex/ix → -izes	der Index	die Indizes	l'index
-is → -en	die Basis	die Basen	la base
	die Praxis	die Praxen	la pratique
-ium → -ien	das Kriterium	die Kriterien	le critère
	das Stipendium	die Stipendien	la bourse
-men → -mina/-men	das Pronomen	die Pronomina/ Pronomen	les pronoms
	das Examen	die Examina/ Examen	les examens
-o (italien) → -i	das Concerto	die Concerti	le concerto
-o → -en	das Konto	die Konten	le compte
-ion → -ien	das Stadion	die Stadien	le stade
-on → -a/-en	das Lexikon	die Lexika/ Lexiken	le lexique
-os → -en	der Mythos	die Mythen	le mythe
-um → -a	das Praktikum	die Praktika	le stage
-um → -en	das Museum	die Museen	le musée
-us → -en	der Rhythmus	die Rhythmen	le rythme
-us → -usse	der Bus	die Busse	l'autobus
-us → -era/-ora	das Genus	die Genera	le genre/ la voix (grammaire)
	das Tempus	die Tempora	le temps (grammatical)
-us → -i	der Terminus	die Termini	le terme
-us → -us	der Kasus	die Kasus	le cas

259   Le pluriel en *-ien*

D'autres noms ajoutent -ien au pluriel.

das Material → die Materialien, le *matériel* ;
das Adverb → die Adverbien, l'*adverbe* ; das Indiz → die Indizien, l'*indice* ;
das Fossil → die Fossilien, le *fossile* ; das Reptil → die Reptilien, le *reptile*...

Les déterminants
du groupe nominal

260 Déterminants et catégories grammaticales

Comme en français, les **déterminants** ou **déterminatifs** marquent, en allemand, les catégories grammaticales du groupe nominal tout en ajoutant parfois d'autres sens. On peut donc les analyser en traits sémantiques (petites unités de sens).

▶ Le **défini** (la détermination) opposé à l'**indéfini** (la non-détermination).

> das Kind, l'enfant   ein Kind, un enfant   Kinder, les (ou des) enfants
> défini   indéfini   défini ou indéfini suivant le contexte

▶ La quantité qui précise le nombre **singulier** opposé au **pluriel**.

> **ein** Kind-ø, un enfant   **drei** Kinder, trois enfants

▶ La mise en relation avec un autre terme qui permet l'identification, par exemple la mise en relation avec un possesseur pour le **possessif**, ou avec le contexte environnant pour le **démonstratif**.

> **meine** Kinder/ **unsere** Kinder, mes enfants/ nos enfants;
> **diese** Kinder, ces enfants

▶ Des unités de sens de type lexical comme la **proximité** opposée à l'**éloignement** pour les démonstratifs **dieser** (ce... ci) et **jener** (ce... là).

> **diese** Kinder, ces enfants-ci;
> **jene** Kinder, ces enfants-là

▶ Des indications sur l'**attitude de communication** comme les déterminants :
– interrogatifs;

> **Welche** Kinder?/ **Was für** Kinder?
> Quels enfants?/ Quelles sortes d'enfants?

– exclamatifs.

> **Welch** ein Leben!/ **Was für** ein Leben!/ **So** ein Leben!
> Quelle vie !

Du point de vue de la forme, les déterminants participent au marquage du groupe nominal (→ 319-334) et sont placés au début de celui-ci.

261 Les différents déterminants

Traditionnellement, on distingue parmi les déterminants :

* Les **articles**.
* Les **adjectifs non-qualificatifs** répartis en démonstratifs et possessifs, numéraux et indéfinis, interrogatifs et exclamatifs.

Dans une même classe de déterminants, l'allemand n'a pas toujours le même nombre d'éléments que le français. Ainsi, le français dispose de quatre sortes d'articles :
– les **indéfinis** (un, une, des) ;   – les **définis contractés** (au, aux, du, des) ;
– les **définis** (le, la, les) ;   – les **partitifs** (du, de la, des).

En revanche, l'allemand n'a que des articles :
– **définis** (der, das, die) ;
– **indéfinis** (ein, eine, avec l'article négatif kein) ;
– **contractés avec une préposition** (**am** Anfang, au début ; **zur** Zeit, en ce moment) (→ 506).

ATTENTION L'allemand ne dispose pas d'article(s) partitif(s). En revanche, l'absence d'article joue un rôle plus important qu'en français.

262 Les déterminants et les pronoms

En allemand, presque tous les déterminants peuvent être pronominalisés, c'est-à-dire fonctionner de façon autonome comme pronoms (→ 463-466), ce qui est rare en français.

Il faut donc en allemand bien distinguer :
– le **déterminant** qui ouvre un groupe nominal ;
– le **pronom** qui constitue le plus souvent à lui seul un groupe nominal ou une unité invariable.

Der Mensch benimmt sich merkwürdig.
déterminant article défini

L'homme/ Cet homme a un comportement étrange.

°Der hat sie wohl nicht mehr alle.
pronom démonstratif

Celui-là a sans doute perdu la raison/ n'a plus tous ses sens.

Ein Gentleman benimmt sich nicht so.
déterminant article indéfini

Un gentleman ne se comporte pas comme ça.

Da waren mehrere Männer. Einer trug einen schwarzen Mantel.
pronom indéfini

Il y avait là plusieurs hommes. L'un portait un manteau noir.

LE MARQUAGE DES DÉTERMINANTS

263 ## Deux séries de déterminants

Les déterminants du groupe nominal se regroupent en deux séries:
- ceux qui prennent l'ensemble des marques premières, c'est-à-dire les déterminants du groupe de l'article défini (der, das, die);
- ceux qui prennent les marques premières, mais qui sont défectifs, c'est-à-dire sans terminaison aux nominatifs singuliers masculin et neutre, et à l'accusatif neutre singulier (ce sont les déterminants de l'article ein).

→ Répartition des marques premières et des marques secondes dans le groupe nominal: **319-334**

CAS	MASCULIN		NEUTRE		FÉMININ		PLURIEL	
NOMINATIF	der	ein- ø	das	ein- ø	die	eine	die	keine
ACCUSATIF	den	einen	das	ein- ø	die	eine	die	keine
DATIF	dem	einem	dem	einem	der	einer	den	keinen
GÉNITIF	des	eines	des	eines	der	einer	der	keiner

264 ## La série des déterminants du type *der, das, die, die*

Les déterminants qui font partie du groupe der, das, die, die sont:
- les démonstratifs dieser, jener et solcher;
- l'interrogatif ou l'exclamatif welcher;
- les quantifieurs jeder (au singulier), mancher (au singulier et au pluriel), einige, mehrere, viele, wenige, alle, beide (au pluriel).

265 ## La série des déterminants du type *ein, eine*

Les déterminants qui font partie du groupe ein, eine sont:
- l'article négatif kein;
- les possessifs mein, dein, sein, ihr, unser, euer, ihr, Ihr.

Au pluriel, ils prennent les marques de die.

LES ARTICLES ET LEURS EMPLOIS

266 Les trois formes de l'article

Déclinable au début du groupe nominal, l'article peut être :

– d- (der, das, die, die) avec ses diverses formes suivant le genre, le nombre et le cas. C'est l'article **défini**.

– ein- avec ses diverses formes déclinées. Bien qu'il s'agisse d'un numéral, on l'appelle l'article **indéfini**.

– **absent**. Les grammaires qui admettent le caractère obligatoire du déterminant dans le groupe nominal appellent l'absence d'article le « déterminant ou l'article zéro », quand il a une valeur significative. Par exemple, ein Kind/ Ø Kinder (*un enfant*/ *des enfants*) s'oppose à das Kind/ die Kinder (*l'enfant*/ *les enfants*).

➜ L'article contracté avec une préposition : **506**

➜ kein- : **638**

267 Les trois fonctions fondamentales

Les trois réalisations de l'article correspondent à trois fonctions fondamentales sur le plan du sens.

▶ **L'absence d'article** est le signe de l'absence de détermination/définitude, c'est-à-dire que le groupe nominal sans article peut, suivant le contexte, être déterminé/défini ou indéterminé/indéfini. Ainsi, dans l'exemple allemand suivant, le sujet sans article est défini et l'attribut sans article est indéterminé.

> Rosen sind Blumen.
> *Les roses sont des fleurs.*

▶ L'article d- (der, das, die, die) est le signe du groupe nominal déterminé/ défini : il pose ce qui est défini comme identifiable dans la situation de communication ou dans le contexte.

▶ Conformément au sens du numéral, ein- extrait une entité ou grandeur indéterminée d'une classe qui n'est pas nécessairement non-identifiée dans le contexte ou dans la situation. Ainsi, dans l'exemple suivant, eine extrait un exemplaire indéterminé de l'ensemble des villes portuaires, mais cet exemplaire est identifié par le nom propre Hamburg.

> Hamburg, **eine** schöne Hafenstadt
> *Hambourg, une belle ville portuaire*

LE GROUPE NOMINAL

L'absence d'article

La simple dénomination

L'absence d'article caractérise les groupes nominaux qui désignent:
- le nom ou le signe linguistique en tant que tel;

  (Das Wort) Apfel wird mit pf geschrieben.

  (Le mot) pomme s'écrit en allemand avec pf.

  (Die Stadt) Trier, *(la ville de) Trèves*
- le nom propre quand il est employé seul;

  Klaus/ Onkel Benno/ Tante Erika/ Kapitel 10

  Nicolas/ l'oncle Benno/ Tante Erika/ le chapitre 10

En revanche, on dit:

  der kluge Klaus/ **der** Heilige Franz/ **das** zehnte Kapitel

  Klaus le prudent/ Saint François/ le 10ᵉ chapitre
- la simple dénomination, voire la simple expression du concept ou de l'idée.

  Hunger ist der beste Koch.

  La faim est le meilleur cuisinier.

  Feuer, Wasser, Luft und Erde sind die vier Elemente.

  Le feu, l'eau, l'air et la terre sont les quatre éléments.

Autres emplois de l'absence d'article

La fonction de dénomination explique aussi l'absence d'article pour:
- les termes qui permettent de **s'adresser à quelqu'un**;

  Lieber Hans! *Cher Jean!*

  Monika! *Monique!*
- les **noms propres** et les **titres**;

  Bundeskanzlerin Angela Merkel

  Madame la chancelière Angela Merkel

  Herr/ Frau (Doktor) Wagner

  Monsieur/ Madame (le) docteur Wagner
- la plupart des **noms géographiques** de **villes** et de **pays du genre neutre**;

  Paris/ Berlin/ Luxemburg/ Europa
- des expressions **lexicalisées** (figées);

  um Verzeihung bitten, *demander pardon*

  Angst/ Mumps/ Grippe/ Fieber haben,

  avoir peur/ les oreillons/ la grippe/ (de) la fièvre

ein Haus ohne Bad,
une maison sans salle de bains
auf Reisen sein,
être en voyage
auf Wunsch, *à volonté*;
aus Furcht, *par peur*
mit Brille, *avec des lunettes*;
mit Absicht, *intentionnellement*

– des **attributs** et **appositions** qui servent à caractériser et s'opposent aux attributs exprimant un jugement. Comparer :
   Er ist Clown. *Il est clown.* (de métier)
   Er ist ein Clown. *C'est un clown.*
   (et il se comporte comme tel, il est rigolo)

– des **compléments de temps** à l'accusatif ou sans préposition;
   vorige Woche/ nächsten Montag/ Anfang April
   la semaine précédente/ lundi prochain/ début avril

– les groupes nominaux qui relèvent de **styles particuliers** (absence d'article marquée stylistiquement) : style télégraphique des titres de journaux, annonces, administrations.
   Großer Er sucht schlanke Sie.
   Lui grand cherche Elle mince.
   Beiliegendes Formular ausfüllen.
   Remplir le formulaire ci-joint.
   Premierminister unterbricht Ferien.
   Le premier ministre interrompt ses vacances.

270 Les noms propres avec article défini

Ils ne contredisent pas le principe de l'absence d'article, car il s'agit :

• de noms communs transformés en nom propre.
   die Alpen, *les alpages*
   (nom commun devenu nom propre : les Alpes)
   die Zugspitze
   (nom commun devenu nom propre d'un sommet de montagne)

• d'articles dits « porte-manteau » qui ne servent qu'à marquer :

– le genre;
   der Libanon, *le Liban*;
   die Schweiz, *la Suisse*

– le nombre;

> die Ottonen, *les Ottons*

– le cas.

> **Den** Franz hat Anna in der Stadt getroffen.
> *Anne a rencontré François en ville.*
> Ich ziehe Kaffee **dem** Tee vor. *Je préfère le café au thé.*
> ein Gefühl **der** Einsamkeit *mais* ein Gefühl tief**er** Einsamkeit
> *un sentiment de solitude*   *un sentiment de profonde solitude*

• de mises en relief sélectives (personnes concrètes) fréquentes en langue familière.

> **Die** Ma°ria macht das schon. *(La) Marie le fera.*
> **Die** Ara°bella spielt die Hauptrolle.
> *C'est Arabelle qui joue(ra) le rôle principal.*

271 ## La valeur partitive de l'absence d'article

Dans une autre série de groupes nominaux, l'absence d'article a la même valeur que l'article partitif en français, c'est-à-dire qu'il renvoie à la partie d'un ensemble. Dans ce cas, on peut lui substituer des quantifieurs comme wenig ou viel. Il s'agit dès lors de bases nominales:

– désignant des masses ou réalités non-comptables au singulier;

> Geduld, *de la patience*; Gold, *de l'or*; Milch, *du lait*; Holz, *du bois*

– comptables au pluriel et pour lesquels **ein-** est nécessaire au singulier.

> Sie haben Ø/ (drei/ mehrere) Kinder.
> *Ils ont (des)/ (trois/ plusieurs) enfants.*

L'article *ein-*

272 ## La valeur quantifiante de *ein-*

L'article indéfini ein- a toujours une valeur quantifiante; il extrait un élément d'un ensemble.

> Mister John ist ein Gentleman.
> <u>ein Gentleman</u>
> individu particulier
> Monsieur John est un gentleman.

273 Valeur générique de *ein-*

Mais ein- peut aussi avoir une valeur générique et représenter la totalité de l'ensemble considéré.

Ein Gentleman benimmt sich nicht so.
valeur générique
Un gentleman ne se comporte pas ainsi.

274 Autres valeurs de *ein-*

Contrairement à ce qui est dit souvent, ein- n'est pas nécessairement non-identifié.

Prag, **eine** europäische Hauptstadt,
Prague, (une) capitale européenne

Dans cet exemple, eine extrait un exemplaire de l'ensemble des capitales européennes, mais cet exemplaire est identifié par le nom propre Prague.

En contexte, ein- peut porter aussi sur:

– une grandeur dénombrable;

Ich habe mir °ein Buch gekauft, nicht° zwei (Bücher).
Je me suis acheté un livre, pas deux.

– la classe des grandeurs dénombrables;

Ich habe mir ein °Buch gekauft (kein °Heft).
Je me suis acheté un livre, pas un cahier.

Das Leben ist ein °Traum.
La vie est un rêve.

– les propriétés de l'exemplaire ou de la classe d'appartenance choisis.

Ces propriétés peuvent être fournies explicitement sous forme de membres ou alors elles sont présupposées communes à toute une sous-espèce qualifiée.

Dieser Mann hat eine lange Nase/ eine hohe Stirn
Cet homme a le nez long/ le front haut

Er ist **ein**° Clown/ **ein** Reaktio°när.
C'est un clown/ un réactionnaire.
(et il en a le comportement: attribut qui définit et évalue)

Ich möchte **ein** °**helles** Bier.
Je voudrais une bière blonde.

Ein (Mensch wie) °Adenauer hätte nicht so gehandelt.
Un (homme comme) Adenauer n'aurait pas agi de la sorte.

275 L'article indéfini *ein-* versus Ø (+ pluriel)

Ein- ou d'autres quantifieurs permettent d'extraire un élément d'une classe.

> Gib mir bitte **einen** Bonbon. *Donne-moi un bonbon, s'il te plaît.*

Mais pour poser toute une classe d'éléments, le seul pluriel suffit.

> Kinder dürfen nicht rauchen.
> *Les enfants n'ont pas le droit de fumer.*
> Affen sind Primaten.
> *Les singes sont des primates.*

276 *ein-* employé avec des bases nominales dénombrables et non-dénombrables

L'emploi de l'article indéfini ein- ne se limite pas aux bases nominales dénombrables. Quand il porte sur des propriétés, on le trouve aussi associé à des noms propres et des bases nominales non-dénombrables.

> Viele Politiker wollen **ein** °starkes Europa.
> *Beaucoup d'hommes politiques veulent une Europe forte.*
> °Der hat **eine** Ge°duld!
> *Il en a de la patience!* (base non-dénombrable)
> Sie hörten **ein** °grelles Geschrei.
> *Ils entendirent des cris perçants.*

Comparer à:

> Er hat Ge°duld. Er hat viel Geduld.
> *Il a de la patience. Il a beaucoup de patience.* (Ici Geduld a un caractère dénombrable.)
> Sie hörten lautes Geschrei.
> *Ils entendirent de grands cris.*

Dans ces deux exemples, l'addition d'un quantifieur montre le caractère dénombrable du groupe nominal.

L'article défini

277 L'article défini:
signe du groupe nominal défini identifiable

L'article défini est le signe du groupe nominal déterminé/défini: il pose ce qui est défini comme identifiable dans la situation de communication ou dans le contexte.

Il peut renvoyer à :

– une classe d'éléments dénombrables (emploi générique du singulier ou du pluriel) ;

> Der Franzose ist ein Individualist. Die Franzosen sind Individualisten.
> *Le Français est un individualiste. Les Français sont des individualistes.*

– un ou des exemplaires particuliers d'une classe identifiable en situation ou en contexte.

> Ein Kind spielte im Sand; **das** Kind weinte.
> *Un enfant jouait dans le sable ; l'enfant pleurait.*
> **Die** Tatsache, dass er gelogen hat...
> *Le fait qu'il ait menti…*
> **Am** Abend brennen **die** Lichter **der** Stadt.
> *Le soir, les lumières de la ville sont allumées.*

278 L'article défini : signe d'une classe supposée connue

L'article défini renvoie aussi à une classe ou à une sous-espèce présupposée connue en raison d'éléments de définition fournis par le contexte.

Ainsi, dans **das** (verschmutzte) Wasser des Rheins (*l'eau [polluée] du Rhin*), le groupe nominal membre au génitif définit l'eau dont il s'agit.

De même, dans **das** Haus meiner Träume (*la maison de mes rêves*), le membre au génitif identifie la maison qui est opposable, par exemple, à **ein** Traumhaus (*une maison de rêve*).

Dans Wo ist **der** Hausmeister? (*Où est le concierge ?*), c'est la situation de parole qui définit de qui il s'agit.

279 L'article *d-* : déterminant simple

Par rapport aux démonstratifs, aux possessifs et aux génitifs antéposés, l'article d- est le déterminant simple qui identifie explicitement le groupe nominal. Dans :

– **das** Haus meines Vaters → d- est le simple signal du caractère identifié de *la maison* mise en relation avec *mon père* ;

– dieses Haus → *la maison* est identifiée par le démonstratif dies- qui exprime la proximité dans le contexte ou la situation de communication ;

– **sein** Haus → *la maison* est identifiable par le renvoi à un possesseur (masculin singulier) ;

– Beethovens Haus → *la maison* est identifiée par référence au génitif antéposé Beethoven.

LES DÉTERMINANTS DÉMONSTRATIFS

280   *d- (der, das, die, die)* souvent accentué

Les déterminants d- (der, das, die, die) portent souvent un accent contrastif.
Ils se déclinent comme l'article défini (→ marquage des déterminants 263).

> Ich möchte gern °**das** Kleid anziehen. *Je voudrais mettre cette robe-là.*

281   *dieser, dieses, diese, diese...* (ce[s], cet, cette[s]... ci)

Ils se déclinent sur le modèle de l'article défini et prennent donc les marques premières.

> **dieses** Haus, *cette maison(-ci)*

Au neutre singulier nominatif et accusatif, il existe également une forme réduite en dies-.

> **Dies** Bild gefällt mir besonders. *Ce tableau me plaît particulièrement.*

Il n'est pas rare qu'en situation de communication, dies- soit renforcé dans le groupe nominal par un **hier** postposé.

> **dieses** Haus **hier**, *cette maison-ci*

282   *Jene, jenes, jene, jene* (ce[s], cet, cette[s]... là)

Ils se déclinent également sur le modèle de l'article défini et prennent les marques premières. Ils sont employés plus rarement.

> **jenes** Haus, *cette maison(-là)*

Assez fréquemment, jen- est remplacé en situation de communication par dies... da/ dort.

> **dieses** Haus **dort**, *cette maison là(-bas)*

283   Les démonstratifs complexes

Ils comprennent une marque première et une marque seconde (→ 322-330) :
- 'derjenige, 'dasjenige, 'diejenige, 'diejenigen (ce[s]/ celle[s] qui) ;
- der °gleiche/ das °gleiche/ die °gleiche/ die °gleichen (le/ la/ le[s] semblable[s]) ;
- der'selbe, das'selbe, die'selbe, die'selben (le[s]/ la même[s]).

> Es läuft wieder **derselbe** Film im Kino.
> *Le même film passe de nouveau au cinéma.*
> Ich habe schon dreimal **denselben** Film gesehen.
> *J'ai vu le même film pour la troisième fois.*

284   Les emplois anaphorique et cataphorique

Le démonstratif identifie des entités ou grandeurs particulières, en les sélectionnant et en les focalisant par référence à la situation ou au contexte qui :

– précède (emploi **anaphorique**) ;

> Sie hatte eine kleine Tochter. **Dieses** Kind bedeutete ihr alles.
> *Elle avait une petite fille. Cet enfant était tout pour elle.*

– suit (emploi **cataphorique**). Dans ce cas, **dies-** est impossible.

> Ich mag **jene** Leute nicht, die immer alles besser wissen wollen.
> *Je n'aime pas ces gens qui veulent toujours tout mieux savoir.*

285   Les traits fonctionnels du démonstratif

▶ Les démonstratifs **simples** d- (der, das, die, die) se contentent d'identifier, de
sélectionner et de focaliser (souvent par l'accent contrastif).

> Ich möchte °**den** Schal (da). *J'aimerais cette écharpe-là.*

▶ Les **autres démonstratifs** ajoutent à ce trait des **traits sémantiques propres**,
mais dans un contexte clair, ils peuvent être remplacés par **le signal simple
de l'identification** qu'est d-.

– der'selb- ajoute l'idée d'identité (il s'agit de la même entité ou grandeur
que celle qui a été mentionnée auparavant) ;

> **dieselben** Leute, *les mêmes personnes*
> **im selben** Haus, *dans la même maison*

– der gleich- informe sur la similitude (c'est une entité ou grandeur analogue
à celle mentionnée auparavant) ;

> Sie hat **das gleiche** Kleid wie ich.
> *Elle a la même robe que la mienne (qui ressemble à la mienne).*

– dies- (...) (hier/ da/ dort) indique souvent la **proximité spatiale ou
psychologique** ;

> **dieses** Buch **hier** : *le livre que voici/ voilà*
> Wir sind nicht ausgegangen, weil es regnete. Dieses Argument,...
> → °**Das** Argument...
> *Nous ne sommes pas sortis parce qu'il pleuvait. Cet argument...*

– jen- marque en général la **distanciation spatiale ou subjective**.

> Mit **jenen/ denjenigen** Leuten, die immer alles besser wissen
> wollen, will ich nichts zu tun haben. *Je ne veux pas avoir affaire*
> *à ces gens qui prétendent toujours tout mieux savoir.*
> **Jene** Leute, die immer alles besser wissen wollen.
> → °**Die** Leute, die... : *Ces gens qui...*

LES DÉTERMINANTS POSSESSIFS

Déclinaison des déterminants possessifs

Les déterminants (adjectifs) possessifs mein-, dein-, sein-/ihr-, unser-, euer-, ihr-/Ihr- (mon, ton, son...) se déclinent selon (k)ein-.

CAS	MASCULIN	NEUTRE	FÉMININ	PLURIEL
NOMINATIF	mein-ø	mein-ø	meine	meine
ACCUSATIF	meinen	mein-ø	meine	meine
DATIF	meinem	meinem	meiner	meinen
GÉNITIF	meines	meines	meiner	meiner

▶ Dans unser-, le -er- fait partie du radical.

> Unser-ø Auto ist rot. *Notre voiture est rouge.*
> nominatif singulier neutre

> Wir wollen unser-er Kollegin etwas schenken.
> datif singulier féminin
> *Nous souhaitons faire un cadeau à notre collègue.*

▶ Après une diphtongue comme eu-, la syllabe -er se réduit à -r- devant un autre -e.

> Euer-ø Taxi ist da. *Votre taxi est arrivé.*
> nominatif singulier neutre

> Eur-e Wohnung gefällt mir wirklich sehr.
> nominatif singulier féminin
> *J'aime beaucoup votre appartement.*

> Das ist aber **teuer**!
> *Mais que c'est cher!*

> ein **teures** Restaurant,
> un restaurant cher

▶ En général d'ailleurs, dans les séquences el-, er- ou -en-, le -e- tombe lorsque le groupe est suivi d'un autre -e-.

dunkel → dunkle , *sombre*

> Es ist **dunkel**. *Il fait sombre.*
> die **dunklen** Vorhänge... *les rideaux sombres...*

besser → bess(e)re, *meilleur*

> klettern → ich klett(e)re, grimper → *je grimpe*
> trocken (adjectif) → trocknen (verbe), sec → *sécher*
> Zeichen (nom) → zeichnen (verbe), signe → *dessiner*

287 ## L'identification du déterminant possessif par rapport à un autre pôle de référence

▶ Le possessif identifie le groupe nominal par rapport à un autre pôle de référence dont il dépend ou auquel il appartient. Ce pôle de référence peut être :

- un **partenaire de la communication**. On a ainsi le radical :
- mein- pour le locuteur seul ;
- unser- pour le locuteur se situant dans un groupe ;
- dein- pour la personne seule que l'on tutoie ;
- euer- quand on s'adresse à un groupe dont on tutoie au moins une personne ;

> Ist das **eure** alte Schule? *Est-ce votre ancienne école ?*
> (Le tutoiement au pluriel est impossible à traduire en français.)

- Ihr- (avec majuscule) pour la personne que l'on vouvoie au singulier ou au pluriel.

> Ist das **Ihr** Auto? *Est-ce votre voiture ?*

- un **tiers de la situation**. On a ainsi le radical :
- sein- s'il s'agit d'un homme :

> Ist das Peter mit **seinem** neuen Wagen?
> *Est-ce Pierre avec sa voiture neuve ?*

- ihr- s'il s'agit d'une femme ou d'un groupe ;

> Ist das Petra mit **ihrem** neuen Wagen?
> *Est-ce Petra avec sa voiture neuve ?*
>
> Sind das die Webers mit **ihrem** neuen Wagen?
> *Est-ce que ce sont les Weber avec leur voiture neuve ?*

- Ihr- dans le cas du vouvoiement, quel que soit le sexe ou le nombre de personnes.

> Herr Weber, **Ihre** Frau hat angerufen.
> *Monsieur Weber, votre femme a appelé.*
>
> Meine Herren, **Ihr** Beruf fordert von Ihnen...
> *Messieurs, votre profession exige de vous...*

- un **tiers du contexte**. On a ainsi le radical :
- sein- pour une référence nominale masculin et neutre ;
- ihr- pour une référence de genre et sexe féminin ou pour une référence pluriel.

La différence de radical *sein-/ ihr-*

Quand le pôle de référence est un tiers dont on parle à la 3ᵉ personne du singulier, l'allemand différencie le radical sein-/ ihr- (comme l'anglais : his/ her) suivant le genre naturel et/ou grammatical du possesseur. Mais la marque de déclinaison dépend du genre, du nombre et du cas du groupe nominal que le possessif introduit et identifie.

> Beim Unfall hat die Flugmaschine einen **ihrer** Motoren verloren.
> *Lors de l'accident, l'avion a perdu un de ses moteurs.*

Die Flugmaschine est le pôle de référence (« possesseur ») au féminin singulier ; ihr-er Motor-en est le groupe nominal du « possédé ».

Le radical du possessif (ihr) est imposé par le genre et le nombre du « possesseur » : die Flugmaschine. Le marquage du groupe nominal du « possédé » (-er -en) dépend des catégories du groupe nominal (ici le masculin, génitif, pluriel).

Autres exemples :

> Peter → **sein** Auto, *sa voiture* → in **seinem** Bericht, *dans son rapport*
> Petra → **ihr** Auto, *sa voiture* → in **ihrem** Bericht, *dans son rapport*
> Journalisten → in **ihren** Berichten, *dans leurs rapports*
> Der Apparat ist **seine** 800 Euro wert. *L'appareil vaut ses 800 euros.*

Le recours au pronom démonstratif

Quand l'adjectif possessif est ambigü, on peut faire appel au **pronom démonstratif**. Dans l'exemple suivant, on ignore s'il s'agit de l'amie de Martine ou de l'amie de Christa.

> Martina grüßte Christa und **ihre** Freundin.
> *Martine salua Christa et son amie.*

L'usage du pronom démonstratif dessen/ deren permet d'éviter cette ambiguïté.

> Martina grüßte Christa und **deren** Freundin.
> *Martine salua Christa et l'amie de celle-ci.*

WELCH- **ET** SOLCH- **DANS L'INTERROGATION ET L'EXCLAMATION PARTIELLES**

Welch- (quel ?)

Welch- (quel ?) permet de poser une question sur la détermination. Deux types de réponses sont possibles selon qu'elles portent sur :

  – le **défini** ;

> **Welchen** Kugelschreiber möchtest du?
> Ich möchte den (da)/ diesen/ deinen...
> Quel stylo à bille voudrais-tu?
> J'aimerais avoir celui-là/ celui-ci/ le tien...

  – la **qualité**.

> **Welchen** Kugelschreiber möchtest du?
> Ich möchte den blauen/ einen roten/ so einen...
> Quel stylo à bille voudrais-tu?
> J'aimerais le bleu/ un rouge. J'en aimerais un comme ça.

291 *Was für (ein/Ø)* (quelle sorte/ espèce/ type de...)

La précision qualitative peut aussi être amenée par was für (ein/Ø) (quelle sorte/ espèce/ type de...).

Dans la tournure was für (ein/Ø), la préposition für n'entraîne pas obligatoirement l'accusatif.

> <u>Mit</u> **was für** einem Fotoapparat willst du das Bild aufnehmen?
> Avec quel appareil veux-tu prendre la photo?
> **Was für** einen Kugelschreiber möchtest du?
> Quelle sorte de stylo à bille voudrais-tu?
> **Was für** Käse? Quelle espèce de fromage?
> **Was für** Fotoapparate? Quels appareils de photo?

Il peut y avoir dislocation du déterminant.

> **Was** hast du denn da **für einen** Fotoapparat!
> Quel (drôle d')appareil de photo tu as là!

292 *Solch-/ derartig-* (tel-, de cette sorte, de ce genre)

Ils impliquent une appréciation de qualité et ne sont pas combinables avec l'article défini.

> Hast du schon einen **solchen/ einen derartigen** Spielfilm gesehen?
> As-tu déjà vu un tel film/ un film comme celui-là?
> **Solche/ derartige** Fehler macht er sonst nie.
> D'habitude, il ne fait jamais de telles fautes/ des fautes de ce genre/ des fautes comme celles-là.

Welch ein-/ so ein-/ solch ein-

Comme welch- qui peut être remplacé par welch ein- (**Welch einen** Fotoapparat hast du? *Quel appareil de photo as-tu?*), solch- peut être remplacé par so ein- ou solch ein-. C'est souvent le cas dans les exclamations.

> **So ein** Dummkopf! **Welcher** Dummkopf! **Welch ein** Dummkopf!
> **Der** Dummkopf! **Was für ein** Dummkopf!
> *Quel imbécile! L'imbécile!*

Irgendwelch-/ irgendein-

Ils renvoient à un ou des exemplaires quelconques d'un ensemble dénombrable.

> Er hat aus **irgendwelchem/ irgendeinem**
> unbekannten Grund gehandelt.
> *Il a agi pour une quelconque raison qu'on ne connaît pas.*

LE GÉNITIF ANTÉPOSÉ

Le génitif antéposé

Un groupe nominal qui s'ouvre sur un groupe au génitif (génitif antéposé dit saxon) est nécessairement **défini** ou **identifié**.

> **Muttis** Haus, *la maison de maman*
>
> **Peters** Auto, *la voiture de Pierre*
>
> **Deutschlands** Außenpolitik,
> *la politique extérieure de l'Allemagne*
>
> **des Königs** ausdrücklicher Wunsch,
> *le souhait explicite du roi*
>
> Herr Schneider und **dessen** Söhne,
> *Monsieur Schneider et les fils de celui-ci*
>
> **Wessen** Wagen ist das?
> *C'est la voiture de qui?*

L'article défini fait **double emploi** avec le génitif antéposé. Pour *C'est le plus grand succès d'Anna*, on peut dire: Das ist der größte Erfolg **Annas**./ Das ist der größte Erfolg von Anna ou encore: Das ist **Annas** größter Erfolg. Mais en aucun cas: Das ist der Annas größter Erfolg.

Les quantifieurs
du groupe nominal

296 Définition des quantifieurs

Les quantifieurs ou quantificateurs sont habituellement traités dans le chapitre des **déterminants** du groupe nominal (→ 260-295). Ils regroupent les unités qui contribuent à exprimer la **catégorie du nombre**, c'est-à-dire qui complètent du point de vue du sens le singulier ou le pluriel.

das Kind	**jedes** Kind	**die** Blumen	**einige** Blumen
article	déterminant quantifieur	article quantifieur	déterminant
l'enfant	chaque enfant	les fleurs	quelques fleurs

297 Classement des quantifieurs

Parmi les quantifieurs, on distingue :

- les articles comme ein- et kein (→ 638).
- les adjectifs dits numériques (les nombres).
- les adjectifs non-numériques (les déterminatifs indéfinis) parmi lesquels on distingue encore :
- les quantifieurs globaux ;
- les quantifieurs partiels ;
- les groupes nominaux de mesure qui expriment la quantité.

LES QUANTIFIEURS NUMÉRIQUES

298 Les nombres cardinaux entiers

▶ De **1 à 12**.

eins, zwei, drei, vier, fünf, sechs, sieben, acht, neun, zehn, elf, zwölf

▶ De **13 à 19** : unité + zehn.

dreizehn, vierzehn, fünfzehn, sechzehn, siebzehn, achtzehn, neunzehn

Les **dizaines** ont le suffixe -zig après une consonne et -ßig après une diph-tongue.

zwanzig, dreißig, vierzig, fünfzig, sechzig, siebzig, achtzig, neunzig

De **21 à 99**, les unités sont prononcées avant les dizaines et on les relie par und.

einundzwanzig (21), zweiunddreißig (32), dreiundvierzig (43), vierund-fünfzig (54), sechsundsechzig (66), siebenundsiebzig (77), fünfundachtzig (85), achtundneunzig (98)

Un **million**, un **milliard** et un **billion** sont des noms et font leur pluriel en -(e)n.

eine/ die Million (1 000 000), eine/ die Milliarde (1 000 000 000), eine/ die Billion (1 000 000 000 000)

Les **nombres inférieurs à un million** s'écrivent en un seul mot.

zwei Millionen sechshundertdreiunddreißigtausendvierhundertfünfund-zwanzig (= 2 633 425)

Les **numéros d'identification** (téléphone, fax, immatriculation...) se disent en général chiffre par chiffre.

00 49 520 85 62 = null null vier neun fünf zwei (zwo) null acht fünf sechs zwei (zwo)

299 La déclinaison du nombre *ein(s)*

Eins est invariable.

> Seite ein, *page un*; Es ist eins. *Il est une heure.*

Dans Um ein Uhr. (*À une heure.*), Uhr (nom de mesure) reste invariable et ein n'est pas au féminin. Comparer avec eine Uhr (*une montre/ horloge*).

Ein- se décline quand il ouvre un groupe nominal.

> Das Märchen aus Tausendundeiner Nacht (= singulier)
> *Le conte des Mille et une nuits* (= pluriel)
> *mais* Ich bleibe **ein** bis zwei Tage. *Je reste un à deux jours.*

Eineinhalb ou anderthalb (*un et demi*) sont invariables et suivis du pluriel.

> in anderthalb Jahren, *dans un an et demi*

Les **autres nombres** se déclinent rarement aujourd'hui, sauf au:
– datif singulier;

> zu zweit/ zu dritt, *à deux/ à trois*
> zu zweien = je zwei zu zwei, *deux par deux*
> eine Million von den vieren, *un million sur les quatre*

– génitif pluriel pour zwei et drei.

> die Laufbahn zweier Politiker/ von zwei Politikern
> la carrière de deux politiciens

300 Les fractions et les opérations mathématiques

Les fractions se forment à l'aide du suffixe :
– -tel (de 3 à 19) ;
– -stel (à partir de 20).

> ein drittel/ viertel/ hundertstel, un tiers/ un quart/ un centième
> zwei tausendstel, deux millièmes
> Er hat eine viertel Million Euro gewonnen. Il a gagné 250 000 euros.

Elles peuvent être transformées en **nominalisations**.

> das Drittel, le tiers ; das Viertel, le quart
> Er wohnt erst seit kurzem in diesem Viertel.
> Ça ne fait que peu de temps qu'il habite ce quartier.
> zwei **Prozent**, deux pour cent ; zwei **Promille**, deux pour mille
> 2,56 = zwei Komma sechsundfünfzig

L'addition
zwei und/ plus zwei ist/ gleich/ sind/ macht vier : 2 + 2 = 4

La soustraction
fünf minus/ weniger drei gleich zwei : 5 - 3 = 2

La multiplication
zwei multipliziert mit zwei/ zwei mal zwei macht vier : 2 x 2 = 4

La division
acht durch/ geteilt durch zwei sind vier : 8 : 2 = 4

La puissance
zwei hoch zwei : deux puissance deux : 2^2

La racine
zweite Wurzel aus zwei : la racine carré de deux : $\sqrt{2}$

301 Les nombres dans les expressions idiomatiques

Dans les expressions idiomatiques, les nombres ne sont pas toujours à prendre à la lettre.

> in vierzehn Tagen, dans quinze jours
> Nun lass mal fünf gerade sein. Ne cherche pas midi à 14 heures.

die gerade Zahl, *le nombre pair*;
die ungerade Zahl, *le nombre impair*
hin- und hergehen/ auf- und abgehen, *faire les cent pas*

LES QUANTIFIEURS NON-NUMÉRIQUES

Les quantifieurs globaux

302 ### L'expression du plein et du vide

Par **quantifieurs globaux**, on entend ceux qui expriment le plein et le vide.

Le **plein** (la globalité d'un ensemble) est signalé par des déterminants dont certains (→ 305-306) renseignent aussi sur le nombre d'éléments de l'ensemble visé.

Le **vide** d'un ensemble d'éléments s'exprime par kein. (→ 307)

303 ### *All-*

Il exprime, au singulier (= jeder) comme au pluriel, le plein d'un ensemble d'éléments dénombrables.

°**Aller** Anfang ist schwer. *Tout début est difficile.*
°**Alle** Freunde waren gekommen. *Tous les amis étaient venus.*

Au seul singulier, all- marque aussi le plein d'une qualité.

in **aller** Ruhe, *en toute quiétude*
allem Anschein nach, *selon toute apparence*
bei **aller** Geduld, *en dépit de toute patience*

304 ### Le marquage de *all-*

▸ All- prend la série des **marques premières**, mais il s'emploie aussi de façon **invariable** quand il est suivi d'un déterminant démonstratif ou possessif.

All der/ dieser Unsinn. *Tout ce non-sens.*
Gegen **all seine** Macht. *Contre tout son pouvoir.*
All(e) unsere Freunde. *Tous nos amis.*

▸ All- suivi d'un nombre marque une **totalité identifiée** ou une répétition.

alle beide, *tous les deux*
mais **Alle vier** Jahre kommt ein Schaltjahr.
Tous les quatre ans, on a une année bissextile.

Ne pas confondre avec jedes Jahr, jedes dritte Jahr, jeden zweiten Monat qui marquent des proportions : *chaque année, une année sur trois, un mois sur deux.*

Pour insister sur la totalité « *sans exception* », on utilise l'adjectif sämtlich- ou la combinaison d- ganz- ou d- gesamt-.

> **sämtliches** Material, *l'ensemble des matériaux* ;
> **die ganze** Familie, *toute la famille* ;
> **die gesamte** Bevölkerung, *l'ensemble de la population*

305 *Beid-* et *d- beiden*

Ils sont variables. Ils ne fonctionnent qu'au pluriel et renvoient à un couple d'éléments identifiés.

> Meine beiden besten Freunde wohnen in derselben Stadt.
> *Mes deux meilleurs amis habitent dans la même ville.*

306 *Jeder*

Il ne fonctionne qu'au singulier, car il représente chaque élément d'un ensemble dénombrable ou quantifiable.

> jedes Kind, *chaque enfant* ; jedes Geschrei, *tout cri*
> Sie hat jedem Spieler gratuliert. *Elle a félicité chaque joueur.*
> Er hat jede Hoffnung aufgegeben. *Il a abandonné tout espoir.*

Ein- jeder (einen jeden/ einem jeden/ eines jeden) a une valeur généralisante.

> Ein jeder (= Jedermann) wird das einsehen.
> *Tout un chacun/ Chacun/ Tout le monde le reconnaîtra.*

307 *Kein/ nicht, nichts* : l'expression du vide

Le **vide** d'un ensemble d'éléments (dénombrables ou non) s'exprime par kein- (→ l'article négatif : 638). Kein fonctionne au singulier comme au pluriel.

> Ich habe keine Ahnung. *Je n'en ai aucune idée.*
> Ich trinke kein Bier. *Je ne bois pas de bière.*
> Sie haben keine Kinder. *Ils n'ont pas d'enfants.*

▶ **Devant un nombre,** kein- est un **graduatif** et signifie *moins de, pas même, pas tout à fait.*

> Es hat keine zwei Stunden gedauert.
> *Cela n'a (même) pas duré deux heures.*
> Das kostet keine 1000 € . *Cela coûte moins de 1 000 €.*

> Avec un groupe nominal en fonction d'**attribut** (avec le verbe sein, par exemple), kein- marque un refus de classement, alors que nicht refuse une qualité (un attribut qui caractérise).

> > Er ist kein Berliner. Ce n'est pas un Berlinois.
> > (Ce n'est pas ce qu'on attend d'un Berlinois.)
> > Er ist nicht Berliner. Il n'est pas de Berlin.

> Devant un **adjectif nominalisé**, kein- est remplacé par nichts qui reste invariable.

> > nichts Gutes/ nichts Schönes, rien de bon/ rien de beau
> > Kannst du von nichts Wichtigerem sprechen?
> > Ne peux-tu pas pas parler de choses plus importantes?

Les quantifieurs partiels

308 D- meist-

Il fonctionne au singulier et au pluriel (d- prend les marques premières et meist- les marques secondes).

> die meiste Arbeit, la plus grande partie du travail/ la plupart du travail

309 Einig-, etlich-, manch-

Ces quantifieurs fonctionnent au singulier et au pluriel :

> mit einigem Glück, avec un peu/ pas mal de chance ;
> einige/ etliche Häuser, quelques maisons
>
> manches wertvolle Werk, plus d'une œuvre valable ;
> manche berühmte Leute, certaines personnes célèbres

310 Ein paar: quelques

Ce quantifieur est invariable et implique le pluriel.

> Ich borge dir gern ein paar CDs. Je te prête volontiers quelques CD.

Dans l'exemple suivant, Mark (nom de mesure féminin à une syllabe) reste invariable.

> Mit ein paar Mark kam ich aus. Quelques marks me suffisaient.

311 Mehrer-

Le déterminant mehrer- ne fonctionne qu'au pluriel.

> Er hat mehrere Bücher geschrieben. Il a écrit plusieurs livres.

312 *Wenig-* et *viel-*

Ces quantifieurs sont des adjectifs qui fonctionnent au singulier et au pluriel.

> die vielen (= zahlreichen) Blumen, *les nombreuses fleurs* ;
> das wenige/ das bisschen Geld, *le peu d'argent* ;
> das viele Bier, *la grande quantité de bière*

Quand ils ne sont pas précédés d'un déterminatif, wenig- et viel- sont en général :

– **invariables** au singulier ;

> Viel Spaß. *Amusez-vous bien.*
> *mais* Vielen Dank. *Merci beaucoup.*

– **déclinés** au pluriel.

> Ich wünsche Ihnen viele schöne Urlaubstage.
> *Je vous souhaite beaucoup de beaux jours de congé.*

Le groupe nominal de mesure

313 L'expression de la quantité

Le groupe nominal exprimant une mesure n'est pas, au sens strict, un déterminant, mais il quantifie le groupe nominal.

<u>zwei Pfund</u>	<u>Tomaten,</u>	*deux livres de tomates*
groupe nominal de mesure	groupe nominal quantifié	
<u>sechs Tage</u>	<u>Urlaub,</u>	*six jours de congé*
groupe nominal de mesure	groupe nominal quantifié	

314 La base des groupes nominaux de mesure invariable (singulier)

La base des nominaux de mesure reste invariable quand ils sont employés avec une **indication de nombre** :

– les noms **masculins** ;

> tausend Dollar, *mille dollars* ;
> fünf Grad (Kälte), *cinq degrés (de froid)* ;
> zwanzig Mann, *un groupe de vingt personnes* ;
> fünf Kilometer, *cinq kilomètres*
> drei Schritt, *trois pas*

– les noms **neutres** ;

    zehn Kilo(gramm), dix kilo(gramme)s ;
    zehn englische Pfund, dix livres anglaises ;
    fünf Glas (Wein), cinq verres de vin

– les noms **féminins à une syllabe**.

    fünf Uhr, cinq heures ; siebzig Mark, 70 marks ;
    zwei Hand voll Salz/ zwei Handvoll Salz, deux poignées de sel

315   La base des groupes nominaux de mesure variable (pluriel)

La base des groupes nominaux de mesure est variable pour :

– les noms masculins et neutres exprimant des **unités de temps** ;

    sechs Tage/ Monate/ Jahre Gefängnis,
    six jours/ mois/ années de prison

– les noms **féminins** en -e.

    drei Wochen Urlaub, trois semaines de congé ;
    zwei Flaschen/ Kisten Bier, deux bouteilles/ caisses de bière ;
    vier Tonnen, quatre tonnes ; zehn Meilen, dix milles

316   Le groupe nominal de mesure suivi d'un nom sans déterminant du mesuré

Si le groupe nominal de mesure est suivi d'un **nom sans déterminant** qui représente ce qui est mesuré ou quantifié, celui-ci :

– reste **invariable** au nominatif singulier ou pluriel ;

    sechs Pfund Äpfel, six livres de pommes ;
    vier Zentner Weizen, quatre quintaux = 400 kg de blé ;
    zwei Dutzend Eier, deux douzaines d'œufs ;
    drei Paar Schuhe, trois paires de chaussures ;
    fünf Glas Wein, cinq verres de vin ;
    zwei Stück Kuchen, deux morceaux de gâteau

– **s'aligne sur le cas** exigé par la préposition ou le contexte.

    mit sechs Pfund Äpfeln/ mit zwei Dutzend Eiern/
    neben drei Paar Schuhen

317 Le groupe nominal de mesure suivi du groupe nominal du mesuré

Quand le groupe nominal de mesure est suivi d'un groupe nominal représentant la matière mesurée et que ce dernier comprend un déterminant et/ou un adjectif épithète, le cas de ce groupe du mesuré ou quantifié est généralement le **génitif**.

die Hälfte des Staatshaushaltes, *la moitié du budget de l'État*
mit einem Korb reifer Früchte, *avec une corbeille de fruits mûrs*

Mais dans certains cas, le génitif peut aussi être remplacé :

– par un **groupe prépositionnel** ;

die Hälfte vom Staatshaushalt, *la moitié du budget de l'État*
Hunderte von Zuschauern, *des centaines de spectateurs*

– par le **cas parallèle**, c'est-à-dire, le cas demandé en contexte par l'ensemble « groupe nominal de mesure + groupe nominal mesuré ».

Es wimmelt von Tausenden kleinen Mäusen.
cas parallèle : datif demandé par **von**
C'est un grouillement de milliers de petites souris.

On a donc parfois plusieurs possibilités.

Wir tranken ein Glas guten Wein/ heißen Tee.
cas parallèle : emploi normal

Wir tranken ein Glas guten Weins/ heißen Tees.
génitif correct, mais rare

Wir tranken ein Glas mit gutem Wein/ mit heißem Tee.
groupe prépositionnel : emploi langue parlée
Nous avons bu un verre de bon vin/ de thé très chaud.

318 Le nom commun collectif comme nom de mesure

Un nom commun collectif peut fonctionner comme nom de mesure. Dans ce cas, le génitif continue à s'imposer pour le groupe nominal du mesuré si celui-ci comprend un adjectif épithète.

eine Reihe **wichtiger Themen**, *une série de thèmes importants*
eine Reihe von wichtigen Themen,
une collection de sujets importants

Dans l'exemple suivant, il n'y a guère d'autres possibilités que le génitif.

ein Schwarm **wilder Turteltauben**,
un vol de tourterelles sauvages

L'accord
dans le groupe nominal

319 Définition du groupe nominal

Le groupe nominal est un groupe syntaxique dont la base est un nom ou une nominalisation. Par exemple, dans *das Beste* (*ce qu'il y a de meilleur*), la base est une nominalisation d'un degré 2 de l'adjectif.

Le groupe nominal a quatre catégories :
- **la définitude** (défini/indéfini, marquée essentiellement par le déterminant ou son absence **Ø** = vide majuscule) ;

  das Kind, l'enfant ; ein Kind, un enfant ; Ø Kinder, des enfants
- **le genre** (masculin, féminin, neutre) ;
- **le nombre** (singulier, pluriel) ;
- **le cas** (nominatif, accusatif, datif, génitif).

Dans le groupe nominal, les catégories du genre, du nombre et du cas sont caractérisées par une succession de marques. Ces marques portent sur les déterminants, sur le ou les éventuels adjectifs ou participes épithètes et sur la base. Cette succession de marques horizontales, qui existe aussi en français, est appelée accord.

> d-as   klein-e   Pferd-**ø**
> déterminant adjectif   base
> défini (+ succession de marques du genre, du nombre et du cas)
> (= séquence de marquage horizontal : -**as** -**e** -**ø**)

> le-**ø**   petit-**ø**   cheval
> déterminant adjectif   base
> défini (+ succession de marques du genre et du nombre)
> (= séquence de marquage horizontal : -**ø** -**ø** -**al**)

> d-**ie**   klein-**en**   Pferd-**e**
> déterminant adjectif   base
> défini (+ succession de marques du genre, du nombre et du cas)
> (= séquence de marquage horizontal : -**ie** -**en** -**e**)

> le-**s**   petit-**s**   chev-**aux**
> déterminant adjectif   base
> défini (+ succession de marques du genre et du nombre)
> (= séquence de marquage horizontal : -**s** -**s** -**aux**)

Les membres éventuels placés à droite de la base (les compléments de nom) ne sont pas concernés par l'accord du groupe nominal d'accueil.

groupe nominal d'accueil

d-as klein-e Pferd-ø   meiner Eltern
partie soumise à l'accord   + membre à droite (complément de nom)
le petit cheval de mes parents

Mit dem kleinen Pferd-ø   meiner Eltern,   das uns begleitete...
partie soumise à l'accord   + membre à droite   + groupe relatif
                             (complément de nom)   antécédent :
                                                  klein- Pferd meiner Eltern

Avec le petit cheval de mes parents, qui nous accompagnait...

Le groupe nominal meiner Eltern est bien marqué par mein (défini) + -er (génitif pluriel) + -nø (génitif pluriel) sur Eltern. Mais ce marquage est celui du groupe nominal complément de nom, membre à droite dans le groupe nominal dont la base est Pferd. Il ne concerne pas le marquage du groupe nominal d'accueil qui est d- (défini) + -em + -en + ø et qui s'arrête à Pferd-ø.

320 L'accord de l'épithète

Dans le groupe nominal allemand, l'accord de l'adjectif et/ou du participe épithète ne se fait avec la base nominale à laquelle il se rapporte que si cet adjectif et/ou ce participe **précède** cette base.

d-**ie** bestanden-**en** Prüfung-**en**   l-**es** examen-**s** réussi-**s**
participe épithète à gauche   participe épithète à droite

mais Forelle blau : truite au bleu
adjectif non-décliné à droite de la base

Die Kinder, nicht dumm, steckten das Geld in die Tasche.
groupe adjectival non-décliné juxtaposé à droite de la base

Les enfants, pas bêtes, empochèrent l'argent.

321 L'adjectif attribut et l'adjectif adverbe invariables

Contrairement au français, l'adjectif attribut du sujet et de l'objet reste invariable en allemand.

Das Lied ist schön. La chanson est belle.
attribut du sujet

Diese Lieder sind schön. Ces chansons sont belles.
attribut du sujet

Ich finde diese Lieder schön. Je trouve ces chansons belles.
attribut de l'objet

L'adjectif en fonction d'adverbe reste lui aussi invariable.

Sie singt **schön**. Elle chante bien.

322 Les marques du groupe nominal

▶ L'accord dans le groupe nominal allemand est souvent présenté comme complexe. Pourtant, les déterminants et les adjectifs ou participes épithètes placés à gauche de la base ne peuvent prendre que les cinq terminaisons suivantes qui sont, par ordre alphabétique : -e, -(e)m, -(e)n, -(e)r, -(e)s.

▶ L'éventuelle absence de déterminant et l'absence de terminaison sont marquées par Ø (si nécessaire vide majuscule Ø pour l'absence de déterminant et vide minuscule -ø pour l'absence de terminaison).

GROUPE NOMINAL SUJET   GROUPE NOMINAL ATTRIBUT

Ø Peter-ø   ist   ein-ø römisch-**er** Name-ø.

marques -Ø + -ø   marques -ø + -**er** + -ø

Pierre est un nom romain.

In diese**m** kleine**n** Garten-**ø** stehen Ø viele Bäume.

     groupe nominal   groupe nominal

     marques : -em -en -ø   marques : -Ø -e -¨e

Dans ce petit jardin, il y a beaucoup d'arbres.

LES MARQUES PREMIÈRES

323 Les cinq terminaisons des marques premières

Les cinq terminaisons -e, -(e)m, -(e)n, -(e)r, -(e)s se regroupent en **marques premières**. Elles sont appelées ainsi parce qu'elles apparaissent toujours, dans le groupe nominal, en premier lieu, c'est-à-dire dès que possible. Traditionnellement, on parle aussi de marques **fortes**.

CAS	MASCULIN	NEUTRE	FÉMININ	PLURIEL
NOMINATIF	-(e)r	-(a/e)s	-e	-e
ACCUSATIF	-(e)n	-(e)s	-e	-e
DATIF	-(e)m	-(e)m	-(e)r	-(e)n
GÉNITIF	-(e)s	-(e)s	-(e)r	-(e)r

324 Les marques premières portées par les déterminants

Les marques premières varient en fonction du genre, du nombre et du cas. Elles sont portées par les déterminants du type d- ou dies- et, avec quelques variantes (ø au masculin nominatif ainsi qu'au neutre nominatif et accusatif) également sur les déterminants du type ein ou kein.

Die Kinder spielen mit **dem** Hund.
Les enfants jouent avec le chien.

Ich habe ein**en** Hund.
J'ai un chien.

Dies**er** Hund heißt Schnuppi.
Ce chien s'appelle Schnuppi.

Geben Sie doch dies**en** Kindern ein**en** Ball.
Donnez donc un ballon à ces enfants.

Dans les exemples suivants, les marques premières sont portées par le déterminant.

D**er** Peter. Welch**er** Peter?
Pierre. Quel Pierre?

D**as** Obst. Welch**es** Obst?
Les fruits. Quels fruits?

D**ie** Anna. Welch**e** Anna?
Anna? Quelle Anna?

D**ie** Pilze. Kein**e** Pilze. Mein**e** Pilze. Welch**e** Pilze?
Les champignons. Pas de champignons. Mes champignons. Quels champignons?

325 La marque première portée par l(es) épithète(s)

À défaut de terminaison sur le déterminant (-ø) ou à défaut de déterminant (Ø), la marque première est portée par l'**adjectif** ou le **participe épithète**.

| ein-**ø** | gebraten**es** | Hähnchen, un poulet rôti |
| absence de terminaison | marque 1re | |

ein-**ø** — absence de terminaison
gebraten**es** — marque 1re
Hähnchen, un poulet rôti

unser-**ø** — absence de terminaison
klein**er** — marque 1re
Garten, notre petit jardin

Ø Lieb**er** Peter! *Cher Pierre!*
Ø Frisch**es** Obst, *des fruits frais*
Ø Lieb**e** Anna! *Chère Anna!*
Ø Giftig**e** Pilze, *des champignons vénéneux*
(mit) Ø groß**em** Erfolg, *avec beaucoup de succès*
(mit) Ø gut**en** Freunden, *avec de bons amis*
ein-**ø** gebraten**es** Hähnchen, *un poulet rôti*
mein-**ø** klein**er** Garten, *mon petit jardin*
(ein Gericht) von würzig**em** Geschmack, *un plat au goût épicé*
(der Einbruch) kält**erer** Luftmassen, *l'entrée de masses d'air plus froides*

Le(s) premier(s) élément(s) du groupe nominal
sans marque première

Dans ce cas, la marque première est portée par l'adjectif ou le participe
épithète.

> Claudias neu**es** Kleid, *la nouvelle robe de Claudia*
> génitif antéposé (le génitif possessif a la marque **-s**)

> etwas/ nichts Nützlich**es**, *quelque chose/ rien d'utile*
>   adjectif nominalisé

> mit zwei sehr gut**en** Freunden, *avec deux très bons amis*
>   nombre cardinal

> kein einzig**es** Kleid, *pas une seule robe*
> article négatif

> Welch ein schön**er** Tag! *Quelle belle journée!*
> exclamatif non-décliné

> So ein groß**es** Glück! *Quelle chance inouïe!*
> exclamatif non-décliné avec **ein** + **ø**

La mobilité des marques premières
dans le groupe nominal

Les marques premières peuvent donc se retrouver dans la succession horizontale des éléments du groupe nominal soit sur le déterminant, soit, s'il n'y
a pas de déterminant ou de terminaison au déterminant, sur l'adjectif ou le
participe épithète.

Il s'agit par conséquent de terminaisons «mobiles», qui ne constituent pas
à proprement parler une déclinaison verticale de l'adjectif ou du participe
épithète.

> d**er** Mann, Ø arm**er** Mann, d**er** arme Mann, ein-ø arm**er** Mann
> marque 1re marque 1re marque 1re marque 1re
> *l'homme, pauvre homme, le pauvre homme, un pauvre homme*

> mit d**en** Kindern, mit Ø klein**en** Kindern, mit den klein**en** Kindern
>   marque 1re marque 1re marque 1re
> *avec les enfants, avec des petits enfants, avec les petits enfants*

LES MARQUES SECONDES

328 *-e* et *-en* comme marques secondes

Les deux terminaisons -e et -en se regroupent aussi en **marques secondes** ainsi appelées parce qu'elles n'apparaissent, dans la succession horizontale des éléments du groupe nominal, qu'en second lieu, **après la marque première**. Traditionnellement, on parle de marques **faibles**:

– -e aux trois nominatifs singuliers et, donc, aux deux accusatifs neutre et féminin;
– -en à tous les autres cas.

CAS	MASCULIN	NEUTRE	FÉMININ	PLURIEL
NOMINATIF	-e	-e	-e	-en
ACCUSATIF	-en	-e	-e	-en
DATIF	-en	-en	-en	-en
GÉNITIF	-en	-en	-en	-en

der arme Mann, mit dem armen Mann,
 1ʳᵉ   2ᵉ   1ʳᵉ   2ᵉ

le pauvre homme, avec le pauvre homme

das verwöhnte Kind, mit den verwöhnten Kindern
 1ʳᵉ   2ᵉ   1ʳᵉ   2ᵉ

l'enfant gâté, avec les enfants gâtés

eine ergreifende Rede, un discours émouvant
 1ʳᵉ   2ᵉ

den ganzen Tag, toute la journée
 1ʳᵉ 2ᵉ

jeder dritte Passant, un passant sur trois
 1ʳᵉ   2ᵉ

LES RÈGLES D'ACCORD
DANS LE GROUPE NOMINAL

329 L'ordre d'apparition des marques
dans la partie variable du groupe nominal

Cet ordre est très simple (→ 639).

Au cas, genre et nombre exigés, la **marque première** -e ou -(e)m, -(e)n ou -(e)r ou -(e)s apparaît en premier, le plus tôt possible, c'est-à-dire soit sur le déterminant, soit sur l'adjectif ou le participe épithète si le déterminant est absent ou s'il ne porte pas de marque.

La marque seconde -e ou -(e)n n'apparaît qu'en second, après la marque première, s'il y a un mot susceptible de la porter.

Si le groupe nominal comprend plusieurs adjectifs ou participes épithètes devant le nom, ils sont le plus souvent marqués de la même façon, quand ils sont au même niveau d'analyse.

330 Les pièges à éviter

Dans les possessifs unser et euer, le -er fait partie du radical.

unser-ø schön**er** klein**er** Garten, *notre beau petit jardin*
  1re 1re

(Schön et klein sont au même niveau d'analyse.)

mais in unser**er** schön**en** Gegend, *dans notre belle région*
  1re 2^{e}

(Unser et schön ne sont pas au même niveau d'analyse.)

Les **adjectifs au degré 1** se terminent par -er.

älter, größer, schöner, *plus vieux, plus grand, plus beau*

La marque du cas-genre-nombre s'ajoute donc éventuellement à la marque du degré.

mein-ø älter-**er** Bruder, *mon frère aîné*;
  1re

mein-**e** älter-**e** Schwester, *ma sœur aînée*
  1re 2^{e}

Les **nombres cardinaux** qui ne se déclinent presque plus comptent comme -ø quand ils ne sont pas marqués.

zwei-**ø**/fünf-**ø** schöne Kleider, *deux/ cinq belles robes*
  ø   ø   1re

mais d**ie** zwei-**ø**/fünf-**ø** schön**en** Kleider, *les deux/ cinq belles robes*
  1re ø   ø   2^{e}

mit zwei-**ø** schön**en** Kleider**n** (datif), zwei**er** schön**er** Kleider (génitif)
  ø   1re 1re 1re

mais mit d**en** zwei-**ø** schön**en** Kleider**n**; mein**er** zwei-**ø** schön**en** Kleider
  1re 2e 1re 2^{e}

EXEMPLES DES RÈGLES D'ACCORD

CAS	DÉTERMINANT(S)	ÉPITHÈTE(S)	BASE NOMINALE
NOM./ACC.	das (1re)	Ø	Obst
NOM./ACC.	Ø	frisches (1re)	Obst
NOM./ACC.	dieses (1re)	frische (2e)	Obst
NOM./ACC.	kein-ø	Ø	Glück
NOM./ACC.	Welch-ø (ein-ø)	groß-es (1re)	Glück
NOM./ACC.	kein-ø	einzig-es (1re)	Mal
NOM./ACC.	ein-ø	gebraten-es (1re)	Hähnchen
NOM./ACC.	Ø	herrlich-es (1re)	Wetter
NOM./ACC.	euer-ø	alt-es (1re)	Landhaus
NOM./ACC.	nichts (ø)	Ø	Interessant-es (1re)
NOM./ACC.	etwas	Ø	Nützlich-es (1re)
NOM.	der (1re)	arm-e (2e)	Mann
NOM.	(Du) Ø	arm-er (1re)	Mann
NOM.	Unser-ø	schön-er klein-er (1re)	Garten
NOM.	Welch ein-ø	schön-er (1re)	Tag !
NOM.	Annas (gén. antéposé)	rot-er (1re)	Mantel
NOM./ACC.	Ø	gereinigt-e (1re)	Luft
ACC.	Welch-en (1re)	wichtig-en (2e)	Grund
NOM./ACC.	die (1re)	best-en rot-en (2e)	Weine
NOM./ACC.	unser-e (1re)	lieb-en (2e)	Verwandten
NOM./ACC.	die (1re)	zahlreich-en (2e)	Touristen
NOM./ACC.	Ø	zahlreich-e (1re)	Touristen
NOM./ACC.	ein paar-ø	frisch-e (1re)	Brötchen
NOM./ACC.	die (1re) zwei-ø	gute-en (2^e)	Freunde
NOM./ACC.	Ø zwei -Ø	sehr gute (1re)	Freunde
DAT.	(mit) den (1re) zwei-ø	gut-en (2^e)	Freunden
DAT.	(mit) zwei-ø	sehr gut-en (1re)	Freunden
DAT.	in dies-en (1re)	schön-en alt-en (2e)	Häusern
DAT.	in kein-em (1re)	bekannter-en (2e)	Fall
DAT.	in eur-em (1re)	alt-en (2e)	Landhaus
DAT.	zur (1re)	allgemein-en (2e)	Überraschung
DAT.	im (1re)	eigentlich-en(2^e)	Sinn
DAT.	bei Ø	schlecht-em (1re)	Wetter
DAT.	mit Ø	groß-em (1re)	Erfolg
DAT.	mit Ø	frisch-er (1re)	Luft
GÉN.	trotz des (1re)	wertvollen (2e)	Steins
GÉN.	eine Reihe	bedeutender (1re)	Schriftsteller
GÉN.	ein Gefühl	tiefer (1re)	Zufriedenheit

QUATRE PARTICULARITÉS
DES RÈGLES D'ACCORD

Contrairement aux règles générales de la répartition des marques premières et secondes dans le groupe nominal, il faut tenir compte des quatre particularités suivantes.

331 Le groupe nominal au génitif singulier, masculin ou neutre

Les adjectifs ou participes qui précèdent la base nominale dans un groupe **nominal** au **génitif singulier masculin** ou **neutre** portent des marques **irrégulières** lorsque la base nominale se termine par la marque -s, -es ou -ens. Ces adjectifs ou participes épithètes prennent alors les marques Ø + -en au lieu de Ø + -es.

- **Terminaison régulière**

> ein Gefühl Ø tiefer Zufriedenheit
> génitif féminin singulier
> un sentiment de profonde satisfaction

- **Terminaison irrégulière**

> Anfang Ø nächst-**en** Jahr-es/ Ø nächst-**en** Monat-s
> génitif neutre　　　　　　　　masculin singulier
> au début de l'année prochaine/ du mois prochain

> ein Mensch Ø gut**en** Willen**s**
> génitif masculin singulier
> un homme de bonne volonté

332 Plusieurs adjectifs ou participes devant la base nominale

En règle générale, quand il y a plusieurs adjectifs et/ou participes devant la base nominale, ils prennent la même marque.

> Sie reisten durch ein**e** schön**e**, schneebedeckt**e** Winterlandschaft.
> 　　　　　　　　　adj. épithète　gr. participe II épithète
> 　　　　　　　　　1re　2e　　　　　　2e
> Ils voyageaient à travers un beau paysage d'hiver recouvert de neige.

Mais un **marquage différent** indique que les éléments ne se rapportent pas à la même base.

> Dieses alte, frisch renovierte Haus ist gestern verkauft worden.
> 1re　2e　　　　　　2e
> Cette vieille maison, récemment rénovée, a été vendue hier.

L'adjectif alt- et le groupe participe ll frisch renoviert- sont épithètes membres du groupe nominal Haus : ils sont marqués de la même façon. En revanche, l'adjectif frisch est membre du groupe participe renoviert. En tant qu'adverbe, il n'est donc pas marqué.

Autres exemples :

> ein-ø schon lange erwartet-**er** Brief-ø
> *une lettre attendue depuis longtemps*

(Les marques de l'accord du groupe nominal sont -ø -er -ø. Le groupe participe épithète est schon lange erwartet-).

> d-**er** schon lange erwartet-**e** Brief- ø
> *la lettre attendue depuis longtemps*

(Les marques de l'accord du groupe nominal sont -er -e -ø. Le groupe participe épithète est schon lange erwartet-).

> ein-ø modern-**er** deutsch-**er** Film-ø
> *un film allemand moderne*

(Les marques de l'accord du groupe nominal sont -ø -er -er -ø. Les deux groupes adjectifs épithètes sont modern- et deutsch-).

333 Plusieurs déterminants au début d'un groupe nominal

Ils prennent la même marque première quand il s'agit :

– de all- (*tout/ chaque*) qui peut également rester invariable dans ce cas ;

> all**(e)** mein**e** alt**en** Freunde
> *tous mes anciens amis*

– des démonstratifs (der/das/die, dies-, jen-, *ce... ci/ ce... là*) ;

– des possessifs.

> dies<u>e</u> unser<u>e</u> gut<u>en</u> Freunde
> *ces bons amis qui sont les nôtres*

ATTENTION Exceptions aux nominatifs masculin et neutre.

> dies-**er** mein-ø best-**er** Freund
> *cet ami, le meilleur que j'aie*

> dies-**es** unser-ø schön-**es** Land
> *ce beau pays qui est le nôtre*

334 Déterminants ou adjectifs épithètes ?

all-, ander-, beid-, einig-, welch-, folgend-, irgendwelch-, jeglich-, manch-, mehrer-, sämtlich-, solch-, viel-, [et]welch- et wenig- sont, au début d'un groupe nominal, soit des **déterminants**, soit des **adjectifs épithètes**. Ils peuvent être suivis par des **adjectifs** ou des **participes épithètes** au comportement variable.

▶ Au **pluriel**, quand ils désignent une **quantité partielle indéfinie**, l'épithète qui les suit prend la marque première.

> viel**e**, beaucoup ; einig**e**, quelques ; manch**e**, plus d'un ;
> mehrer**e**, plusieurs ; wenig**e**, peu de ;
> ander**e**/ folgend**e** ausländisch**e** Freunde, d'autres amis étrangers/ les quelques amis étrangers qui suivent/ dont il est question par la suite

▶ Mais lorsque ces mêmes éléments sont employés comme **adjectif après un déterminant**, la terminaison prend la marque seconde.

> Di**e** viel**en**/ wenig**en**/ ander**en**/ folgend**en** ausländisch**en** Freunde

▶ Quand ces éléments renvoient à une **quantité totale** («pleine») ou **nulle** («vide»), l'épithète qui les suit prend la **marque seconde**.

> All**e**/ sämtlich**e**/ beid**e**/ solch**e**/ welch**e**/ kein**e** ausländisch**en** Gäste
> Tous les/ l'ensemble des/ les deux/ de tels/ quels hôtes étrangers/ aucun/ pas un hôte étranger

> mit sämtlich**em** schwer**en** Gepäck
> avec tous les lourds bagages

> Welch**es** golden**e** Armband gefällt dir am besten?
> Quel est le bracelet en or qui te plaît le plus?

Le groupe nominal : construction et structures

335 Définition du groupe nominal

Le groupe nominal comprend au minimum un **lexème-base**, nom ou nominalisation et des **marques de quatre catégories**.

Achtung! (Attention!) comporte une base lexicale et implicitement des marques de genre (féminin), nombre (singulier) et cas (nominatif). Le groupe est indéfini.

Schweine! (Cochons!) comprend une base lexicale et la terminaison -e qui marque le genre (neutre), le nombre (pluriel) et le cas (nominatif). Le groupe est indéfini.

Dans ces deux exemples constitués à l'écrit d'un seul mot, on peut parler à bon droit (en dépit du mot écrit unique) de **groupe nominal** puisque la base lexicale et les marques de catégorie sont des **éléments significatifs différents regroupés** (→ définitions, 13-14).

336 Les catégories du groupe nominal

Elles sont au nombre de quatre :

▶ La définitude (défini et indéfini), marquée éventuellement par le(s) déterminant(s) (→ 260-266) : das Kind (défini), ein Kind (indéfini), Kinder (a-défini, au sens où le groupe nominal sans article peut, en contexte, être l'un ou l'autre).

> Martha hat <u>Kinder</u> gern. *Martha aime les enfants.* (défini)
>
> Haben Sie <u>Kinder</u>? *Avez-vous des enfants ?* (indéfini)

▶ Le genre (masculin, neutre, féminin), le nombre (singulier, pluriel) et le cas (nominatif, accusatif, datif, génitif). Ces trois catégories sont marquées ensemble par une séquence discontinue de marques. Ainsi, dans d**er** kleine Junge-**ø**, opposé au pluriel d**ie** klein**en** Jungen, les trois catégories sont marquées par les séquences : **-er, -e, -ø** et **-ie, -en, -n** (→ 319-334).

ATTENTION Le cas qui marque la fonction grammaticale est propre à l'allemand qui fait donc partie des langues dites à déclinaisons.

337 Les membres éventuels du groupe nominal

En plus du lexème-base et des catégories, le groupe nominal peut comprendre des **membres** qui, suivant leur forme, occupent des positions ou champs à gauche ou à droite du lexème-base **N**. Ces membres peuvent être :

– un groupe **adjectival/participial** épithète à gauche de **N** ;

   die **sehr armen** Leute

– un groupe **nominal** au génitif à droite de **N** ;

   die Leute **der kleinen Stadt**

– un groupe **prépositionnel** à droite de **N** ;

   die Leute **vom Lande**

– un groupe **verbal** relatif à droite de **N** ;

   die Leute, **die gekommen waren**

– des membres à gauche et à droite de **N**.

   die sehr armen Leute vom Lande, die in die kleine Stadt
   gekommen waren.
   les très pauvres gens de la campagne,
   qui étaient venus dans la petite ville.

ATTENTION Dans une grammaire qui considère comme groupe nominal minimal le seul ensemble déclinable « article + base nominale », les membres sont aussi appelés **expansions**.

338 Les six champs fonctionnels du groupe nominal

La structure syntaxique du groupe nominal peut être décrite en faisant appel à **six champs fonctionnels**, dont seul le troisième doit être obligatoirement occupé par la base nominale. Ces champs sont présentés dans ce chapitre.

– Champ 1 : les **déterminants** ou le génitif antéposé ;
– Champ 2 : les **membres en fonction d'épithète** ;
– Champ 3 : les **bases nominales** ;
– Champ 4 : les **groupes nominaux** au **génitif postposé** ;
– Champ 5 : les **groupes prépositionnels** et/ou **adverbiaux** ;
– Champ 6 : les **groupes de type verbal**.

Il est rare que tous les champs soient occupés comme dans l'exemple suivant :

   1 der **2** vierstimmige **3** Männerchor **4** der Kleinstadt **5** aus dem
   Rheinland, **6** der ein wunderbares Ständchen gesungen hatte…
   la chorale d'hommes à quatre voix de la petite ville de Rhénanie,
   qui avait chanté une merveilleuse sérénade…

LA PLACE DE LA BASE NOMINALE SIMPLE OU COMPLEXE

339 Tableau des différents cas de figure

La base nominale avec les marques éventuelles des catégories est indispensable pour qu'il y ait groupe nominal.

Les différents cas de figure que peut présenter cette base nominale sont présentés dans le tableau suivant (→ 218).

BASE NOMINALE ÉCRITE EN UN SEUL MOT	BASE NOMINALE ÉCRITE EN PLUSIEURS MOTS
NOM SIMPLE	**NOM AVEC TRAIT D'UNION**
(die) Welt, (das) Dach, (der) Hund, (die) 'Nadel le monde, le toit, le chien, l'aiguille	Nordrhein-West°falen, (die) (Franz-) °Schubert-Straße Rhénanie-Westphalie, la rue Schubert
NOM DÉRIVÉ	die °S-Kurve, die °UNO- Friedenstruppen le virage en S, les forces d'interposition de l'ONU
(der) Be'trieb, (der) 'Antrieb, (die) Naht l'entreprise, l'incitation, la couture	
NOM MODIFIÉ	**COMPLEXE POLYLEXICAL (SANS TRAIT D'UNION)**
(die) Bäcke'rei, (der) 'Handballer la boulangerie, le joueur de handball (die) 'Mannschaft, (der) 'Falschmünzer l'équipe, le faux-monnayeur	(das) Land °Hessen, zwei Flaschen °Milch, le land de Hesse, deux bouteilles de lait
NOMINALISATION	(der) Herr Gene°ralkonsul, ein starker °Esser, Monsieur le Consul Général, un gros mangeur
(das) 'Lesen, (das) 'Wahre la lecture, le vrai (der) Ge'winn, (die) 'Eitelkeit le gain, la vanité	Anfang/ Ende Au°gust, (der) °Buß- und °Bettag début/ fin août, jour de jeûne et de prières
NOM COMPOSÉ	
(das) 'Sprachlabor, (die) 'Kurzgeschichte le laboratoire de langue, la nouvelle (der) 'Minderwertigkeitskomplex le complexe d'infériorité	

340 Les groupes nominaux avec occupation du seul champ 3

Dans les groupes nominaux suivants, seul le champ 3 est occupé:

Achtung! Attention! Peter! Pierre! Kinder! (Les) enfants!
Apfel (wird mit pf geschrieben). Apfel (s'écrit en allemand avec pf).
(Ich möchte) **Käse**. (J'aimerais) du fromage.
Bier auf Wein, das lass sein. Ne bois pas de bière après le vin.

LES MEMBRES DE PART ET D'AUTRE DE LA BASE NOMINALE

341 ## Les membres possibles du groupe nomimal

Dans la grande majorité des cas, la présence de membres n'est pas nécessaire pour qu'il y ait groupe nominal, sauf s'ils sont demandés par la construction syntaxique, par exemple der Umgang mit (+ **datif**) (la fréquentation de).

Ces membres peuvent prendre leur place à gauche (dans les champs 1 ou 2) ou à droite (dans les champs 4 à 6) de la base nominale.

MEMBRES À GAUCHE DE LA BASE NOMINALE	MEMBRES À DROITE DE LA BASE NOMINALE
GROUPE ADJECTIVAL das sehr kleine Kind *le tout petit enfant*	GROUPE NOMINAL AU GÉNITIF POSTPOSÉ das Haus meiner Eltern *la maison de mes parents*
GROUPE PARTICIPIAL I OU II EN ÉPITHÈTE die tief schlafende Stadt *la ville profondément endormie*	GROUPE ADVERBIAL das Haus dort am Straßenrand *la maison là au bord de la route*
GROUPE NOMINAL AU GÉNITIF ANTÉPOSÉ Peters Kind *l'enfant de Pierre*	GROUPE PRÉPOSITIONNEL die Feier zur deutschen Einheit *la fête de l'unité allemande*
DÉTERMINANTS – articles, démonstratifs, possessifs das/dieses liebe Kind *le/ce cher enfant* mein liebes Kind *mon cher enfant*	GROUPE CONJONCTIONNEL die Tatsache, dass er da ist *le fait qu'il soit là*
	GROUPE INFINITIF die Lust laut aufzuschreien *l'envie de pousser des cris*
– quantifieurs zwei liebe Kinder *deux chers enfants*	GROUPE VERBAL RELATIF die Feier, die gestern stattfand... *la fête qui eut lieu hier...*

342 ## Faits de langue marginaux

Le tableau ci-dessus ne tient pas compte de quelques faits de langue marginaux.

▶ **À gauche de la base nominale,** les structures orales et rares peuvent avoir un groupe adverbial ou un groupe prépositionnel situatif.

> **Dort das Kind** hat sich weh getan. *Là cet enfant s'est fait mal.*
> **Im Mai die Hochzeit** war schön. *Au mois de mai le mariage fut beau.*

▶ **À droite de la base nominale,** on peut avoir dans des structures stylistiquement marquées un **groupe adjectival** ou un **groupe participe** juxtaposé.

> Hänschen **klein**, *petit Jean* ; Forelle **blau**, *truite au bleu* ;

Henkell **bitter**, Henkell *amer*;
ein Kind, **so klein, dass**..., *un enfant, si petit que…*;
ein Kind, **sanft schlafend**, *un enfant tendrement endormi*
(style soutenu)

▸ **Les groupes nominaux** peuvent être **disloqués**, c'est-à-dire qu'un membre peut être séparé du reste du groupe nominal. Par exemple:

– un groupe **verbal relatif**;

Ich habe das **von einer Freundin** bekommen, **die jetzt in Heidelberg lebt**. *J'ai reçu cela d'une amie qui habite maintenant à Heidelberg.*

– un groupe **infinitif**;

Er hatte mir **von seinem Projekt** erzählt, **nach Israel zu fahren**.
Il m'avait parlé de son projet d'aller en Israël.

– un **quantifieur** ou un **adjectif épithète**.

Die Kinder sind **alle** in Ferien.
Les enfants sont tous en vacances.

Krokodile habe ich **keine** gesehen.
Des crocodiles, je n'en ai pas vus.

Schuhe hat er sich **neue** gekauft.
Des chaussures, il s'en est acheté des nouvelles.

Käse gibt es hier **phantastischen**. *Le fromage ici est fantastique.*

▸ **L'apposition** n'est pas un membre du groupe nominal, mais un groupe nominal juxtaposé (→ 370).

Er versprach mir, **seiner Geliebten,** so schnell wie möglich wiederzukommen.
Il me promit à moi, sa fiancée, de revenir au plus vite.

Ich habe mit Peter, **meinem Freund**, gesprochen.
J'ai parlé à Pierre, mon ami.

Ich habe mit Peter, **früher mein bester Freund**, gesprochen.
J'ai parlé à Pierre, (qui était) jadis mon meilleur ami. (attribut, donc nominatif)

LE CHAMP DE L'ÉPITHÈTE

343 ## Les groupes participes et/ou adjectivaux accordés

Le champ de l'épithète peut être occupé par des groupes participes et/ou des groupes adjectivaux dont la base suit l'accord dans le groupe nominal.

Cas particuliers

▶ Des adjectifs épithètes restent **invariables**.

    'lila, lila; 'rosa, rose; 'prima, excellent...

▶ Des adjectifs du type.

    Brandenburger, l'habitant de Brandenburg; Pa'riser, le parisien ;
    'Schweizer, le Suisse; vierziger Jahre, les années quarante; genug
    Geld, assez d'argent; ganz/ halb Deutschland, toute/ la moitié de
    l'Allemagne

▶ D'autres adjectifs invariables font partie d'un ensemble lexicalisé.

    die Altstadt, la vieille ville (différent de die alte Stadt);
    Kölnisch Wasser, l'eau de Cologne

▶ Dans le cas d'une **succession de plusieurs adjectifs** dans le champ 2, celle-ci
peut :

– présenter une coordination (adjectifs séparés par des virgules ou coordination possible par und);

    bei den armen, alten, kranken Leuten
    chez les gens pauvres (et) vieux (et) malades

– présenter une détermination (la gauche précise le complexe à droite sans
virgule entre les adjectifs);

    das neue deutsche Theater, *le nouveau théâtre allemand*

– suivre un ordre qui va du moins inhérent au plus inhérent.

    die gute alte Zeit, *le bon vieux temps*

    eine ausgezeichnete methodisch perfekte semantische Analyse,
    *une excellente analyse sémantique parfaite du point de vue de la
    méthode*

LE GROUPE NOMINAL AU GÉNITIF À GAUCHE OU À DROITE DE LA BASE NOMINALE

345 Le groupe nominal au génitif antéposé

S'il s'agit d'un groupe nominal au **génitif antéposé** (le « génitif saxon » en tête
à gauche de la base nominale), le groupe nominal d'accueil est nécessairement défini.

    Deutschlands Außenpolitik, *la politique extérieure de l'Allemagne*
    Andreas schönstes Bild, *le plus beau tableau/ portrait d'Andrea*

346 ## Le groupe nominal au génitif postposé

Quand le membre au génitif est à droite de la base nominale, on distingue plusieurs types de génitifs, suivant le sens de la relation établie entre la base du groupe nominal d'accueil et le groupe nominal membre au génitif.

▶ La **relation d'identité** que l'on peut paraphraser par un énoncé avec sein, sein wie, gleichen…

> die Kunst des Schreibens, *l'art d'écrire*;
> die Wellen der Revolution, *les vagues de la révolution*

▶ La **relation partitive**. Le groupe nominal au génitif indique alors un tout dont la base du groupe nominal d'accueil indique une partie.

> ein Viertel seines Vermögens, *un quart de sa fortune*;
> eine Gruppe diskutierender Abgeordneter,
> *un groupe de députés en pourparlers*

▶ La **relation de détermination**. Le groupe nominal membre au génitif vient déterminer la base du groupe nominal d'accueil par une indication:

– d'**appartenance** (de possession au sens large);

> die Mutter meiner Freundin, *la mère de mon amie*;
> das Werk des Schriftstellers, *l'œuvre de l'écrivain*

– de **qualification**.

> Bücher bester Qualität, *des livres de qualité supérieure*;
> ein Mensch guten Willens, *un homme de bonne volonté*

▶ La **relation de sujet** ou **d'objet implicite** par rapport à la nominalisation.

> die Behauptung des Arbeitgebers, *l'affirmation de l'employeur*
> (= der Arbeitgeber behauptet)
> die Gründung eines Vereins, *la fondation d'une association*
> (= X gründet einen Verein)

Le complément d'agent est obligatoirement introduit par durch quand le génitif correspond à l'objet.

> die Gründung eines Vereins **durch** X,
> *la fondation d'une association par X*

347 ## Les groupes prépositionnels qui remplacent les groupes nominaux au génitif

Ils sont placés dans le champ 4. Il s'agit surtout:

▶ Du groupe prépositionnel obligatoire **von** (+ datif) quand le groupe nominal n'a pas de marque distinctive ou quand le génitif qualitatif n'a pas d'article.

der Verkauf von Milch/ von Antiquitäten,
la vente de lait/ d'antiquités;

ein Faktor von wirtschaftlichem Gewicht,
un facteur de poids économique

▶ D'autres groupes prépositionnels plus précis.

die Energieerzeugung des Hüttenwerks/ im Hüttenwerk,
la production d'énergie de l'usine/ à l'usine;

viele unserer Kollegen/ viele unter unseren Kollegen/ viele von
unseren Kollegen, *beaucoup de nos collègues*

→ Le génitif de quantité ou de mesure : 313-318.

L'ADVERBE INVARIABLE OU LE GROUPE PRÉPOSITIONNEL À DROITE DE LA BASE

348 La place des lexèmes invariables

Les lexèmes invariables sont en allemand juxtaposés à droite de la base nominale, alors que le français exige souvent dans ce cas un élément de liaison. Ces lexèmes invariables ont pour fonction de **situer dans le temps, l'espace** ou **autrement**.

die Abfahrt meines Freundes **morgen früh**,
le départ de mon ami demain matin;

das Haus **oben links** auf dem Hügel,
la maison en haut à gauche sur la colline

Die Regierung **allein** kann das entscheiden.
Le gouvernement seul peut décider cela.

Wir wurden im Dorf °**selbst**/ °**selber** untergebracht.
Nous fûmes hébergés dans le village même.

ATTENTION Ne pas confondre avec selbst/ sogar préposé :

Selbst/ Sogar meine °Eltern waren da. *Même mes parents étaient là.*

349 La place des groupes prépositionnels

Sont placés à droite de la base nominale les groupes prépositionnels :

– **compléments circonstanciels** ou **qualitatifs** :

die Probleme an der Universität, *les problèmes à l'université;*
die Kirche im vierzehnten Jahrhundert, *l'église au quatorzième siècle;*
ein Auto mit Schiebedach, *une voiture avec toit ouvrant*

– **compléments des nominalisations.**

die Antwort des Schülers auf die Frage,
la réponse de l'élève à la question ;

die Einbeziehung weiter Kreise der Bevölkerung in die Diskussion
über die Mülldeponie, la participation de larges cercles de la
population à la discussion sur la décharge d'ordures

LES MEMBRES DE TYPE VERBAL À DROITE DE LA BASE NOMINALE

Différents groupes de type verbal peuvent être membre à droite de la base nominale. Il s'agit des groupes :

– infinitifs ;
– conjonctionnels ;
– verbaux avec la forme variable du verbe en deuxième position ;
– verbaux relatifs membres de groupes nominaux.

350 ## Les groupes infinitifs

die Bitte, nicht zu laut zu sprechen…
la demande de ne pas parler trop fort…

der Versuch, das Zusammenwirken zu fördern…
la tentative de promouvoir la collaboration…

351 ## Les groupes conjonctionnels

Die langen Stunden, während er arbeitete…
Les longues heures pendant lesquelles il travaillait…

Am Tag, als/ bevor sie wegging…
Le jour où elle partit/ avant qu'elle ne parte…

Die einfache Tatsache, dass er Recht hat…
Le simple fait qu'il ait raison…

Die Befürchtung, dass er helfen müsse…
La crainte de devoir aider…

Der Grund, warum er nicht gekommen ist…
interrogation indirecte
La raison pour laquelle il n'est pas venu…

Die einfache Frage, ob er geschwiegen hat…
interrogation indirecte
La simple question s'il s'est tu…

LE GROUPE NOMINAL

352 **Les groupes verbaux avec la forme variable du verbe en deuxième position**

> Die Befürchtung, er müsse helfen...
> *La crainte de devoir aider...*
>
> Die Behauptung, er könnte krank werden...
> *L'affirmation qu'il pourrait tomber malade...*

353 **Les groupes verbaux relatifs membres de groupes nominaux**

▶ Ces groupes verbaux, membres de groupes nominaux, se caractérisent par le fait que leur premier groupe est ou comprend un **pronom anaphorique** du type :
– der, das, die (*qui, que, lequel, laquelle, lesquels*) ;
– welcher, -es, -e (*qui*) ;
– was (*que*) ;
– wo(hin/ her) (*où/ d'où*) ;
– wie (*la manière dont*) ;
– warum (*pourquoi*).
Habituellement, ils ont aussi la forme variable du verbe en dernière position.

▶ **Le pronom relatif dépend de son antécédent.** Quand il est déclinable, il prend le genre et le nombre de son antécédent, mais il prend le cas exigé par la fonction qu'il occupe dans le groupe verbal relatif.

> **Die besten Filme, die** in Europa gedreht werden...
> *Les meilleurs films que l'on tourne en Europe...*

Die est comme die besten Filme au masculin pluriel, mais son cas est le nominatif, car le pronom est sujet grammatical du groupe verbal relatif dont la base est -dreh-.

> Andrea, **deren** beste Freundin aus der Schweiz kommt...
> *Andrea, dont la meilleure amie vient de Suisse...*

Deren est comme Andrea au féminin singulier, mais son cas est le génitif antéposé, car le pronom est complément de nom dans le groupe nominal dont la base est Freundin.

▶ Les **groupes verbaux relatifs membres de groupes nominaux** peuvent, comme les groupes adjectivaux ou participiaux, être :

– **déterminatifs** ou **sélectifs** (le groupe verbal relatif fournit une détermination indispensable à la définition du groupe nominal) ;

> Da war kein Mensch, der mir hätte helfen können...
> Il n'y avait personne qui aurait pu m'aider... (sans virgule en français)

– **descriptifs** ou **appositifs**, voire **explicatifs** (l'information ajoutée du groupe verbal relatif n'est pas indispensable pour définir ou identifier le groupe nominal).

> Das Spiel, worauf ich mich (übrigens) sehr gefreut hatte, verlief sehr schlecht.
> Le match, que j'avais (du reste) attendu dans la joie, se passa très mal. (avec des virgules en français).

354 Deux autres types de groupes verbaux relatifs

Dans les grammaires usuelles, on distingue deux types de groupes verbaux relatifs distincts du groupe relatif membre de groupe nominal :

▶ Les groupes verbaux de dénomination débutant par un pronom en w- ou en d- et qui sont membres de groupes verbaux.

> **Wer will**, der kann.
> Qui veut/ Celui qui veut peut.
> **Wer so reagiert**, dem traue ich nicht.
> Quiconque réagit ainsi n'a pas ma confiance.

Le corrélatif der/dem est nécessaire en raison de la différence de cas, contrairement à l'exemple suivant.

> **Die Geld haben**, können in Ferien fahren.
> Ceux qui ont de l'argent peuvent partir en vacances.

▶ Les groupes verbaux débutant par un anaphorique en w- et qui apportent une information complémentaire. C'est une sorte d'enchaînement textuel (« relative continuative »).

> Mein Nachbar hat eine schöne Zeder gefällt, **was ich persönlich missbillige** (und **das** missbillige ich).
> Mon voisin a abattu un beau cèdre, et cela, je le réprouve.

LE GROUPE NOMINAL

Les cas, déclinaisons et fonctions du groupe nominal

355 Le marquage du genre, du nombre et du cas

Contrairement au français, le groupe nominal allemand a des variations en cas, dont les marques sont amalgamées avec celles du nombre et du genre. Ainsi dans **des** klein**en** Jungen, la séquence de marques -es -en -n fournit des indications à la fois sur le genre masculin, le nombre singulier et le cas du génitif.

Dans ce chapitre, il n'est question que de la **déclinaison de la partie du groupe nominal** appelée **base nominale.**

→ Les règles qui régissent la séquence des marques (l'accord) dans le groupe nominal : 319-334.

→ Les pronoms déclinables : 463-490.

356 La déclinaison de la base nominale

À quelques exceptions près (par exemple, les noms qui, au pluriel, remplacent la terminaison du singulier par une autre : das Epos, die Epen : *le poème épique*), il n'existe que trois types de déclinaisons pour la base nominale :

– le type de déclinaison féminin singulier et pluriel ;

– le type de déclinaison masculin en -en ou -n dit « masculin faible » ;

– le type masculin et neutre avec un génitif singulier en -s ou -es.

Ces trois types de déclinaisons sont très incomplets. Ils n'ont que **deux à cinq formes différentes**, si bien que l'on peut se passer aisément des tableaux, paradigmes ou colonnes verticales de la présentation traditionnelle.

357 Les classes du pluriel

Pour décrire ces déclinaisons, on distingue quatre classes de marquage pour le pluriel en fonction de la fréquence d'emploi (→ 251) :

– la classe **A** prend -en ou -n ;

– la classe **B** prend -ø (pas de marque/ invariable) ou ⁻̈ø (inflexion), -e ou ⁻̈e ;
– la classe **C** prend ⁻̈er ou -er ;
– la classe **D** prend -s.

Dans les classes **B** et **C**, les bases nominales prennent en plus un -n au **datif pluriel**.

358 ▌ Les quatre cas

Le **nominatif**, l'**accusatif**, le **datif** et le **génitif** indiquent la fonction que les groupes nominaux membres assurent dans un groupe d'accueil ou dans un énoncé indépendant. Ces groupes peuvent être :

– membres d'un **groupe verbal d'accueil** (généralement) ;

> Die Kinder schenkten der Mutter Blumen.
> sujet   objet II   objet I
>   au datif   à l'accusatif
>
> *Les enfants offrirent des fleurs à leur mère.*

– en fonction d'**énoncé indépendant (**plus rarement).

> Lieber Hans! *Cher Jean !* Achtung! *Attention !*

REMARQUE

Pour ce qui est des fonctions grammaticales, la distinction faite en français entre le complément d'**objet direct** et le complément d'**objet indirect** (ou complément d'attribution) n'est guère pertinente en allemand. On peut la remplacer par celle d'objet à l'accusatif, au datif ou au génitif et celle de complément prépositionnel.

LES TROIS TYPES DE DÉCLINAISON DES NOMS COMMUNS

La déclinaison des féminins

359 ▌ Le singulier des noms féminins

Au singulier, tous les noms féminins restent **invariables à tous les cas**. Seule change donc, dans le groupe nominal, la terminaison des éventuels déterminants et/ou épithètes.

– Au **nominatif** :

> Die (kleine) **Tür** ist auf. *La (petite) porte est ouverte.*

– À l'**accusatif** :

> Mach die (kleine) **Tür** auf. *Ouvre la (petite) porte.*

– Au **datif** :

> Ich stehe vor der (kleinen) **Tür.**
> *Je suis devant la (petite) porte.*

– Au **génitif** :

> Die Klinke der (kleinen) **Tür** ist kaputt.
> *La poignée de la (petite) porte est cassée.*

360 Le pluriel des noms féminins

On distingue **trois classes** (→ 250-251) :
– la classe **A**, qui regroupe les noms qui ont, à tous les cas, -en ou -n ;
– la classe **D**, qui regroupe les noms qui ont, à tous les cas, -s ;
– la classe **B**, qui regroupe les noms qui ont, à tous les cas, ¨ø ou ¨e et ajoutent -n au datif pluriel.

> die rechte **Hand**, *la main droite* ; die beiden **Hände**, *les deux mains* ;
> mit beiden **Händen**, *des deux mains.*

361 Deux formes seulement pour la plupart des noms féminins

Tous les noms féminins n'ont pour la plupart que **deux formes**, sauf ceux de la classe **B** qui en ont trois, puisqu'ils ajoutent un -n au datif pluriel.

CLASSE A

pluriel en -en	(die/der) Frau	(die/den/der) Frau-en, *la femme*
ou -n	(die/der) Tafel	Tafel-n, *le tableau*

CLASSE D

pluriel en -s	(die/der) Oma	(die/den/der) Oma-s, *la grand-mère*
	(die/der) Saison	(die/den/der) Saison-s, *la saison*

CLASSE B

pluriel en -e	(die/der) Maus	(die/der) Mäuse/ (den) Mäuse-n, *la souris*
pluriel en ¨	(die/der) Tochter	(die/der) Töchter/ (den) Töchter-n, *la fille*

362 Récapitulatif de la déclinaison des bases nominales féminines

Le tableau suivant résume le fonctionnement des différentes classes de bases nominales dans la déclinaison de type féminin.

SINGULIER				PLURIEL			
CAS	ARTICLE	TOUTES CLASSES	CAS	ARTICLE	CLASSE A	CLASSE D	CLASSE B
NOM.	d-ie	Tür	NOM.	d-ie			Mütter
ACC.		Uni	ACC.		Tür-en	Uni-s	Hände
DAT.	d-er	Mutter	DAT.	d-en			(+ -n au
GÉN.		Hand	GÉN.	d-er			datif)

La déclinaison des masculins en *-en* ou *-n*

363 ## Deux formes pour les masculins dits faibles

Le nominatif singulier des noms masculins faibles a souvent une finale caractéristique, comme -e, -ant, -graph, -ist, -nom, -soph, etc.

À tous les autres cas du singulier et du pluriel, ils ont -en, réduit à -n après une finale en -el, -er, -e.

Au pluriel, tous les masculins faibles font donc partie de la classe **A**.

Les masculins faibles ne présentent que **deux formes**, sauf cas exceptionnels comme der Herr qui en a trois.

NOM.	ACC. / DAT. / GÉN. SG.	NOM. + ACC. / DAT. / GÉN. PLUR.
(der) Herr-Ø, *le monsieur*	(den/dem/des) Herr-**n**	(die/den/der) Herr-**en**
(der) Mensch, *l'être humain*	(den/dem/des) Mensch-**en**	(die/den/der) Mensch-**en**
(der) Löwe, *le lion*	(den/dem/des) Löwe-**n**	(die/den/der) Löwe-**n**
(der) Franzose, *le Français*	(den/dem/des) Franzose-**n**	(die/den/der) Franzose-**n**
(der) Tourist, *le touriste*	(den/dem/des) Tourist-**en**	(die/den/der) Tourist-**en**

364 ## Récapitulatif de la déclinaison des masculins faibles

Le tableau suivant résume le fonctionnement des bases nominales dites masculins faibles.

SINGULIER			PLURIEL		
CAS	ARTICLE	CLASSE A	CAS	ARTICLE	CLASSE A
NOM.	d-er	Mensch/Löwe/Tourist	NOM.	d-ie	Mensch-en
ACC.	d-en	Mensch-en	ACC.		Löwe-n
DAT.	d-em	Löwe-n	DAT.	d-en	Tourist-en
GÉN.	d-es	Tourist-en	GÉN.	d-er	

LE GROUPE NOMINAL

La déclinaison des masculins et neutres avec génitif singulier en -s ou -es

Trois à cinq formes différentes pour les masculins et neutres avec au génitif singulier un -s ou -es

▶ C'est le type de déclinaison **le plus complexe** en raison des différentes formes possibles du pluriel (→ 250-251). Il concerne **deux genres** : le masculin et le neutre. Il présente **trois à cinq formes différentes**.

• **Au singulier**, toutes les bases nominales restent invariables à tous les cas, sauf bien sûr au génitif singulier qui prend -s ou -es.

• **Au pluriel**, on distingue quatre classes :
– la classe **A** regroupe les noms qui prennent -en ou -n ;
– la classe **D** regroupe les noms qui prennent -s ;
– la classe **B** regroupe les noms qui ont -ø, ¨-e ou ¨-e ;
– la classe **C** regroupe les noms qui prennent ¨-er ou -er.

Dans les classes **B** et **C**, les noms ajoutent en plus un -n au datif pluriel.

CLASSE A : PLURIEL EN -EN OU -N (RELATIVEMENT RARES)

(der/den/dem) Staat-ø, (des) Staat(e)s	(die/den/der) Staat-en, *l'état*
(der/den/dem) Muskel-ø, (des) Muskel-s	(die/den/der) Muskel-n, *le muscle*
(das) Herz-ø, (dem) Herz-en, (des) Herzens	(die/den/der) Herz-en, *le cœur*
(das/dem) Ende, (des) Ende-s	(die/den/der) Ende-n, *la fin*
(das) Bett-ø, (des) Bett-es	(die/den/der) Bett-en, *le lit*

CLASSE D : PLURIEL EN -S

(der/den/dem) Park-ø, (des) Park-s	(die/den/der) Park-s, *le parc*
(der/den/dem) Trend-ø, (des) Trend-s	(die/den/der) Trend-s, *la tendance*

CLASSE B : PLURIEL EN -Ø OU ¨

(der/den/dem) Wagen-ø, (des) Wagen-s	(die/den/der) Wagen, *la voiture*
(das/dem) Mädchen-ø, (des) Mädchen-s	(die/den/der) Mädchen, *la jeune fille*
(der/den/dem) Vater-ø, (des) Vater-s	(die/der) Väter, (den) Väter-n, *le père*

CLASSE B : PLURIEL EN -E OU ¨E

(der/den/dem) Abend-ø, des Abend-s	(die/der) Abende, (den) Abenden, *le soir*
(das/dem) Jahr-ø, (des) Jahr-(e)s	(die/der) Jahre, (den) Jahren, *l'année*
(der/den/dem) Sohn-ø, (des) Sohn-(e)s	(die/der) Söhn-e, (den) Söhn-en, *le fils*

CLASSE C: PLURIEL EN ⸗ER OU -ER (PEU DE NOMS MASCULINS)

(das/dem) Loch-ø, (des) Loch-s	(die) Löch-er, (den) Löch-ern, le trou
(der/den) Wald-ø, (in dem) Wald-(e), (des) Wald-(e)s	(die/der) Wäld-er, (den) Wäldern, la forêt
(der/den) Geist-ø, (dem) Geist-(e), (des) Geist-(e)s	(die/der) Geist-er, (den) Geist-ern, l'esprit

▸ Quelques noms sont des anciens nominatifs en **-e**. Ils se déclinent comme:

> der Name**(n)**, (den/dem) Namen, (des) Nam**ens**, (die/den/der) Name-**n**, le nom

Ils ont -ens au génitif singulier. Ces noms sont:

> der Buchstabe, la lettre; der Friede, la paix; der Funke, l'étincelle; der Gedanke, l'idée; der Glaube, la foi; der Wille, la volonté; der Haufen, le tas; der Samen, la semence.

366 Récapitulatif de la déclinaison des noms au génitif singulier en -e(n)s

Le tableau suivant résume le fonctionnement des différentes classes du type de déclinaison des noms masculins et neutres. Le terme de base y désigne le radical du nominatif singulier. Les remarques qui suivent concernent le datif pluriel et le génitif.

	SINGULIER				PLURIEL					
	ARTICLE		BASE	MARQUES	ARTICLE	BASE	MARQUES			
	MASC.	NEUTRE					CL. A	CL. D	CL. B	CL. C
NOM.	d-**er**	d-**as**	Base*		d-**ie**	Base*	-(e)n	-s	(¨)(e)	(¨)er
ACC.	d-**en**	d-**as**	Base*		d-**ie**	Base*	-(e)n	-s	(¨)(e)	(¨)er
DAT.	d-**em**	d-**em**	Base*	-(e)[2]	d-**en**	Base*	-(e)n[1]	-s	(¨)(e)n[1]	(¨)ern[1]
GÉN.	d-**es**	d-**es**	Base*	-(e)s[3]	d-**er**	Base*	-(e)n	-s	(¨)(e)	(¨)er

* **Base**: radical du nominatif singulier

1 **Au datif pluriel**, tous les noms des classes A, B et C se terminent par -n soit parce qu'ils l'ont déjà, soit parce qu'ils l'ajoutent.

2 **Au datif singulier**, les noms qui ne se terminent pas par une voyelle ni par une syllabe atone (-el, -em, -en, -er) peuvent prendre -e dans une langue très soignée ou dans des locutions figées.

> nach/ zu Hause, à la maison; dem Sohn(e), le fils; im Sinne von..., dans le sens de...

3 **Au génitif singulier** des noms masculins et neutres du troisième type, -es est ajouté régulièrement après -s, -ß, -tsch, -tz, -x, -z, -zt (donc après une **sifflante**).

> des Hauses, de la maison; des Bildnisses, du portrait

Dans le deuxième exemple, le redoublement du **s** marque que le i qui précède reste bref.

La même raison explique le redoublement dans der Bus, des Busses (le bus) et au pluriel die Lehrerin, die Lehrerinnen (le professeur).

En revanche, ne prennent que -s les noms qui se terminent par une voyelle, une diphtongue ou une syllabe inaccentuée.

des Opas, le grand-père ; des Vaters, le père

La terminaison -es est fréquente dans une syllabe accentuée après -d, -t, -sch, -st, -ch.

die Farben des Bildes, les couleurs de l'image ; das Auto des Gastes, la voiture de l'invité.

367 Le génitif des noms propres

Il est marqué par -s si le nom est seul et même si celui-ci est un nom féminin.

Peters/ Claudias Geburtstag, l'anniversaire de Pierre/ Claudia ;
die Wohnung Annas, l'appartement d'Anne

Il ne prend pas la marque -s si le nom propre fait partie d'un groupe où le cas est indiqué par ailleurs.

die Legende des Heiligen Florian, la légende de saint Florian

En revanche, le génitif des noms masculins faibles est toujours marqué.

Herrn Abgeordneten Müllers Kinder,
les enfants de monsieur le député Müller

L'EMPLOI DES CAS ET LES FONCTIONS DU GROUPE NOMINAL

368 Les fonctions du groupe nominal

La séquence de marques du groupe nominal (→ 319-322) renseigne à la fois sur le **genre**, le **nombre** et le **cas**, c'est-à-dire sur la **fonction du groupe**. Le groupe nominal peut être :

– directement en fonction **d'énoncé** ;

– en fonction **d'apposition** ;

– en fonction de membre constituant d'un **groupe syntaxique** et notamment en fonction de membre constituant d'un **groupe verbal d'accueil**.

369 Le groupe nominal en fonction d'énoncé indépendant

Le groupe nominal en fonction d'énoncé indépendant peut être :

- **à l'accusatif**. Il s'agit dans ce cas le plus souvent de groupes verbaux réduits, d'un emploi courant dans la vie de tous les jours.

> Guten Tag! Bonjour. (= Ich wünsche/ sage einen guten Tag.)
> Vielen Dank! Merci beaucoup. (= Haben Sie vielen Dank.)
> Ein Bier [bitte]! Une bière, s'il vous plaît! (= Ich möchte ein Bier.)

- **au nominatif**. Il peut aussi s'agir dans ce cas d'un terme d'adresse («vocatif»).

> Lieber Hans! Cher Jean!
> Vorsicht! Attention! Letzte Mahnung! Dernier avertissement!
> Mein Gott! Mon Dieu! Du meine Güte! Bonté divine!

370 Le groupe nominal en fonction d'apposition

Le groupe nominal en fonction d'apposition peut être :

- **au même cas que l'apposé**, quand l'apposition est une alternative pour occuper la même fonction syntaxique que celle de l'apposé ;

> Wir haben auch Herrn Müller, **den Bäcker**, getroffen.
> Nous avons aussi rencontré Monsieur Müller, le boulanger.
>
> Er überreichte ihr, seiner Freundin, den kostbaren Ring.
>
> Er überreichte **ihr** den kostbaren Ring.
> <small>objet II au datif</small>
>
> Er überreichte **seiner Freundin** den kostbaren Ring.
> <small>objet II au datif</small>
>
> Il lui remit à elle, son amie, la précieuse bague.

- **au nominatif**, dans presque tous les autres cas ;

> Er bekam den zweiten Preis. **Ein glänzender Erfolg!**
> Il eut le deuxième prix. Un brillant succès!
>
> Er bekam den zweiten Preis. (Das war) **Ein glänzender Erfolg!**

- parfois (rarement) **au datif** pour des appositions à des groupes nominaux au génitif.

> Was bisher geschehen ist, läßt sich am besten am Beispiel
> Brasiliens, **dem** größ**ten** Land des Subkontinents, zeigen.
> Ce qui s'est passé jusqu'ici peut s'illustrer le mieux par l'exemple du
> Brésil, le plus grand pays du sous-continent.

371   Le groupe nominal en fonction de membre constituant d'un groupe syntaxique

Le groupe nominal en fonction de membre constituant d'un groupe syntaxique peut être :

- **au génitif** quand il est constituant d'un groupe nominal ;

  > das Motorrad **meines Freundes**, *la moto de mon ami*
  > (Le complément de nom est à droite de la base nominale.)

  > **Claudias** Geburtstag, *l'anniversaire de Claudia*
  > (Le génitif préposé est **à gauche** de la base nominale.)

- **à l'accusatif**, **au datif** ou **au génitif**, quand il est complément d'un **adjectif** ;

  > **zehn Meter** lang, *dix mètres de long*
  > groupe nominal à l'accusatif

  > (das ist) **den Einwohnern** gleichgültig,
  > groupe nominal au datif

  > (cela laisse) *les habitants indifférents*

  > **des Lebens** müde (sein), (être) *las de vivre*
  > groupe nominal au génitif

- **à l'accusatif**, **au datif**, **au génitif**, ou plus rarement **au nominatif**, quand il est membre d'un groupe prépositionnel.

  > mit meine**n** Freunde**n**, *avec mes amis* ;
  > laut Paragraph 14, *d'après le paragraphe 14*

372   Le groupe nominal membre d'un groupe verbal d'accueil

Il peut assurer toutes les fonctions des groupes qui se rattachent de près ou de loin à une base verbale.

▶ En fonction de **sujet grammatical**, le groupe nominal est habituellement au **nominatif**.

  > **Die Ferien** sind bald vorbei.
  > *Les vacances sont bientôt passées.*

  > **Die Glocke** läutet. *La cloche sonne.*

▶ En fonction de complément d'**objet premier**, le groupe nominal est le plus souvent à **l'accusatif**, mais aussi avec certains verbes au **datif** ou au **génitif**.

- **À l'accusatif**

  > Wir brauchen **ihn**. *Nous avons besoin de lui.*

- **Au datif** (personne concernée)

  > Ich helfe **dir**. *Je t'aide(rai).*

* **Au génitif** (rare)

> Sie nahm sich **seiner** an.
> *Elle s'occupa de lui.*

▸ En fonction de complément d'**objet second**, le groupe nominal est, le plus souvent, au **datif**, mais aussi (plus rarement) au **génitif** ou à **l'accusatif**.

* **Au datif** (+ objet 1 à l'accusatif)

> Ich glaube es **dir**.
> *Je te crois.*

* **Au génitif** (+ objet 1 à l'accusatif ; combinaison rare)

> Sie klagten ihn **des Devisenschmuggels** an.
> *Ils l'accusèrent de trafic de devises.*

* **À l'accusatif** (+ autre objet à l'accusatif ; combinaison très rare)

> Ich frage **ihn** etwas.
> *Je lui demande quelque chose.*

Exemple de combinaison :

> <u>Onkel Jürgen</u> kaufte   uns   ein Eis.
> sujet grammatical   objet II   objet I
>   au datif   à l'accusatif
> *Oncle Jürgen nous acheta une glace.*

▸ Le groupe nominal peut être **attribut du sujet** (au nominatif) ou **attribut de l'objet** (à l'accusatif). Il fonctionne alors avec les verbes dits d'attribution comme sein, werden, scheinen, finden…

> Sie ist **eine beliebte Sängerin**.
> *C'est une chanteuse appréciée.*

> Er ist **der beste Mittelstürmer**.
> *Il est le meilleur centre-avant.*

> Er gilt als **bester Spieler**.
> *Il passe pour le meilleur joueur.*

> Er nannte ihn **einen Feigling**. *Il le traita de lâche.*
>   attribut de l'objet

▸ Quand il est **complément circonstanciel**, le groupe nominal est au **génitif figé** ou à **l'accusatif**.

> **Eines Tages** kam er zu mir.
> *Un jour, il vint me voir.*

> Ich habe **den ganzen Tag** gearbeitet.
> *J'ai travaillé toute la journée.*

> **Den Knüppel in der Hand**, lief er davon.
> *Le gourdin à la main, il s'enfuit.*

▶ **Complément libre**, le groupe nominal est notamment au **datif** :
  – de la personne concernée (ou qui feint de l'être) ;

> Fall **mir** nur nicht die Treppe hinunter.
> *Ne (me) tombe surtout pas dans l'escalier.*
> Du bist **mir** vielleicht einer.
> *T'es un drôle de type (à mes yeux).*

  – de « l'avantage » ou du « désavantage » ;

> Die Schüssel ist **der Frau** runtergefallen.
> *La femme a laissé tomber la soupière/ le plat.*

  – « d'appartenance/ de possession ».

> Sie fiel **dem Jungen** um den Hals.
> *Elle sauta au cou du garçon./ Elle lui sauta au cou.*

373 La fonction de dénommer et de désigner

Du point de vue du sens, le groupe nominal a aussi la fonction de **dénommer** et de **désigner**, de référer à des objets du discours ou du monde.

Cette fonction est également celle de quelques groupes verbaux. Par exemple :

> wer mich liebt, *quiconque m'aime* ; wo er wohnt, *là où il habite* ;
> was er sagt, *ce qu'il dit*
> **Die mich kennen**, wissen, dass ich die Wahrheit sage.
> *Ceux qui me connaissent savent que je dis la vérité.*

REMARQUE

Dans ces groupes verbaux de dénomination, le pronom en w- ou en d- n'a pas, comme le relatif, une fonction anaphorique.

Entre le verbal
et le nominal

Les numéros renvoient aux paragraphes.

L'infinitif et le groupe infinitif

374 La formation de l'infinitif

L'infinitif est la forme nominale de la base verbale. Pour le former, l'allemand ne dispose, contrairement au français, que d'une seule marque -en :

> trag-**en**, port**er** ; end-**en**, fin**ir** ; zurückgeb-**en**, ren**dre**

Cette marque se réduit à **-n** quand le radical de la base verbale se termine par une voyelle ou par -el/-er :

> tu-**n**, faire ; sei-**n**, être ; schüttel-**n**, secouer ; sich erinner-**n**, se souvenir

En allemand, l'infinitif est constituant des temps dits du futur :

> Er **wird** erst in drei Wochen **ankommen**.
> Il ne viendra que dans trois semaines.

> Ich **würde** gern **mitkommen**. J'aimerais bien vous accompagner.

> Er versprach, er **werde** es gleich **tun**.
> Il promit qu'il allait le faire sur-le-champ.

375 Le groupe infinitif

Quand il n'est pas constituant d'une forme verbale composée, l'infinitif fait partie d'un groupe infinitif. Il se décompose en une partie lexicale et la marque -(e)n, qui se raccroche soit à la base verbale, soit à l'auxiliaire.

La partie lexicale peut être plus ou moins complexe. Et la marque -(e)n permet à ce complexe de sens d'assurer une fonction dans l'énoncé verbal ou dans un groupe syntaxique d'accueil.

> Sie will <u>in vierzehn Tagen wieder da sein</u>.   Question : Was will sie?
> groupe infinitif objet dans l'énoncé verbal avec comme base **woll(en)**
> Elle veut être de retour dans quinze jours.

> Beide haben versprochen,
> <u>bald zurückzukommen</u>.   Question : Was haben beide versprochen?
> groupe infinitif objet dans le groupe verbal avec base **versprech(en)**
> Les deux ont promis de revenir bientôt.

> Anstatt <u>zu arbeiten</u>, spielte er Fußball.
> groupe infinitif membre du groupe prépositionnel dont la base est **anstatt**
> Au lieu de travailler, il joua au football.

376 La structure régressive du groupe infinitif

Contrairement au français, le groupe infinitif allemand a une structure régressive, c'est-à-dire que l'infinitif se trouve en fin de groupe après ses membres éventuels.

> die Hand reichen, *tendre la main*;
> die Katze im Sack kaufen, *acheter chat en poche*;
> mit den Kindern Fußball spielen, *jouer au football avec les enfants*.

→ La construction dite du double infinitif (c'est-à-dire du participe à forme infinitive): **194-195**.

LES FORMES DE L'INFINITIF

377 Les deux catégories du groupe infinitif

Le groupe infinitif n'a pas de sujet grammatical et donc aucune marque de personne et de nombre.

Le groupe infinitif n'a que **deux catégories** du groupe verbal; ce n'est pas un groupe verbal qui, lui, a un sujet grammatical et six catégories (temps, mode, personne et nombre, aspect et voix).

* **l'aspect**

> <u>schlafen</u>, *dormir* → <u>geschlafen</u> haben, *avoir dormi*
> non-accompli   accompli

* **la voix**

> Sie kann das Haus <u>verkaufen</u>. → Das Haus kann <u>verkauft werden</u>.
>   actif   passif
> *Elle peut vendre la maison.* → *La maison peut être vendue.*

Cela permet les **combinaisons suivantes**:

	ACTIF	PASSIF
NON-ACCOMPLI	sagen kommen	gesagt werden/ gesagt sein (pas de passif)
ACCOMPLI	gesagt haben gekommen sein	gesagt worden sein (pas de passif)

L'INFINITIF OU LE GROUPE INFINITIF AVEC OU SANS ZU

L'infinitif avec *zu*

Le français dispose des prépositions à et de pour intégrer un infinitif ou un groupe infinitif dans un groupe d'accueil. En allemand, le signal d'intégration, quand il y en a un, est zu.

> Ich freue mich dich **zu** sehen.
> *Je me réjouis de te voir.*
>
> Es beginnt **zu** regnen.
> *Il commence à pleuvoir.*

Zu est placé immédiatement à gauche du dernier infinitif.

> Es war Zeit schlafen **zu** gehen.
> *Il était temps d'aller dormir.*

Lorsqu'il s'agit d'un verbe à particule séparable, zu se place entre la particule séparable et le reste de la base verbale.

> Es beginnt Bindfäden **zu** regnen.
> *Il commence à pleuvoir des cordes.*
>
> Er hatte nicht gedacht, so früh spazieren **zu** gehen/ so früh an**zu**kommen.
> *Il n'avait pas pensé aller se promener si tôt/ arriver si tôt.*

ATTENTION Certains verbes allemands sont suivis d'un infinitif ou groupe infinitif avec **zu**, alors que leurs équivalents français sont construits directement sans préposition. Par exemple :

> behaupten, *affirmer/ prétendre* ; glauben, *croire* ;
> wünschen, *désirer/ souhaiter* ; sagen, *dire* ;
> hoffen, *espérer* ; wagen, *oser* ; denken, *penser* ;
> wissen, *savoir* ; fühlen/ spüren, *sentir*

> Ich **hoffe** bald von Ihnen **zu** hören.
> *J'espère avoir bientôt de vos nouvelles.*
>
> Bald **wussten** sie nichts mehr **zu** sagen.
> *Ils ne surent bientôt plus quoi dire.*

379 L'infinitif sans *zu*

Ne prennent pas zu:

▶ Les infinitifs ou groupes infinitifs dans un groupe verbal dont le lexème-base est:

– werden;

> Bis morgen **werde** ich das Buch gelesen haben.
> D'ici demain, j'aurai lu le livre.

– können, dürfen, müssen, sollen, wollen, mögen.

> Was **kann** ich für sie tun?
> Que puis-je faire pour vous?

> Der Patient **darf** nicht essen.
> Le patient n'a pas le droit de manger.

> Er **müsste** bald hier sein.
> Il devrait être bientôt là.

> Ich **möchte** Sie nicht stören.
> Je ne voudrais pas vous déranger.

> Wie **soll** das enden?
> Comment cela finira-t-il?

> **Wollen** Sie bitte Platz nehmen?
> Voulez-vous prendre place, s'il vous plaît?

▶ Les infinitifs ou groupes infinitifs objets dans un groupe verbal dont le lexème-base est lassen, machen, hören, sehen, fühlen, spüren.

> Meine Eltern **lassen** dich grüßen.
> Mes parents t'envoient le bonjour.

> Sie **hörten/ sahen** ihn vorbeilaufen.
> Ils l'entendirent/ le virent passer en courant.

> Er **fühlte/ spürte** sein Herz immer schneller schlagen.
> Il sentait son cœur battre de plus en plus vite.

▶ Les infinitifs qui entrent dans le composé d'un verbe complexe ayant comme base bleiben, fahren, finden, gehen, haben, kommen, sich legen, schicken.

> liegen **bleiben**, rester couché;
> spazieren **fahren/ gehen**, aller se promener

> Er **hat** gut lachen. Il a beau rire.

> Niemand **kommt** uns besuchen.
> Personne ne nous rend visite.

> Um zehn **schicken** sie die Kinder Brot einkaufen.
> À dix heures, ils envoient les enfants acheter du pain.

ATTENTION Il ne faut pas confondre:

Ich **fand** ihn im Bett liegen.	Er **findet** immer etwas an ihm aus**zu**setzen.
Je le trouvai couché dans son lit.	*Il trouve toujours quelque chose à lui reprocher.*
Er **hat** viel Geld auf der Bank liegen.	Wir **haben** noch **zu** arbeiten.
Il a beaucoup d'argent à la banque.	*Nous avons encore à travailler.*
Sie **kam** nicht öffnen.	Das **kommt** mir teuer **zu** stehen.
Elle ne vint pas ouvrir.	*Cela me coûte cher.*
Er **bleibt** sitzen.	Es **bleibt** noch viel **zu** tun.
Il redouble sa classe.	*Il y a encore beaucoup à faire.*
Ich **kann** das nicht verstehen.	Ich **vermag** es nicht **zu** verstehen.
Je ne peux pas comprendre cela.	*Je n'arrive pas à comprendre cela.*
Er **muss** nicht kommen.	Er **braucht nicht [zu]** kommen.
Il n'est pas obligé de venir.	*Il n'a pas besoin de venir.*

380 L'absence de *zu* dans le groupe infinitif bref

Les infinitifs ou groupes infinitifs qui sont objets dans un groupe verbal dont le lexème-base est heißen, helfen, lehren, lernen ne prennent généralement pas zu quand ils sont brefs.

> Er **hieß** ihn kommen.
> *Il lui ordonna de venir.*

mais Er hieß ihn, das Zimmer **zu** verlassen.
> *Il lui ordonna de quitter la pièce.*

> Sie **helfen** ihm aufräumen. *Ils l'aident à ranger.*

mais Sie haben ihm geholfen, die Formulare aus**zu**füllen.
> *Ils l'ont aidé à remplir les formulaires.*

> Er **lehrte** ihn singen. *Il lui apprit à chanter.*

mais Er lehrte ihn, den Motor **zu** reparieren.
> *Il lui apprit à réparer le moteur.*

> Er **lernt** Klavier spielen. *Il apprend à jouer au piano.*

mais Er hat gelernt, mit den Kollegen aus**zu**kommen.
> *Il a appris à s'entendre avec ses collègues.*

ATTENTION Zu reste la règle pour l'infinitif ou le groupe infinitif objet de (nicht/ nur/ bloß) brauchen, mais à l'oral il est souvent omis comme avec les autres verbes de modalité.

> Du **brauchst** nicht kommen (oral)/ **zu** kommen (écrit).
> *Tu n'as pas besoin de venir.*

LES FONCTIONS DE L'INFINITIF OU DU GROUPE INFINITIF

381 ## L'infinitif ou le groupe infinitif en fonction d'énoncé

L'infinitif ou le groupe infinitif peut constituer à lui seul **un énoncé**, le plus souvent injonctif.

> Aufstehen! *Debout!*
> Stehen bleiben! *Halte!*

382 ## L'infinitif ou le groupe infinitif membre de groupe verbal

L'infinitif ou le groupe infinitif est le plus souvent **membre d'un groupe verbal**, où il peut assurer :

Les fonctions grammaticales de **sujet** ou d'**attribut**. Il prend alors en général zu, sauf en tête d'énoncé, quand le groupe est bref.

> <u>Fragen</u> kostet nichts.
> sujet
> *Demander ne coûte rien.*

> <u>Vorbeugen</u> ist besser als <u>heilen</u>.
> sujet   attribut
> *Prévoir vaut mieux que guérir.*

> Es ist verboten, <u>den Rasen zu betreten</u>.
>   sujet
> *Pelouse interdite.*

> <u>Den Reifenluftdruck regelmäßig zu kontrollieren</u>(,) ist ratsam.
> sujet
> *Il est recommandé de vérifier régulièrement la pression des pneus.*

La fonction grammaticale d'**objet**.

> Er möchte <u>Sie sehen</u>. *Il aimerait vous voir.*
>   objet

> Klaus hat versprochen, <u>die Theaterkarten zu holen</u>.
>   objet
> *Klaus a promis d'aller chercher les places de théâtre.*

REMARQUE

Un pronom-relais es peut être exigé pour introduire un infinitif ou un groupe infinitif en fonction d'objet.

> Er liebte **es**, <u>die Lichter der Stadt durchs Fenster fallen zu sehen</u>.
> *Il aimait voir tomber les lumières de la ville à travers la fenêtre.*

ENTRE LE VERBAL ET LE NOMINAL

L'infinitif ou le groupe infinitif peut aussi être membre d'un groupe prépositionnel demandé par la base verbale. Dans ce cas, un **groupe prépositionnel-relais** du type **da + (r) + préposition** est souvent nécessaire.

> Er dachte nicht **daran**, das Geld zurückzuzahlen.
> Il n'envisageait pas de rembourser l'argent.

> Seine Aufgabe besteht **darin**, die ausländischen Gäste zu
> empfangen. Sa mission consiste à recevoir les hôtes étrangers.

383 L'infinitif ou le groupe infinitif membre de groupe nominal

L'infinitif ou le groupe infinitif peut être **membre d'un groupe nominal**. Zu
est alors obligatoire.

> Es war **eine Freude**, ihnen zuzuhören. C'était une joie de les écouter.

384 L'infinitif ou le groupe infinitif membre d'un groupe adjectival

L'infinitif ou le groupe infinitif peut également être **membre d'un groupe
adjectival**. Zu est alors obligatoire.

> Das Problem ist nicht **leicht** zu lösen.
> Le problème n'est pas facile à résoudre.

385 L'infinitif ou le groupe infinitif membre d'un groupe prépositionnel

L'infinitif ou le groupe infinitif peut être **membre d'un groupe prépositionnel** introduit par um, (an)statt ou ohne. Zu est alors obligatoire.

Um (pour, dans le but de, en vue de). Le sujet logique du groupe prépositionnel doit être le même que celui du groupe verbal d'accueil.

> Er sammelt Informationen, **um** ein Buch **zu** veröffentlichen.
> Il rassemble des informations pour publier un livre.

Lorsque les deux sujets sont différents, on utilise généralement un groupe
conjonctionnel introduit par **damit**.

> Er sammelt Informationen, **damit** das Buch so bald wie möglich
> veröffentlicht wird. Il rassemble des informations pour que le livre
> paraisse le plus vite possible.

Anstatt/ statt (au lieu de).

> **Anstatt** deinen Bruder **zu** ärgern, solltest du deiner Mutter helfen.
> Au lieu d'agacer ton frère, tu devrais aider ta mère.

▶ Ohne (sans).

> Man kann doch nicht die Straße überqueren, **ohne** auf den Verkehr
> **zu** achten! On ne peut tout de même pas traverser la rue sans
> prendre garde à la circulation!

LES POSITIONS DU GROUPE INFINITIF

386 Le groupe infinitif après la base du groupe d'accueil

Quand l'infinitif ou le groupe infinitif est membre d'un groupe nominal, d'un
groupe adjectival ou d'un groupe prépositionnel à base um, (an)statt ou
ohne, il est placé après la base du groupe d'accueil.

> **Ihre Bitte**, sie am Bahnhof abzuholen, wurde ignoriert.
> Sa demande d'aller la chercher à la gare fut ignorée.

> **Um** es kurz zu fassen, es ist vorbei.
> Bref (pour le dire en quelques mots), c'est terminé.

387 Le groupe infinitif intégré sans virgules
au groupe verbal d'accueil

Le groupe infinitif est placé dans ce cas à gauche de la base verbale quand
celle-ci est en position finale :

> weil er mir **nicht der rechte Mann zu sein** scheint
> parce qu'il ne me semble pas être l'homme qu'il faut

> Er scheint mir **nicht der rechte Mann zu sein**.
> Il ne me semble pas être l'homme qu'il faut.

Cette position intégrée (c'est-à-dire à gauche de la base) est obligatoire
pour tous les infinitifs ou groupes infinitifs objets sans zu et pour ceux qui
dépendent d'une base verbale exprimant une nuance proche d'un aspect ou
d'une modalité comme dans les exemples suivants :

> [als] er **stehen** blieb
> quand il s'arrêta (aspect ponctuel de l'arrêt)

> [als] es **nichts mehr zu trinken** gab
> quand il n'y eut plus rien à boire (aspect final)

> [als] er **uns zu verstehen** gab
> quand il nous fit comprendre (aspect causatif)

> [weil] wir **auf das Thema zu sprechen** kommen
> parce que nous en arrivons à parler de ce sujet (aspect initial)

ENTRE LE VERBAL ET LE NOMINAL

[da] er sich **an dem Motor zu schaffen** machte...
comme il se mit à travailler sur le moteur (début)
Wie der **zu reden** weiß! *Celui-là, il sait parler!* (modalité : **können**)
[dass] er **alles zu bezahlen** hat/ alles **zu bezahlen** ist...
qu'il a tout à payer/ que tout est à payer...
(modalité : **sollen/ müssen** ou **können**)
[da] das Haus **einzustürzen** drohte...
comme la maison risquait de s'écrouler...
(modalité, prospectif redouté)
[da] die Ernte **gut zu werden** verspricht
puisque la récolte promet d'être bonne (modalité, prospectif positif)

388 Le groupe infinitif extraposé en après-dernière position

L'infinitif ou le groupe infinitif est placé au-delà de la base verbale quand celle-ci est en position finale.

weil er <u>versucht hatte</u>, **seine Meinung durchzusetzen**
parce qu'il avait essayé d'imposer son opinion
Er <u>hatte</u> versucht, **seine Meinung durchzusetzen.**
Il avait essayé d'imposer son opinion.

C'est obligatoire pour les infinitifs ou groupes infinitifs qui sont annoncés par es ou un groupe prépositionnel-relais du type **da + [r] + préposition** :

[weil] er <u>darauf</u> gewartet hatte, **vom Vorsitzenden empfangen zu werden** : *parce qu'il s'était attendu à être reçu par le président*

Elle est courante quand l'infinitif ou le groupe infinitif dépend d'un verbe de communication :

[weil] er <u>erklärte</u>/ <u>dachte</u>/ <u>vorgab</u>, **sie am nächsten Tag in die Stadt begleiten zu können** : *parce qu'il déclara/ pensa/ prétexta pouvoir les accompagner en ville le lendemain*

389 Le groupe infinitif disloqué

Il arrive que, pour des raisons grammaticales ou de mise en relief, **le groupe infinitif soit disloqué**, c'est-à-dire coupé en deux.

Das ist ein Faktor, **den er zu berücksichtigen** vergaß.
→ **den zu berücksichtigen** er vergaß.
→ **den er vergaß[,] zu berücksichtigen**
C'est un facteur dont il oublia de tenir compte.
Das ist unmöglich **zu schaffen.**
→ Es ist unmöglich, **das zu schaffen.** *C'est impossible à réaliser.*

Le participe
et le groupe participial

390 Les participes et les adjectifs

▷ Le participe I (participe présent) et le participe II (participe passé) sont deux formes **impersonnelles** du verbe.

> ein schlaf**end**es Kind, *un enfant qui dort*
> Das Kind hat gut **ge**schlafen. *L'enfant a bien dormi.*

▷ Le participe peut être **lexicalisé**, c'est-à-dire être employé dans une fonction d'adjectif. Il n'est pas toujours facile de savoir si l'on est encore en présence d'un (groupe) participe ou si celui-ci est déjà un adjectif.

> Er wurde mit einem Preis <u>ausgezeichnet</u>. *On lui a attribué un prix.*
> participe du passif
>
> eine <u>ausgezeichnete</u> Rede, *un discours excellent*
> participe lexicalisé épithète

REMARQUE
Les participes lexicalisés dont le sens est souvent éloigné du verbe d'origine sont très nombreux.
> andauernd, *constant*; aufgebracht, *furieux*; ausgezeichnet, *excellent*;
> bedeutend, *important*; unbedeutend, *insignifiant*; erwiesen, *prouvé/établi*;
> reizend, *ravissant*; spannend, *captivant*; verrückt, *fou*; vorübergehend, *provisoire*...

▷ **ATTENTION** En allemand, on ne différencie pas le participe I et l'adjectif verbal, alors que le français les distingue par un traitement différent de l'accord.

- **Le non-accord** du participe présent
> zu tief fliegende Flugzeuge, *des avions **volant** trop bas*
- **L'accord** de l'adjectif verbal.
> fliegende Untertassen, *des soucoupes **volantes***

▷ Certains **participes de forme** ne sont pas dérivés de bases verbales, mais de bases nominales.

> beamtet ← das Amt, *chargé de fonction*;
> bebrillt ← die Brille, *qui porte des lunettes*;
> beleibt ← der Leib, *corpulent*; betagt ← der Tag, *âgé*;
> gut/ schlecht gelaunt ← die Laune, *bien/ mal luné*;
> unverschämt ← die Scham, *impudent*

Un certain nombre de **groupes participiaux amalgamés** s'écrivent en un mot quand ils sont sans expansions :

> ein ordnungsliebender Mensch, *un homme d'ordre* ;
> ein Paar pelzgefütterte Handschuhe, *une paire de gants fourrés* ;
> ein luftgekühlter Motor, *un moteur refroidi par air...*

mais avec expansions :

> hoch fliegende Pläne, *des plans ambitieux* ;
> das schwer zu ertragende Warten, *l'attente difficile à supporter.*

391 Les participes et les formes verbales

Tout verbe allemand peut former un participe I et un participe II, mais seul le participe II sert à la formation des temps composés de la base verbale.

Ainsi, le participe II sert à former :

– le **parfait de l'actif** ;

> Er hat/ hatte/ habe/ hätte gelesen. *Il a/ avait/ aurait lu.*

– le **passif**.

> Er wird/ wurde/ werde/ würde gerufen.
> *Il fut/ serait appelé.*
> Er ist/ war/ sei/ wäre gerufen worden.
> *Il est/ fut/ avait été/ aurait été appelé.*

Dans ce chapitre, on ne tient pas compte des participes I et II lexicalisés, ni des participes II qui entrent, en tant que constituants, dans des formes verbales complexes.

LA FORMATION DES PARTICIPES

392 La formation du participe I

Le participe I a comme marque **-end** qui s'ajoute au **radical de l'infinitif**.

> blüh**end**, *florissant* ; verblüff**end**, *étonnant/ épatant* ;
> sei**end**, *étant* ; tu**end**, *faisant.*

Cette marque est réduite à **-nd** quand le radical de l'infinitif se termine par une syllabe **atone** -el- ou -er- :

> fröstel**nd**, *frissonnant* ; erschütter**nd**, *bouleversant.*

393 La formation du participe II

Le participe II est formé de la façon suivante :
- (ge) + radical de l'infinitif + (e)t pour les verbes faibles réguliers
    gespielt, *joué*; geläutet, *sonné*; stu'diert, *étudié*
- (ge) + radical propre + t pour les verbes faibles irréguliers
    gedacht, *pensé*; gerannt, *couru*; gesandt, *envoyé*
- (ge) + radical propre + t pour les verbes prétérito-présent (verbes de modalité)
    gedurft, gekonnt et pour le verbe wissen : gewusst
- (ge) + radical propre + (e)n pour les verbes forts
    getragen, *porté*; genommen, *pris*; gesungen, *chanté*

REMARQUE

Les variantes du participe II sont :
– la variante -et qui apparaît pour les verbes faibles au contact gauche de -d/t- et après un groupe de consonnes comprenant un -n- ou un -m- autre que -hm/hn-, -lm/lm-, rm/rn;
    verarbeitet, *travaillé*; ausgerechnet, *calculé*;
    herabgeregnet, *tombé du ciel*; geleugnet, *nié*
– la variante -n qui apparaît pour les verbes forts obligatoirement dans **getan** (*fait*) et dans une prononciation négligée après un /i:/ long ou après une diphtongue.
    geschrien, *crié*; gehaun, *battu*

394 Le préfixe *ge-* du participe II

Le préfixe ge- du participe II se met uniquement devant une syllabe accentuée.
    gekauft, *acheté*; geliebt, *aimé*; gefaxt, *faxé*; geworfen, *jeté*;
    ge'kennzeichnet, *caractérisé*; ge'rechtfertigt, *justifié*.

On ne met donc pas ge- si la première syllabe du lexème verbal est **atone**.
    be'antragt, *demandé*; be'tont, *accentué*; em'pfunden, *ressenti*;
    ent'laufen, *échappé*; er'fahren, *expérimenté*; miss'fallen, *déplu*;
    ver'bracht, *passé*; zer'rissen, *déchiré*; wider'legt, *contredit*;
    durch'sucht, *fouillé*; um'geben, *entouré*; voll'bracht, *achevé*;
    infor'miert, *informé*; telefo'niert, *téléphoné*; prophe'zeit, *prophétisé*;
    po'saunt, *crié sur les toits*; offen'bart, *manifesté*...

L'addition d'une unité accentuée (mot lexical, groupe, particule/préverbe) à gauche du lexème verbal à préfixe atone ne change rien à cette règle.

Les verbes qui prennent ge- sont, par exemple :
    'ausgestrahlt, *diffusé*; 'eingefangen, *rattrapé*;
    vo'rausgegangen, *précédent*;

'Rad gefahren, qui a fait de la bicyclette;
Ma'schine geschrieben, écrit à la machine;
spa'zieren gegangen, parti en promenade;
'heimgegangen, rentré chez soi (mais nach 'Hause gekommen).

Les verbes qui ne prennent pas ge- sont, par exemple:

'anvertraut, confié; 'einberufen, enrôlé;
vor'herbestimmt, prédéterminé; 'missverstanden, mal compris...

LA FORMATION DES GROUPES PARTICIPIAUX

395 Le groupe participe I

Presque tous les verbes donnent lieu à un groupe participe I, dont la valeur est **processuelle** (procès « en cours »). Ces groupes participiaux peuvent être formés à partir d'un verbe:

- **transitif**;

        die das Museum betretenden Besucher
        → die Besucher, die das Museum betreten
        les visiteurs qui entrent dans le musée

- **intransitif**;

        die allmonatlich erscheinende Zeitschrift
        → die Zeitschrift, die allmonatlich erscheint
        le magazine qui paraît chaque mois

- **pronominal**.

        der sich erholende Kranke
        → der Kranke, der sich erholt
        le malade qui se rétablit

396 Le groupe participe II

La formation d'un groupe participe II n'est possible qu'avec les verbes:

- **transitifs**, avec un complément d'objet à l'accusatif et qui fonctionnent au **passif**;

        Man dreht einen Film. (processuel actif)
        → Der Film wird gedreht. (processuel passif)
        → Der Film ist gedreht. (passif bilan)
        → der gedrehte Film (passif processuel ou bilan)
        le film tourné

Ein Amerikaner dreht den Film in der Toscana. (processuel actif)
→ Der Film wird von einem Amerikaner in der Toscana gedreht.
(processuel passif)
→ der von einem Amerikaner in der Toscana gedrehte
Film/ der Film, von einem Amerikaner in der Toscana gedreht
(processuel ou bilan)
le film tourné en Toscane par un Américain

Dans ce cas, le participe II passif exprime un **bilan** (accompli) ou un **aspect processuel** (en cours).

– **intransitifs** qui forment leurs temps composés à l'**actif** avec sein ;

die vor einer Stunde eingetroffenen Gäste
les invités arrivés depuis une heure

das im Hotel zurückgebliebene Gepäck
les bagages restés à l'hôtel

Ici, le participe II actif exprime le seul **bilan** (accompli), il est opposable au groupe participe I « en cours »: das im Hotel zurückbleibende Gepäck (*les bagages restant à l'hôtel*).

– **pronominaux** (le groupe participe II qui a une valeur de bilan ne comprend plus de pronom).

Die Studentin verliebt sich.
→ Die Studentin hat sich verliebt.
L'étudiante est tombée amoureuse.

→ die verliebte Studentin
l'étudiante amoureuse

397 Les groupes participiaux particuliers

Parfois, le groupe participial épithète dans un groupe nominal constitue une entorse au sujet logique.

Par exemple, dans l'expression *une soirée dansante*, ce n'est pas la soirée qui danse! Ainsi on dit:

EN ALLEMAND	EN FRANÇAIS
die betreffende Person	*la personne concernée*
ein Tanzabend	*une soirée dansante*
ein gelernter Mechaniker	*un mécanicien de métier*
ein studierter Mensch	*un homme érudit*
ein erfahrener Jurist	*un juriste expérimenté*

LES FONCTIONS DES PARTICIPES ET DES GROUPES PARTICIPIAUX

398 Les fonctions d'adjectif et de groupes adjectivaux

Les participes I et II (et les groupes participiaux I et II) permettent à des prédicats verbaux d'assurer des fonctions d'adjectif et de groupes adjectivaux.

399 Le groupe participe en fonction d'énoncé

Le groupe participe peut être en **fonction d'énoncé exclamatif** ou **injonctif**.

> **Abgemacht!** *Affaire conclue!*
> **Hier geblieben!** On reste ici! (Ordre dépersonnalisé)
> **Verdammt!** *Au diable!*
> Abstellen von Fahrzeugen aller Art **verboten.**
> *Le stationnement de véhicules de toute nature est interdit.*

Mais il est le plus souvent membre d'un groupe d'accueil qui peut être un groupe adjectival, un groupe verbal ou un groupe nominal.

400 Le groupe participe en fonction de membre modulateur d'un groupe adjectival

Dans le groupe **adjectival**, les participes (qui sont alors très rarement des groupes participiaux) servent à **indiquer le degré** ou à **exprimer un autre jugement**. Ils ont souvent le sens de très, extrêmement, vraiment.

> Sie wollte es **brennend** gern.
> *Elle voulait cela passionnément.*
>
> Alle fanden das Stück **ausgesprochen** komisch.
> *Tous trouvèrent la pièce particulièrement drôle.*
>
> Er hat es immer **verdammt** schwer gehabt.
> *Il a toujours eu une existence extrêmement difficile.*

401 Le groupe participe en fonction de membre de groupe verbal

Comme **membre d'un groupe verbal**, les (groupes) participes peuvent avoir les fonctions suivantes:

Attribut du sujet.

> Er war ohne Erlaubnis **abwesend.** *Il était absent sans autorisation.*
> Dieser Stoff wirkt **wasserabstoßend.** *Cette étoffe a un effet déperlant.*

- **Attribut de l'objet.**

  Ich fand die Atmosphäre sehr **bedrückend**.
  Je trouvai l'atmosphère très pesante.

  Sie betrachteten das Problem als **gelöst**.
  Ils considérèrent le problème comme résolu.

- **Détermination adverbiale** avec diverses nuances possibles :

  – la **manière** ;

  Die Pflicht wurde ihm **zwingend** bewusst.
  Il ne put s'empêcher de prendre conscience de son devoir.

  Ich muss ihn **dringend** sprechen.
  Il faut que je lui parle de toute urgence.

  Sie kamen **lachend** zurück.
  Ils revinrent en riant.

  Er sah leicht **angeheitert** aus.
  Il avait l'air légèrement éméché.

  – des **circonstances temporelle, causale, conditionnelle, finale.** Le groupe participe peut alors être remplacé par un groupe conjonctionnel (→ 403).

- **Appréciation** ou **estimation**, **commentaire**, **articulation textuelle** (le sujet logique qui apprécie ou intervient est alors l'énonciateur).

  Er war <u>anscheinend</u> nicht darauf gefasst.
  <small>modalisateur de vérité</small>

  Apparemment, il ne s'y attendait pas.

  <u>Anschließend/ abwechselnd/ wiederholt</u> fuhren wir aufs Land.
  <small>adverbes aspectuels</small>

  Tout de suite après/ Pour changer/ Plusieurs fois, nous allions à la campagne.

  <u>Schonend ausgedrückt</u>, ist es kein Meisterwerk.
  <small>commentaire</small>

  Pour le dire avec ménagement, ce n'est pas un chef d'œuvre.

  <u>Grob geschätzt</u>, hat er 1000 € verdient.
  Grosso modo, il a gagné 1 000 €.

  <u>Streng genommen</u> darf ich überhaupt keinen Wein trinken.
  En principe, je n'ai pas du tout le droit de boire du vin.

  Voir encore :

  verglichen mit, comparé à ; abgesehen von, indépendamment de ;
  angenommen/ vorausgesetzt (dass), à supposer que ;
  ausgerechnet, justement

Les groupes participes I et II
en relation sémantique avec un groupe nominal

Quand ils sont en relation sémantique avec un groupe nominal, les groupes participes I et II peuvent être **membres intégrés à gauche de la base nominale** ou **juxtaposés au groupe nominal à sa gauche ou à sa droite**.

Intégré comme **membre à gauche de la base nominale**, la structure du groupe participe I ou II est régressive avec le participe en dernière position. Cette structure avec groupe participe épithète n'est courante à l'oral que si le groupe participe n'est pas trop long: elle caractérise plutôt le style écrit, littéraire et journalistique.

> das laut weinende Kind, *l'enfant qui pleure fort* ;
> eine sitzende Beschäftigung, *une occupation assise* ;
> die abwesenden Schüler, *les élèves absents* ;
> etwas schräg stehende Augen, *des yeux légèrement en amande* ;
> der 1916 in Wien geborene Komponist,
> *le compositeur né à Vienne en 1916*

Die **in den Museen von Florenz ausgestellten Meisterwerke** sind zum Teil durch die Überschwemmung des Arnos beschädigt worden. *Les chefs d'œuvre exposés dans les musées de Florence ont été en partie endommagés par l'inondation de l'Arno.*

(dass) die Meisterwerke	**in den Museen von Florenz ausgestellt**	sind/ waren.
die Meisterwerke, die	**in den Museen von Florenz ausgestellt**	sind/ waren, ...
die	**in den Museen von Florenz ausgestellt-en**	Meisterwerke

Si le groupe participial est **juxtaposé au groupe nominal** que ce soit à sa gauche ou à sa droite, sa base reste **invariable**. Mais dans ce cas aussi, le groupe peut précéder ses membres.

> **Im Museum von Florenz ausgestellt**, ist das Meisterwerk zum Teil durch die Überschwemmung des Arnos beschädigt worden.
> *Exposé au musée de Florence, le chef-d'œuvre a été partiellement endommagé par l'inondation de l'Arno.*

> Das Meisterwerk, **ausgestellt im Museum von Florenz**, ist zum Teil durch die Überschwemmung des Arnos beschädigt worden.
> *Le chef d'œuvre, exposé au musée de Florence, a été partiellement endommagé par l'inondation de l'Arno.*

403 Se référer au sens

C'est en définitive la référence au sens qui permet de dire à quoi il faut rapporter un groupe participe I ou II membre d'un groupe verbal.

▸ **À droite d'un groupe nominal,** il peut être remplacé par une relative, s'il se rapporte à ce groupe nominal.

> Ich bin lediglich im Besitz eines Führerscheins, **ausgestellt auf einen türkischen Arbeiter**
> → **der auf einen türkischen Arbeiter ausgestellt ist.** *Je ne suis qu'en possession d'un permis de conduire établi au nom d'un ouvrier turc.*

▸ **À gauche d'un groupe nominal** (notamment en première position d'un énoncé verbal) ou ailleurs dans l'énoncé verbal, sa fonction est ambiguë. Il peut se rapporter au groupe nominal sans que l'on puisse en faire une relative, mais il peut aussi par un affinement des relations sémantiques être remplacé par un groupe conjonctionnel explicitant une circonstance temporelle, causale, conditionnelle ou autre.

> **In Berlin angekommen**, fuhr er sofort zum Alexanderplatz.
> (→ Als/ Nachdem er in Berlin angekommen war,...)
> *Arrivé à Berlin, il se rendit sans attendre à l'Alexanderplatz.*
> **Durch den Unfall schwer verletzt**, musste der Fahrer ins Krankenhaus eingeliefert werden.
> (→ Weil/ Da er durch den Unfall schwer verletzt wurde,...)

ou bien Der Fahrer, **durch den Unfall schwer verletzt**,
> musste ins Krankenhaus eingeliefert werden.
> *Grièvement blessé dans l'accident,*
> *le conducteur dut être admis à l'hôpital.*

La transformation en relative est possible ; cela montre que le groupe participe se rapporte au groupe nominal. Mais la transformation en groupe conjonctionnel est également possible ; on peut donc considérer que le groupe participe est aussi un complément circonstanciel de cause.

> Der Fahrer, **der durch den Unfall schwer verletzt wurde**
> → **weil er durch den Unfall schwer verletzt wurde...**

▸ Le groupe participe I ou II en fonction de **commentaire** exige lui aussi, pour être compris, une paraphrase explicitant l'intervention de l'énonciateur.

> **Abgesehen vom Preis** gefällt mir die Farbe nicht.
> (Wenn ich vom Preis absehe...)
> *Si je fais abstraction du prix/ Indépendemment du prix,*
> *la couleur ne me plaît pas.*

DIFFICULTÉS CONTRASTIVES :
EN + PARTICIPE PRÉSENT

404 Le groupe participe I avec *zu*

Le groupe sein + **groupe infinitif avec** zu a un sens modal. Il peut se transformer en participe I en fonction d'épithète dans lequel zu reste obligatoire :

> die **zu erwartende** Reaktion = die Reaktion, die zu erwarten war/ ist
> *la réaction à attendre*
>
> das **schwer zu ertragende** Warten = das Warten, das schwer zu ertragen ist/ war
> *l'attente difficilement supportable/ difficile à supporter*

405 *Kommen* + participe II

Associé au verbe kommen, un participe II peut indiquer la manière dont se produit la venue ou l'approche.

> Das Kind **kam hereingelaufen**. *L'enfant entra en courant.*

406 La traduction du (groupe) participe I français

Les emplois du participe présent en français sont plus nombreux que ceux de l'allemand qui utilise d'autres moyens d'expression.

Les **groupes conjonctionnels** suivant la nuance circonstancielle :

– la cause ;

> Weil/ Da ich kein Geld mehr hatte, blieb ich zu Hause.
> *N'ayant plus d'argent, je restai chez moi.*

– la condition ;

> Wenn du zu Hause bleibst, gibst du weniger Geld aus.
> *En restant à la maison, tu dépenseras moins d'argent.*

– le moyen ;

> Ich konnte ihn benachrichtigen, indem ich ihn anrief.
> *Je pus l'avertir en lui téléphonant.*
>
> Er hat ihn geweckt, indem er klingelte.
> *En sonnant, il l'a réveillé.*

– le temps.

> Als er daheim ankam, war er erschöpft.
> *En arrivant chez lui, il était épuisé.*

▶ Beim (lors de, au cours de) + **infinitif nominalisé**.

> Er hat sich **beim Rasieren** geschnitten.
> *Il s'est coupé en se rasant.*

▶ D'autres **prépositions** ou **tournures**.

> **Über dem Lesen** ist er eingeschlafen.
> *Il s'est endormi en lisant.*

> **im Vorübergehen**
> *en passant*

> Sie vertreibt sich die Zeit **mit Stricken**.
> *Elle passe le temps à tricoter (en tricotant).*

> Übung macht den Meister.
> *C'est en forgeant qu'on devient forgeron.*

▶ La **coordination** ou le **groupe verbal relatif**.

> Sie sagte Gute Nacht **und** ging schlafen.
> *Elle dit bonne nuit en allant se coucher.*

> Ich suche jemanden, **der diesen Brief übersetzen kann/ könnte**.
> *Je cherche quelqu'un sachant traduire cette lettre.*

L'adjectif et le groupe adjectival

407 Définition de l'adjectif

Comme en français, on appelle « adjectif » en allemand **certains détermi-nants du groupe nominal** (→ 260-318) :
- les possessifs mein, meine; Ihr, Ihre, ... ;
- les démonstratifs dieser, dieses, diese, ... ;
- les indéfinis einige, mehrere, ... ;
- les numéraux cardinaux zwei, drei, fünf, sechzehn, ... ;
- les numéraux ordinaux die erste/ zweite/ dritte/ zehnte Seite;
- les interrogatifs et exclamatifs welch-, solch-, was für [ein].

Les qualificatifs, qui apportent une information sur la qualité ou la situa-tion (temps, lieu) du terme auquel ils se rapportent s'appellent également (comme en français) adjectifs.

> das **schöne** Auto, *la belle voiture* ;
> der **linke** Flügel, *l'aile gauche* ;
> die **dortige** Zeitung, *le journal local* ;
> das **besondere** Leben, *la vie particulière*

Dans ce chapitre, il ne sera question que des **adjectifs qualificatifs**.

408 Les fonctions de l'adjectif et du groupe adjectival

L'adjectif seul ou le groupe adjectival, c'est-à-dire la base adjectivale avec ses compléments, peut avoir **quatre fonctions grammaticales**.

Adjectif épithète, à gauche dans un groupe nominal. En allemand, contraire-ment au français, **l'adjectif épithète accordé** ne peut pas se trouver à droite de la base nominale. Il se trouve toujours à sa gauche.

> ein **schnelles** Auto, *une voiture rapide*

Juxtaposé et mis en apposition à un groupe nominal.

> Das Auto, **sportlich und schnell**, gefiel mir.
> *La voiture sportive et rapide me plaisait.*

Attribut du sujet ou **de l'objet** dans un groupe verbal d'attribution avec blei-ben, finden, scheinen, sein, werden, ...

> Das Auto ist **sehr schnell**. *La voiture est très rapide.*

▸ **Adverbe**, c'est-à-dire membre d'un groupe verbal autre qu'un groupe verbal d'attribution. L'allemand n'a pas de suffixe adverbial caractéristique comme **-ment** en français. L'adjectif allemand sert d'adverbe, alors que cela reste exceptionnel en français.

> Er spricht **laut/ leise**. *Il parle fort/ bas.*
>
> Sie laufen **schnell**. *Ils courent vite.*
>
> Sie atmet **schwer**.
> *Elle respire avec difficulté/ difficilement.*
>
> Sie hat das **absichtlich** getan.
> *Elle a fait cela intentionnellement/ exprès.*

▸ **Tableau récapitulatif**

ADJECTIF ACCORDÉ	ADJECTIF INVARIABLE
das <u>schnelle</u> Auto adjectif épithète	Das Auto ist <u>sehr schnell</u>. groupe adjectival attribut du sujet
das <u>sehr schnelle</u> Auto groupe adjectival épithète à gauche de la base nominale	Das Auto, <u>sportlich und schnell</u>, gefiel mir. groupe adjectival en juxtaposition
	Das Auto fährt <u>viel zu schnell</u>. groupe adjectival en fonction d'adverbe

LA FORMATION DE L'ADJECTIF

409 La forme de l'adjectif

Du point de vue de sa forme, l'adjectif peut être :

– **simple** (on ne peut plus le décomposer dans la langue d'aujourd'hui en unités de sens plus petites) ;

> schön, *beau* ; lieb, *cher* ; schnell, *rapide* ; krank, *malade*...

– **dérivé** (il est constitué d'un radical lexical et au moins d'un élément qui ne fonctionne pas seul, préfixe ou suffixe) ;

> glücklich : <u>glück</u> <u>lich</u>, *heureux*
> radical + suffixe
>
> unglücklich : <u>un</u>   glück   <u>lich</u>,   *malheureux*
> préfixe + (radical + suffixe)

– **composé** (il est constitué de plusieurs éléments lexicaux qui fonctionnent aussi seuls).

> helldunkel, *clair-obscur* ;
> wasserdicht, *étanche* ;
> bildhübsch, *joli comme un cœur*

Les adjectifs dérivés

Les suffixes d'adjectifs

On reconnaît la plupart des adjectifs dérivés à leur **suffixe**. Celui-ci est :
- -ig, -isch, -lich (le plus souvent) ;
- -bar, -e, -en/ -ern, -er, -haft, -sam (moins souvent).

Les radicaux d'adjectifs

Le suffixe s'accroche à des radicaux.

▸ **Radicaux verbaux**, éventuellement avec inflexion (Umlaut) et/ou d'autres modifications, par exemple une adjonction de -t ou de -er.

>   abhängig, *dépendant* ; zappelig, *remuant* ; möglich, *possible* ;
>   lesbar, *lisible* ; trinkbar, *buvable* ; sparsam, *économe* ;
>   lächerlich, *ridicule* ; erkenntlich, *reconnaissable* ;
>   regnerisch, *pluvieux*...

▸ **Radicaux nominaux**, éventuellement avec inflexion (Umlaut) et/ou d'autres modifications.

dreckig, *sale*	mangelhaft, *médiocre*
furchtsam, *craintif*	tierisch, *animal/ bestial*
germanisch, *germanique*	wöchentlich, *hebdomadaire*
gläsern, *en verre*	wunderbar, *merveilleux*
herzlich, *cordial*	die sechziger Jahre, *les années soixante*
mächtig, *puissant*	ein sechsundneunziger Wein, *un crû de 1996*

▸ **Radicaux simples** (de type adverbial, adjectival ou numéral).

>   dort → dortig, *de là*
>   heute → heutig, *d'aujourd'hui*
>   damals → damalig, *de cette époque*
>   link- → links → linkisch, *maladroit*
>   krank → krankhaft, *morbide*
>   krank → kränklich, *maladif*
>   ein → einsam, *solitaire*

▸ **Radicaux complexes** (syntagmes, groupes nominaux, prédicats...).

>   jene Seite → jenseitig, *de l'autre côté*
>   zwei Monate → zweimonatig, *de deux mois*

schwer hören → schwerhörig, *dur d'oreille*
kurze Frist → kurzfristig, *à court terme*
unter der Erde → unterirdisch, *souterrain*
nahe liegen → naheliegend, *proche*
gleichberechtigt, *égal en droits*

412 Les suffixes d'emprunts des adjectifs

Certains suffixes d'adjectifs empruntés sont accentués.

-'abel: akzep'**tabel**	-'är: popu'**lär**	-'il: sta'**bil**
-'al: ide'**al**	-'at: adä'qu**at**	-'iv: defini'**tiv**
-'an: spon'**tan**	-'ent: intelli'**gent**	-'os: rigo'**ros**
-'ant: ele'**gant**	-'esk: gro'**tesk**	-'ös: reli'gi**ös**
-'än: souve'**rän**	-'ibel: sen'**sibel**	

413 Les quasi suffixes et suffixes sur base complexe des adjectifs

Certains **éléments simples** comme -arm, -eigen, -frei, -leer, -los, -reich, -wert ou **dérivés** comme -artig, -fähig, -mäßig, -selig, -widrig fonctionnent comme des suffixes.

industrie**arm**, *pauvre en industrie* ;
betriebs**eigen**, *qui appartient à l'entreprise* ; koffein**frei**, *décaféiné* ;
arbeits**los**, *au chômage* ; erfolg**reich**, *couronné de succès* ;
bemerkens**wert**, *remarquable* ; groß**artig**, *grandiose* ;
begeisterungs**fähig**, *capable d'enthousiasme* ;
berufs**mäßig**, *sur le plan professionnel* ; arm**selig**, *misérable* ;
rechts**widrig**, *contraire au droit*...

414 Les préfixes d'adjectifs

Il existe relativement **peu de préfixes d'adjectifs** en allemand.

L'emploi de un- (qui inverse le sens de l'adjectif) est fréquent.

angenehm → **un**angenehm, *agréable → désagréable*
denkbar → **un**denkbar, *pensable → impensable*
schädlich → **un**schädlich, *nuisible → inoffensif*

Un- sert aussi à exprimer un **degré**.

nicht **un**klug, *pas sot/ qui ne manque pas de finesse*
unheimlich schwer, *horriblement difficile/ terriblement lourd*

On rencontre également :

– erz- (archi) ;

   erzdumm, archibête

– miss- ;

   missgestimmt, de mauvaise humeur

– ur- (pour marquer l'origine et l'état primitif) ;

   urchristlich, qui concerne le christianisme primitif

– des préfixes plus recherchés.

   apolitisch, apolitique ; **hyper**modern, hypermoderne ;
   proarabisch, proarabe ; **post**modern, postmoderne...

Certains éléments fréquents qui constituent le premier terme d'un adjectif composé peuvent être considérés comme des **préfixes**. On les appelle aussi préfixoïdes ou quasi préfixes.

   grundfalsch, complètement faux ;
   grundverschieden, fondamentalement différent ;
   hochintelligent, très intelligent ; **über**ernährt, suralimenté ;
   unterernährt, sous-alimenté ; **wohl**bekannt, bien connu

Les adjectifs composés

Du point de vue de sa forme, le premier terme de l'adjectif composé peut être :

– un **nom** ;

   siegessicher, sûr de la victoire ;
   abgrundtief, profond comme un gouffre

– un **verbe** (à l'infinitif ou non) ;

   lebensmüde, las de vivre ;
   treffsicher, sûr de son coup

– un **adjectif** ;

   dunkelgrün, vert foncé ;
   taubstumm, sourd-muet

– un **autre élément**.

   selbstsicher, sûr de soi ; **selbst**bewußt, conscient de soi

417 Les adjectifs composés avec ou sans joncture

Les deux termes peuvent être reliés :

– **sans joncture** (= élément de liaison) ;

> feder**leicht** (*léger comme une plume*)

– **avec joncture**.

> -e- : hund**e**müde, «*fatigué comme un chien*»
>
> -en- : bär**en**stark, «*fort comme un ours*» ; stund**en**lang, *qui dure des heures*
>
> -ens- : herz**ens**gut, *d'une grande bonté* («*de cœur*»)
>
> -er- : kind**er**leicht, «*facile comme un jeu d'enfant*»
>
> -(e)s- : geist**es**krank, *fou* («*malade d'esprit*»)
>
> -s- (obligatoire après les suffixes -heit, -keit, -schaft, -ung, -ion) : wahrheit**s**getreu, *fidèle à la vérité* ; funktion**s**bereit, *prêt à fonctionner*

418 La structure du point de vue du sens

Du point de vue du sens, l'adjectif composé peut être :

▶ **De type déterminatif** (cas le plus fréquent) où le terme de gauche détermine celui de droite. La **structure déterminative** peut représenter un rapport **syntaxique** comme dans stundenlang où lang est précédé de son complément à l'accusatif. Elle peut également exprimer différents **rapports sémantiques** :

– **sélectif** (on sélectionne une variété par rapport à une espèce) ;

> dunkelgrün, *vert foncé* (*une variété de vert*)

– de **cause** ;

> schamrot, *rouge de honte*

– de **but** ;

> pflegeleicht, *facile à entretenir*

– de **comparaison** (très souvent).

> eiskalt, *glacial*

REMARQUE

Le rapport de comparaison s'exprime souvent sous forme de **métaphore**.

> blitzschnell, *rapide comme l'éclair* ; riesengroß, *gigantesque* ; steinhart, *dur comme la pierre* ; strohdumm, *bête à manger du foin* ; schneeweiß, *blanc comme neige*.

▶ **De type additionnel**.

> deutsch-fran°zösisch, *franco-allemand* ;
>
> blau-weiß-°rot, *bleu-blanc-rouge* ; taubstumm, *sourd-muet*…

LE CLASSEMENT DES ADJECTIFS
D'APRÈS LEUR SENS

419 Les adjectifs absolus et relatifs

Les **adjectifs** de **qualité** et de **dimension** sont employés de façon absolue ou relative.

Dans un sens absolu, ils ne peuvent être mis ni au comparatif (degré 1) ni au superlatif (degré 2) (→ 441-446).

> Dieser Platz ist viereckig.
> *Cette place est carrée.*
>
> der viereckige Platz, *la place carrée*

Dans un sens relatif, ils peuvent être mis au comparatif (degré 1), au superlatif (degré 2) ou être gradués d'une autre façon.

> Die Kellerstraße ist eng, die Kellergasse noch **enger**.
> *La rue de la cave est étroite, la ruelle de la cave encore plus étroite.*

Suivant le contexte, un même adjectif peut être employé de façon :

– **absolue** ;

> die **goldene** Uhr, *la montre en or*

– **relative**.

> das **goldene** Zeitalter, *l'âge d'or*
>
> Wir hatten schon **goldenere** Zeiten.
> *Nous avons déjà eu des temps meilleurs.*

420 Les adjectifs de relation et de situation

Les adjectifs de **relation** et de **situation** sont dérivés :

– de **noms** ;

> Arzt → ärztlich, *médical*
> Beruf → beruflich, *professionnel*

– d'**adverbes** de **temps** et de **lieu**.

> heute → heutig, *d'aujourd'hui*
> dort → dortig, *de là*

REMARQUE

Alors qu'en français l'adjectif de relation ou de situation est placé après le nom, en allemand, il fonctionne le plus souvent comme **épithète** et ne peut être attribut.

> das ärztliche Gutachten
> → das Gutachten eines Arztes/ von Ärzten : *le certificat médical*

Das Gutachten ist ärztlich est incorrect, mais dans ärztlich behandeln (*traiter médicalement*) ärztlich fonctionne en tant qu'adverbe.

> betriebliche Angelegenheiten
> → Angelegenheiten eines/ des Betriebs : *affaires d'entreprises*
> die heutige/ damalige deutsche Jugend
> → die deutsche Jugend von heute/ von damals :
> *la jeunesse allemande d'aujourd'hui/ de jadis*
> der hiesige Wein
> → der Wein von hier : *le vin d'ici*

Mais Die Jugend ist heutig est incorrect et l'adverbe est heute et non heutig.

421   Les autres classes d'adjectifs

On peut distinguer d'autres classes d'adjectifs :
– les adjectifs dérivés de noms **géographiques** ou **d'habitants de pays** ;

> die Berlin**er** Messe, *la foire de Berlin* ;
> das Brandenburg**er** Tor, *la porte de Brandenbourg* ;
> die deutsch-franzö**sische** Freundschaft, *l'amitié franco-allemande*

– les adjectifs **dérivés de noms propres** ;

> die Mahler**schen** Symphonien, *les symphonies de Mahler*

– les adjectifs de **matière** en -ern/-en ;

> ein silb**ern**er Löffel, *une cuillère en argent*

– les adjectifs **ordinaux** (noter le suffixe -t jusqu'au nombre 19 et le suffixe -st- à partir de 20) ;

> das ers**te**/ sieb**te**/ ach**te**/ einundzwanzigs**te** Haus
> *la première/ septième/ huitième/ vingt et unième maison*

– quelques autres **adjectifs situatifs** (qui définissent un élément par rapport à un autre) et qui ne fonctionnent que comme épithètes.

> ein besonderes Angebot, *une offre particulière* ;
> eine andere Lebensweise, *un style de vie différent* ;
> das linke/ rechte Bein, *la jambe gauche/ droite*

422   L'adverbe adjectivé dans une nominalisation

Certains épithètes ont la forme d'adjectifs épithètes. Mais ce sont en réalité des adverbes qui déterminent un verbe nominalisé.

> stark rauchen → ein starker Raucher, *un gros fumeur*
> leidenschaftlich spielen
> → ein leidenschaftlicher Spieler, *un joueur passionné/ invétéré*
> fein beobachten
> → ein feiner Beobachter, *un observateur perspicace*

LE GROUPE ADJECTIVAL

Définition

L'adjectif peut être déterminé lui-même par des éléments et constituer ainsi
un **groupe adjectival**.

Ein (auf seine Leistung sehr) **stolzer** Schüler stand
groupe adjectival épithète

vor einem (ziemlich) **verunsicherten** Lehrer.
groupe participial épithète

Un élève (très) fier (de ses résultats) se trouvait devant un
professeur qui manquait (passablement) d'assurance.

Le groupe adjectival avec éléments invariables

La place des éléments invariables
dans le groupe adjectival

Les éléments invariables sont placés devant la base adjectivale et ont une
fonction:

– de **gradation** (→ 449-453);

    sehr/ gar/ durchaus/ ziemlich/ fast/ [all]zu schön
    très/ bien/ tout à fait/ assez/ presque/ trop beau

– d'**appréciation** au sens large (→ 600-603).

    wohl/ vielleicht/ womöglich krank
    sans doute/ peut-être malade

    vermutlich/ sicher/ bestimmt/ wahrscheinlich falsch
    de façon supposée/ certainement/ sûrement/ vraisemblablement faux

    leider krank
    malheureusement malade

    hoffentlich/ normalerweise gesund
    j'espère/ normalement en bonne santé

    eben/ schon/ noch/ überhaupt fabelhaft
    justement/ déjà/ encore/ de toute façon fabuleux

425 Les membres adjectifs et participes

Les membres adjectifs et participes du groupe adjectival peuvent être aussi, en ce qui concerne la forme, des **adjectifs** ou des **participes**.

>vollkommen richtig, tout à fait juste ;
>wesentlich/ bedeutend schwerer, sensiblement/ beaucoup plus difficile ;
>brennend heiß, brûlant ;
>verdammt schwer, bigrement difficile ;
>ausgesprochen nett, particulièrement gentil

Les membres compléments de l'adjectif

426 La place des compléments de l'adjectif

Les compléments de l'adjectif sont toujours placés à gauche de la base nominale, quand l'adjectif est épithète. Cependant, quand le groupe adjectival est en fonction d'attribut, ou plus rarement, d'apposition, l'adjectif peut aussi parfois précéder ses compléments.

>ein <u>auf seine Leistung sehr stolzer</u> Schüler
>membre complément + base adjectivale
>
>ein Schüler, der <u>auf seine Leistung **sehr stolz**</u> war
>membre complément + base adjectivale
>
>der **sehr stolz** <u>auf seine Leistung</u> war
>membre + base + membre complément
>
>un élève très fier de ses résultats

427 La forme des compléments de l'adjectif

Les compléments de l'adjectif peuvent être :

Un groupe nominal de mesure **à l'accusatif**, toujours placé devant les adjectifs de dimension ;

>breit, large ; dick, épais ; groß, grand ; hoch, hoh-, haut ;
>lang, long ; schwer, lourd ; weit, éloigné de...
>eine zwei Meter hohe Mauer,
>un mur d'une hauteur de deux mètres
>Die Mauer ist zwei Meter hoch.
>Le mur a une hauteur de deux mètres.
>Er sprang anderthalb Meter hoch.
>Il fit un bond d'un mètre et demi.

Un groupe nominal **au génitif** (peu fréquent);

> gewiss/ sicher, *sûr de*; bewusst, *conscient de*;
> fähig, *capable de*; verdächtig, *soupçonné de*; würdig, *digne de*
>
> Ich war mir **meines** Fehlers bewusst.
> *J'avais conscience de ma faute.*

Un groupe nominal **au datif** (très fréquent);

> ähnlich, *semblable*; bekannt, *connu*;
> dankbar, *reconnaissant*; gleichgültig, *égal*;
> günstig, *favorable*; lieb, *cher*; möglich, *possible*;
> neu, *nouveau*; nützlich, *utile*; schwer, *difficile*;
> teuer, *cher*; überlegen, *supérieur*;
> wichtig, *important*; zuvorkommend, *prévenant*
>
> Ich bin **dir** für dein Verständnis sehr dankbar.
> *Je te suis très reconnaissant de ta compréhension.*

Un groupe **prépositionnel**. C'est surtout le cas quand le groupe adjectival est en fonction d'attribut. Par exemple : **an** + **accusatif** : an etwas/ jn gewöhnt sein (être habitué à qqn/ qqch.)

> Der Hund ist **an seinen neuen Herrn** gewöhnt.
> *Le chien est habitué à son nouveau maître.*
>
> der **an seinen neuen Herrn** gewöhnte Hund
> *le chien qui est habitué à son nouveau maître*

LES FONCTIONS DES ADJECTIFS ET DES GROUPES ADJECTIVAUX

En fonction d'attribut

Invariabilité

Lorsque le groupe adjectival a la fonction d'attribut du sujet et de l'objet ou celle d'adverbe circonstanciel, il est membre d'un groupe verbal et l'adjectif reste invariable.

429 Les verbes d'attribution avec un (groupe) adjectif attribut

Le nombre de verbes d'attribution qui entraînent un attribut du sujet ou de l'objet est limité. On trouve notamment :

- les verbes d'attribution avec un **attribut du sujet** ;

    aussehen, avoir l'air de ; bleiben, rester ; scheinen, paraître ;
    sein, être ; werden, devenir ; wirken, avoir un effet

- les verbes d'attribution avec un **attribut de l'objet**.

    machen, faire ; finden, trouver ; fühlen, sentir ; glauben, croire ;
    sich benehmen wie, se comporter comme

    Das Haus ist <u>sehr schön</u>,   aber wir finden es   <u>viel zu teuer</u>.
                       groupe adjectival   groupe adjectival
                       attribut du sujet **das Haus**   attribut de l'objet **es**
    La maison est très belle, mais nous la trouvons beaucoup trop chère.

    Die Situation bleibt <u>kritisch</u> und das macht ihn   <u>krank</u>.
                     adjectif   adjectif
                     attribut du sujet **Die Situation**   attribut de l'objet **ihn**
    La situation reste critique et cela le rend malade.

430 Les verbes d'attribution avec un groupe nominal ou prépositionnel attribut

Certains verbes d'attribution entraînent un groupe nominal ou un groupe prépositionnel comme **attribut**.

    befördern zu, promouvoir ; ernennen zu, nommer ;
    wählen zu, choisir ; betrachten/ bezeichnen als, considérer comme ;
    behandeln wie, traiter de ; sich benehmen wie, se comporter comme

    Ich betrachte ihn als meinen Freund.
    Je le considère comme mon ami.

431 Les adjectifs exclusivement en fonction d'attribut

Certains adjectifs ne se trouvent qu'en **fonction d'attribut**.

    Das ist mir <u>egal</u>.
    Cela m'est indifférent.

    Das ist ja <u>schade</u> !
    C'est bien dommage !

    Das finde ich aber <u>sehr schade</u> !
    Je trouve cela bien dommage !

    Daran sind wir <u>schuld</u> ! Là, c'est nous qui avons tort !

En fonction d'épithète

432 L'adjectif/ le groupe adjectival en fonction d'épithète

En fonction d'**épithète**, le groupe adjectival est placé à gauche de la base nominale et l'adjectif s'accorde.

Das <u>sehr schöne, aber viel zu teure</u> Haus...

groupes adjectivaux en fonction d'épithète

La maison, très belle mais beaucoup trop chère,...

En fonction d'apposition

433 L'adjectif/ le groupe adjectival juxtaposé
au groupe nominal

En fonction d'**apposition**, le groupe adjectival est juxtaposé au groupe nominal et dès lors sa base est invariable.

Das Haus, <u>sehr schön aber viel zu teuer</u>, stand schon monatelang leer.

groupes adjectivaux en fonction d'apposition

La maison, très belle mais beaucoup trop chère,
était vide depuis des mois.

434 Le groupe adjectival juxtaposé
à droite d'un groupe nominal

Il peut être transformé en **relative**.

Das Haus, sehr schön, aber viel zu teuer,...
→ Das Haus, **das sehr schön, aber viel zu teuer war**,...

Suivant le contexte, la relative peut exprimer une nuance circonstancielle, par exemple la cause, et, dans ce cas, la transformation en **groupe conjonctionnel** est, elle aussi, possible.

Das Haus, **weil/ da es sehr schön, aber viel zu teuer war**...

435 Le groupe adjectival juxtaposé à gauche
d'un groupe nominal

Lorsque le groupe adjectival est à gauche du groupe nominal, il ne peut pas se transformer en relative. En revanche, la transformation en **groupe conjonctionnel** est toujours possible.

Sehr schön, aber viel zu teuer,
stand das Haus schon monatelang leer.
Très belle, mais beaucoup trop chère,
la maison était vide depuis des mois.

→ **Weil/ Da es sehr schön, aber viel zu teuer war**,
stand das Haus schon monatelang leer.
Parce que/ Comme elle était très belle, mais beaucoup trop chère,
la maison était vide depuis des mois.

Les autres fonctions de l'adjectif

436 Les adjectifs déterminant un groupe prépositionnel

Quelques adjectifs peuvent déterminer un groupe prépositionnel. Ils expriment alors une **dimension**.

kurz um die Ecke, *juste au coin*; **dicht** am Wasser, *tout près de l'eau*
tief ins/ im Wasser, *profondément dans l'eau*;
lange vor/ nach Sonnenuntergang,
longtemps avant/ après le coucher du soleil

C'est également le cas pour l'adverbe **mitten** et les groupes nominaux à l'accusatif de mesure.

mitten auf dem Platz, *au milieu de la place*;
zwei Kilometer vor dem Dorf, *deux kilomètres avant le village*

437 Les adjectifs marquant une intervention modulatrice du locuteur

Quelques rares adjectifs peuvent marquer une intervention du locuteur
(→ les particules d'interactivité **613-617**).

Jetzt gehst du mal bitte **schön** ins Bettchen.
Sois gentil et va au lit, s'il te plaît.

Bleiben Sie **ruhig** sitzen.
Ne vous dérangez pas. Restez assis.

Sie können **unmöglich** hier bleiben.
Vous ne pouvez en aucun cas rester ici.

ENTRE LE VERBAL ET LE NOMINAL

438 Le degré I et II de l'adjectif

Contrairement au français, l'allemand forme le degré 1 et le degré 2 de l'adjectif et de quelques adverbes qui admettent une gradation en ajoutant un **suffixe au radical du mot**, combiné ou non avec l'inflexion (¨).

> Klug, klüger, der klügste, am klügsten
> *Intelligent, plus intelligent, le plus intelligent, (être) le plus intelligent*

On parle, dans ce cas, de gradation ou de degrés formés à l'aide de marques grammaticales. La forme en (¨)er est aussi appelée **comparatif** et la forme en -(¨)(e)st- **superlatif**, bien qu'on ne désigne par ces termes qu'un de leurs emplois : celui qu'ils assurent dans l'expression des degrés de la comparaison.

439 Le degré de l'adjectif par moyens lexicaux

Comme en français, le degré de qualification et d'intensité peut aussi être exprimé par des moyens lexicaux, notamment par des mots invariables, adverbes ou particules, appelés **graduatifs**.

> Er freut sich **sehr**.
> *Il se réjouit beaucoup.*

> Wir haben nie Geld **genug**.
> *Nous n'avons jamais assez d'argent.*

Ce degré lexical peut aussi se combiner avec le degré 1 et 2 marqué par les suffixes grammaticaux (¨)er et (¨)(e)st-.

> Er ist <u>viel</u> größ**er** als ich.
>   moyen lexical + degré 1
> *Il est beaucoup plus grand que moi.*

> Er ist der <u>weitaus</u> bes**te** Spieler.
>   moyen lexical + degré 2
> *Il est de loin le meilleur joueur.*

440 Les comparaisons de l'adjectif

Pour exprimer les différentes opérations de comparaison comme l'**équivalence**, la **supériorité** ou l'**infériorité**, on combine fréquemment les moyens grammaticaux et lexicaux.

> Das ist **halb so** schlimm, **wie** man glaubt.
> *C'est moitié moins grave qu'on ne croit.*
> Er ist **viel älter, als** er aussieht.
> *Il est beaucoup plus âgé qu'il n'en a l'air.*

LES MARQUES DU DEGRÉ 1 ET 2 DE L'ADJECTIF

441 Tableau récapitulatif

	DEGRÉ 1 : -ER (COMPARATIF)	DEGRÉ 2 : -ST- (SUPERLATIF)
ADJECTIF ÉPITHÈTE	ein **ält**er**er** Freund ein schnell**eres** Auto	der **ält**e**ste** Freund das schnell**ste** Auto
ADJECTIF ATTRIBUT ET ADVERBE	**ält**er sein schnell**er** fahren sich bess**er** fühlen	am **ält**e**sten** sein am schnell**sten** fahren sich **am** be**sten** fühlen

442 L'inflexion de l'adjectif

Une vingtaine d'adjectifs d'une seule syllabe prennent obligatoirement l'inflexion (Umlaut).

ADJECTIF	DEGRÉ 1	DEGRÉ 2	DEGRÉ 2 (ADVERBE)	TRADUCTION
alt	älter	ältest-	am ältesten	vieux
arm	ärmer	ärmst-	am ärmsten	pauvre
dumm	dümmer	dümmst-	am dümmsten	bête
grob	gröber	gröbst-	am gröbsten	grossier
groß	größer	größt-	am größten	grand
hart	härter	härtest-	am härtesten	dur
jung	jünger	jüngst-	am jüngsten	jeune
kalt	kälter	kältest-	am kältesten	froid
krank	kränker	kränkst-	(am kränkesten)	malade
kurz	kürzer	kürzest-	am kürzesten	court
lang	länger	längst-	am längsten	long
oft	öfter	öfst-	am öftesten	souvent
scharf	schärfer	schärfst-	am schärfsten	tranchant/ épicé
schwach	schwächer	schwächst-	am schwächsten	faible
schwarz	schwärzer	schwärzest-	(am schwärzesten)	noir

La formation de *hoch* et *nah*

Hoch et nah ont une formation particulière :

ADJECTIF	DEGRÉ 1	DEGRÉ 2	DEGRÉ 2 (ADVERBE)	TRADUCTION
hoch	höher	höchst-	am höchsten	haut
nah	näher	nächst-	am nächsten	proche

Les formations irrégulières de l'adjectif

Les éléments suivants forment leur degré 1 et 2 de façon irrégulière.

ADJECTIF/ADVERBE	DEGRÉ 1	DEGRÉ 2
bald : bientôt	eher[1] : plus tôt	am ehesten : au plus tôt
gern/ lieb : volontiers/ cher	lieber	am liebsten/ d- liebst-
gut/ wohl[2] : bien	besser : meilleur	am besten/ best- : mieux/ meilleur
viel : beaucoup	mehr : plus	am meisten/ meist- :
		la plupart du temps/ la plupart
wenig : peu (de)	weniger : moins	am wenigsten/ wenigst- : le moins
	(minder)	am mindesten/ mindest-

1. eher fonctionne aussi dans le sens de plutôt : Alles andere eher als das! *Tout plutôt que cela !*
2. Dans le sens de à l'aise, le degré 1 et 2 de wohl est : wohler, am wohlsten : Hier fühle ich mich wohler. *Ici, je me sens plus à l'aise.*

Le -*e*- intercalaire au degré 2

Les éléments gradables dont le radical se termine par -d, -t, -s, -z, -sch prennent un -e- intercalaire au degré 2 :

> breit/ die breit**e**ste Straße,
> *large/ la rue la plus large*
>
> kurz/ der kürz**e**ste Weg,
> *court/ le chemin le plus court.*

Toutefois font **exception** :

> groß/ das größte Denkmal,
> *grand/ le monument le plus grand*

ainsi que les mots dont la syllabe suffixe n'est pas accentuée :

> spannend/ der °spannendste Film,
> *passionnant/ le film le plus passionnant*
>
> komisch/ der °komischste Mensch,
> *drôle/ l'homme le plus drôle.*

446   ## La chute du -e- de l'adjectif au degré 1

Les éléments gradables dont le radical se termine par -el, -en, -er perdent régulièrement le -e- inaccentué au degré 1.

> teuer/ ein teures Auto/ ein teureres Auto,
> *cher/ une voiture chère/ plus chère*
> dunkel/ eine dunkle Nacht/ eine dunklere Nacht,
> *sombre/ une nuit sombre/ plus sombre*
> trocken/ trock(e)nes Klima/ trock(e)neres Klima,
> *sec/ un climat sec/ plus sec*

L'EXPRESSION LEXICALE DU DEGRÉ

Les lexèmes figés

447   ### Les mots invariables figés avec une marque de degré 1 ou 2

Ces mots sont fréquents.

> äußerst/ höchst, *extrêmement*;
> bestens (informiert), *très bien (informé)*;
> demnächst, *prochainement*; eher, *plutôt*; früher, *naguère*;
> frühestens/ spätestens, *au plus tôt/ au plus tard (date)*;
> höchstens, *tout au plus*; längst, *depuis longtemps*; mehr, *plus*;
> öfters, *assez souvent*; später, *plus tard/ après*; viel mehr, *bien plutôt*;
> wenigstens/ mindestens, *au moins*; zunächst, *d'abord*

448   ### Les lexèmes figés dans la langue administrative et commerciale

Parmi ces lexèmes figés, certains font partie de la langue administrative et commerciale.

> gefälligst *(pour atténuer/ renforcer un ordre)*;
> höflichst *(pour accompagner poliment une demande)*;
> möglichst (bald), *le plus (vite) possible*;
> schnellstens, *au plus vite*;
> wärmstens (empfehlen), *(recommander) chaudement/ chaleureusement*;
> zutiefst (gerührt), *profondément (touché)*

Les graduatifs

Les classifications des graduatifs
ou modulateurs du degré

Les graduatifs ou modulateurs du degré peuvent être classés de différentes
façons :

- **D'après leur sens** (excès, grande intensité, intensité moyenne, petite
  intensité, rôle dans la comparaison explicite avec expansion...).

- **Selon le groupe syntaxique** dont ils peuvent être membres. Ainsi sehr
  peut déterminer un adjectif ou un verbe alors que *très* en français ne peut
  déterminer qu'un adjectif.

  > Er ist **sehr** krank und leidet **sehr** (viel).
  > *Il est très malade et souffre beaucoup.*

  Genug suit le lexème-base qu'il détermine, mais peut aussi précéder une
  base nominale :

  > Er hat **genug** Geld.
  > *Il a assez d'argent.*
  > Er hat Geld **genug**.
  > *Il a suffisamment d'argent.*

  mais il est uniquement postposé à la base adjectivale :

  > Er ist groß **genug**.
  > *Il est assez grand.*

- **En fonction de leur participation à l'expression d'une graduation.** Cette
  graduation peut être :

- **absolue** et, dans ce cas, sans expansion de degré ;

  > Er ist viel zu klein.
  >   graduatif
  > *Il est bien trop petit.*

- **relative** à un terme de référence signalé par une expansion de degré.

  > Er ist viel   älter   als ich.
  >   graduatif   +   degré 1   +   expansion du degré 1 avec **als**
  > *Il est bien plus âgé que moi.*

450 Les graduatifs de la grande ou petite intensité sans expansion

L'intensité grande ou **petite** est exprimée par des graduatifs qui s'emploient, en général, dans une gradation **absolue**, c'est-à-dire **sans expansion possible** du degré.

GRADATION ABSOLUE (SANS EXPANSION)

GRANDE INTENSITÉ	PETITE INTENSITÉ
sehr : très	(ein) wenig : un peu
ganz/ gar/ völlig/ vollkommen : tout à fait	ein bißchen/ etwas : un peu
völlig : entièrement	kaum : à peine knapp : à peine/ petit
äußerst/ höchst : extrêmement	leicht : légèrement
absolut/ durchaus : tout à fait	
(ganz) besonders : particulièrement	so gut wie : comme/ à peu près
recht/ stark : fort	
viel : beaucoup	
Wir sind **sehr** müde.	Wir sind **etwas** müde.
graduatif + groupe adjectival attribut	graduatif + groupe adjectival attribut
Nous sommes très fatigués.	Nous sommes un peu fatigués.
Er verspielt sehr viel (Geld).	Er verspielt nur wenig (Geld).
Il perd beaucoup (d'argent) au jeu.	Il ne perd que peu d'argent au jeu.
	Das ist so gut wie nichts.
	C'est à peu près rien.
	Das ist so gut wie sicher.
	C'est à peu près sûr.

451 *Bedeutend, erheblich, wesentlich* suivis du degré 1

Bedeutend (très), erheblich (très) et wesentlich (essentiellement) servent également à exprimer la grande intensité, mais ils sont suivis du degré 1 et le plus souvent d'une expansion.

> Er ist wesentlich klüger als sein Bruder.
> Il est bien plus intelligent que son frère.

La grande intensité peut aussi s'exprimer par toute une série de mots « à la mode » par exemple :

> riesig/ unheimlich/ ungemein/ ungeheuer, énormément ;
> wahnsinnig/ verdammt/ irrsinnig, extraordinairement ;
> echt/ schön, vraiment ;
> tipptopp/ prima/ dufte/ toll/ super, très/ super

ENTRE LE VERBAL ET LE NOMINAL

Les graduatifs de l'intensité moyenne et de l'excès

L'expression de l'intensité moyenne et de l'excès s'exprime **avec ou sans expansion**.

GRADATION ABSOLUE SANS EXPANSION	GRADATION RELATIVE AVEC EXPANSION
• (groß) genug, (nicht groß) genug Sie ist groß **genug**,... *Elle est assez grande...*	**um** + groupe infinitif avec **zu** ...um allein auszugehen. *...pour sortir seule.*
• genug (Geld), (Geld) genug Sie haben **genug** Geld,... *Ils ont assez d'argent...*	**zum** + groupe infinitif nominalisé ...zum Lotto spielen. *...pour jouer à la loterie.*
ziemlich: *assez/ passablement/ pas mal* mehr oder weniger: *plus ou moins* relativ/ verhältnismäßig: *relativement*	(pas d'expansion possible)
• **zu/ allzu/ viel zu** (+ adjectif) Es ist mir **zu** kalt... *J'ai trop froid...*	...für eine Wanderung. (complément du groupe adjectival) zum Ausgehen. ...pour sortir. (**zum** + groupe infinitif nominalisé)
Er ist noch **viel zu/ allzu** klein,... *Il est encore beaucoup trop petit...*	...um mit ihnen auszugehen. *...pour sortir avec eux.* ...als dass er allein bleiben könnte. *...pour pouvoir rester seul.*

Les graduatifs de l'intensité vague et variable

L'évaluation d'un degré d'intensité vague et variable est exprimée de façon:
– **indéterminée** à l'aide de wie...;

> **Wie** naiv ist er doch!
> *Qu'il est naïf!*

Elle peut être associée à une expansion **explicative**:

> **Wie** naiv ist er doch, nachts allein durch das Viertel **zu** gehen.
> **Wie** naiv ist er doch, **daß** er nachts allein durch das Viertel geht.
> *Comme il est naïf de traverser le quartier seul la nuit.*

– **déterminée ou située**, à l'aide de so...

> Er ist **so** naiv!
> *Il est si/ tellement naïf!*

ATTENTION So, intensif d'importance quand il est employé seul, peut être associée à des expansions qui fournissent un **degré de comparaison** :

> Er ist **so** naiv **wie** seine Eltern.
> *Il est aussi naïf que ses parents.* (égalité)
> Er ist **so** naiv, **dass** er alles glaubt.
> *Il est naïf au point de tout croire.* (conséquence)

LES DEGRÉS DE COMPARAISON

454 La gradation et la comparaison

Les marques de la gradation et les graduatifs sont employés surtout dans l'expression de la **comparaison**. Mais celle-ci n'est qu'un des domaines où s'applique l'opération plus large de la gradation.

La marque *(¨)er*

455 La marque *(¨)er* pour le degré supérieur (+ *als* pour l'expansion)

La marque (¨)er indique un degré **supérieur** dans la comparaison de :
– deux éléments (X est plus grand que Y) ;
– deux états d'un même élément (envisagé, par exemple, dans des cadres temporels différents : X est aujourd'hui plus grand que hier).

Le terme de référence est introduit par **als**.

> Paul ist älter **als** ich.
> degré supérieur au terme de référence
> *Paul est plus âgé que moi.*
>
> Das hat länger gedauert **als** ich dachte.
> *Cela a duré plus longtemps que je ne l'imaginais.*
>
> Heute geht das besser **als** früher.
> *Aujourd'hui, cela va mieux qu'autrefois.*

Le décalage peut être indiqué par un élément **invariable** ou un **complément de mesure**.

> Paul ist viel/ kaum/ zwei Jahre älter **als** ich.
> mesure de la supériorité au terme de référence
> *Paul est beaucoup/ à peine/ deux ans plus âgé que moi.*

ENTRE LE VERBAL ET LE NOMINAL

Les adjectifs situatifs en *-er-* / (ː)er-

Avec certains adjectifs, la marque -er-/(ː)er- **sans expansion** n'a pas cette valeur de degré supérieur. Formés sur des adverbes correspondants, les adjectifs suivants sont de simples **situatifs**.

> untere, *du bas*; obere, *du haut* (unten/ oben)
>
> äußere, *extérieur*; innere, *intérieur* (außen/ innen)
>
> mittlere, *moyen*; niedere, *bas* (mitten/ nieder)
>
> hintere, *derrière*; vordere, *devant* (hinten/ vorn)
>
> besondere, *particulier* (besonders)
>
> die oberen Stockwerke, *les étages du haut/ supérieurs* (oben)
>
> erstere, *le premier*;
> letztere, *le dernier (nommé)* (zuerst/ zuletzt)
>
> Er hatte zwei Töchter, Elke und Silke. Erstere heiratete, letztere blieb ledig. *Il avait deux filles, Elke et Silke. La première s'est mariée, la deuxième est restée célibataire.*

Mais la marque (ː)st- avec les lexèmes cités est bien un degré 2 au sens du superlatif:

> das oberste Stockwerk, *le dernier étage/ tout en haut*

Le degré moyen entre deux pôles

Avec certains **adjectifs de dimension**, la marque -er/(ː)er- **sans expansion** n'a pas non plus la valeur d'augmentation de la qualité visée par l'adjectif.

Ainsi ein jüngerer Herr n'est pas un *monsieur plus jeune*, mais *un monsieur assez jeune* et ein älterer Herr ne désigne pas un *monsieur plus âgé*, mais *un monsieur d'un certain âge*.

La marque (ː)er- indique ici un degré moyen du domaine visé par les deux adjectifs opposés alt/ jung, c'est-à-dire du domaine de l'âge. Elle ne peut pas avoir d'expansion dans ce cas. Comparez:

> ein älterer Herr, *un monsieur d'un certain âge*;
> ein zehn Jahre älterer Herr, *un monsieur plus âgé de dix ans*

Autres exemples:

> eine kleinere/ größere Summe, *une somme modique/ assez importante*; längere Zeit, *un certain temps*;
> die mittleren Stände, *les classes moyennes*
>
> Bleiben Sie für längere Zeit?
> *Resterez-vous un certain temps?*

458 L'ensemble des éléments comparés réduits à deux

Lorsque l'ensemble des termes comparés ne comporte que deux éléments, l'allemand emploie la marque ($\ddot{}$)er- alors que le français emploie le superlatif.

> Der rechte Arm ist der stärkere.
> Le bras droit est le plus fort.
>
> Dies ist meine bessere Hälfte.
> Voici ma meilleure moitié.
> (désignation humoristique du partenaire dans un couple)

La marque (¨)st-

459 Le sens de la marque (¨)st-

La marque ($\ddot{}$)st- indique **le degré le plus élevé** de la qualité ou de l'état envisagé.

> Die größte Wohnung liegt im obersten Stockwerk.
> L'appartement le plus grand est situé au dernier étage.

460 Le degré 2 de l'adjectif dans un groupe nominal sans article défini

Contrairement à ce qu'on peut lire parfois, le degré 2 de l'adjectif fonctionne aussi dans des groupes nominaux sans article défini.

> in **bestem** Zustand, en parfait état ;
> in **höchster** Eile, en toute hâte ; **liebster** Freund, très cher ami ;
> Es ist **höchste** Zeit. Il est grand temps.

Mais les **expansions** de ces formes de degré 2 ne sont possibles qu'avec des groupes nominaux qui comportent un article défini.

> der (weitaus) beste Sänger dieses Chors/ in diesem Verein/ im Lande/ auf der ganzen Welt
> (de loin) le meilleur chanteur de cette chorale/ de cette association/ du pays/ du monde entier
>
> Das Schönste, was ich gesehen habe.
> La plus belle chose que j'ai vue.

Les différents degrés de comparaison

Les degrés de comparaison sont très nombreux si l'on tient compte de toutes les combinaisons possibles des marques du degré et des graduatifs.

Les moyens et structures mis en œuvre

Les moyens et structures les plus couramment utilisés sont :
– so (+ adjectif) wie... *(aussi... que)* ;
– genauso/ halb so (+ adjectif) wie... *(exactement aussi.../ moitié moins... que)* ;
– so (+ adjectif) dass... *(si... que)* ;
– nicht so (+ adjectif) wie... *(pas si... que)* ;
– zu (+ adjectif), um... zu (+ infinitif) *(trop... pour...)* ;
– (¨)er als... *(plus... que)* ;
– (sehr) viel (¨)er als... *(beaucoup plus... que)*.

La sémantique des différents degrés

Les degrés les plus fréquemment exprimés sont :

Le degré **indéterminé**.

> **Wie** alt bist du denn?
> *Quel âge as-tu donc?*

> **Wie** alt ist er doch geworden! **Wie** alt er doch geworden ist!
> *Qu'est-ce qu'il a vieilli!*

> **So** alt er auch ist... Er mag noch **so** alt sein...
> *Quel que soit son âge...*

> Er ist **so** alt!
> *Il est si/ tellement âgé!*

Le degré d'**équivalence** ou d'**égalité**.

> Er ist **so** alt **wie** sie.
> *Il a le même âge qu'elle.*

> Er ist **genauso/ ebenso** alt **wie** sie.
> *Il a exactement le même âge qu'elle.*

Le degré d'**infériorité**.

> Er ist **nicht so** alt **wie** sie.
> *Il n'est pas aussi âgé qu'elle.*

> Er ist **fast so** alt **wie** sie.
> *Il a presque le même âge qu'elle.*

◗ Le degré de **supériorité**.

> Er ist nicht (viel) **älter als** sie.
>
> Il n'est pas (beaucoup) plus âgé qu'elle.

◗ Le degré **indéterminé + conséquence/ finalité**.

> Er ist **so** alt, **dass** er nicht mehr gehen kann.
>
> Il est si vieux qu'il ne peut plus marcher.

◗ Le degré **excessif** ou **suffisant**.

> Er ist **zu** alt/ alt **genug, um** allein reisen **zu** können!
>
> Il est trop âgé/ assez âgé pour pouvoir voyager tout seul!

◗ Le degré **progressif** (devenir).

> Er wird **immer** kräftig**er**!
>
> Il devient de plus en plus vigoureux!

◗ Le degré en **progression parallèle**.

> **Je** eher, **desto/ um so** lieber.
>
> Plus tôt ce sera, plus cela m'arrangera.
>
> **Je** länger, **desto besser**.
>
> Plus cela dure, mieux cela vaut.

◗ Autres **comparaisons**.

> **Wie** du mir, **so** ich dir.
>
> Je te rends la monnaie de ta pièce.
>
> **So** hochtrabende Pläne er einmal hatte, **so** verzweifelt war er nun.
>
> Autant il avait conçu dans le temps des projets ambitieux,
> autant il était à présent désespéré.

Les pronoms

Les pronoms forment un ensemble d'**éléments hétérogènes**.

463 Définition du point de vue de la forme

Du point de vue de leur **forme**, les pronoms sont :

- Des **groupes nominaux** d'un type particulier. Ils ont alors un **genre**, un **nombre** et un **cas**. Ils sont **définis** ou **indéfinis** et, le plus souvent, **déclinables**.

  Par exemple, wer est une base nominale qui a les catégories grammaticales du masculin, singulier, nominatif et qui est indéfinie. C'est donc un groupe nominal, mais il a la particularité de ne pas pouvoir prendre d'expansions à sa gauche.

- Des **éléments invariables**.

  Par exemple, wo (où) et einander (l'un l'autre) sont des pronoms invariables.

464 Définition du point de vue du sens

Du point de vue du **sens**, les pronoms sont des éléments qui représentent des classes entières de réalités – man (on), was (que/ quoi), alles (tout)… – ou des réalités particulières déjà mentionnées dans la situation ou le contexte (ihn, ihnen, meiner…). On distingue notamment :

- les **pronoms définis personnels** qui renvoient aux participants de la communication (personnes grammaticales) ich (je), du (tu), Sie (vous)…
- les **pronoms indéfinis personnels** comme wer (qui), man (on), jemand (quelqu'un), qui renvoient à des personnes, êtres humains ;
- les **pronoms indéfinis impersonnels** comme was (quoi), nichts (rien), alles (tout) qui renvoient à des « non-personnes » (objets ou choses).

465 Les fonctions des pronoms

Du point de vue de leur **emploi**, on distingue les pronoms :

- **interrogatifs** wer (qui), was (que), warum (pourquoi)…
- **démonstratifs** dieser/-es/-e… (ceci)
- **possessifs** meiner (le mien), deiner (le tien)…

- **relatifs** der, das, die, was, wo...
- **réfléchis** mir, mich, sich...
- **réciproques** sich gegenseitig, einander...

466 La différence terminologique entre l'allemand et le français

En allemand, on appelle aussi « pronoms » les **déterminants du groupe nominal** (→ 260-295).

Ceci n'est pas l'usage en français, où le terme « pronom » désigne des éléments qui fonctionnent de façon **autonome** et constituent à eux seuls des groupes.

Dans **Der** Mensch benimmt sich merkwürdig, der est un déterminant article défini (*L'homme/ Cet homme a un comportement étrange*). Mais dans °**Der** hat sie wohl nicht mehr alle, der est un pronom démonstratif (*Celui-là a perdu la raison/ n'a plus toute sa tête*).

LES PRONOMS DÉFINIS PERSONNELS

467 Tableau récapitulatif

		moi ich LOCUTEUR		vous Sie ALLOCUTÉ	tu du ALLOCUTÉ		il er TIERS			
		SING.	PLUR.	SING./PLUR.	SING.	PLUR.	MASC.	NEUTRE	FÉM.	PLUR.
NOM.		ich	wir	Sie	du	ihr	er	es	sie	sie
ACC.		mich	uns	Sie	dich	euch	ihn	es	sie	sie
DAT.		mir	uns	Ihnen	dir	euch	ihm	ihm	ihr	ihnen
GÉN.		meiner	unser	Ihrer	deiner	euer	seiner	seiner	ihrer	ihrer

468 Le locuteur, l'allocuté, le tiers

On appelle **locuteur** celui/ ceux qui parlent (*ich, je* ; *wir, nous*).

On appelle **allocuté** celui/ ceux à qui s'adresse(nt) le(s) locuteur(s) : du (*tu*) ; Sie (*vous*, vouvoiement) ; ihr (*vous*, groupes).

Le **tiers** correspond à er, il ; sie, elle ; es ; sie, ils/elles.

> **Sie** liebt **dich**.
> *Elle t'aime.*

Er kennt **mich** nicht.
Il ne me connaît pas.

Wir glauben **es Ihnen** nicht.
Nous ne vous croyons pas.

Ihm stehen alle Türen offen.
Toutes les portes lui sont ouvertes.

Sie nahm **sich seiner** an.
Elle s'occupa de lui.

Gehört dieses Auto **euch**?
Cette voiture est-elle à vous?

Seid **ihr** fertig?
Êtes-vous prêts?

469 ## Le vouvoiement et le tutoiement

Comme en français, la forme du tutoiement du s'emploie quand on s'adresse à des enfants, en milieu familial, et d'un commun accord entre les communicants.

La forme de vouvoiement Sie est d'un emploi normal entre personnes adultes : elle est identique à celle de la 3e personne grammaticale du pluriel, mais elle prend une majuscule à l'écrit.

Ihr, la 2e personne du pluriel, n'est employée, en principe, que si l'on s'adresse à un groupe de personnes dont on tutoie, au moins, un des membres.

LES PRONOMS DÉFINIS RÉFLÉCHIS ET RÉCIPROQUES

470 ## Les formes des pronoms réfléchis

Les pronoms réfléchis n'existent pas, bien sûr, au nominatif. Leur génitif, qui est d'un emploi rare, est emprunté aux **possessifs** : meiner, deiner, seiner/ihrer, unser, euer, ihrer.

	moi ich LOCUTEUR		vous Sie ALLOCUTÉ	tu du ALLOCUTÉ		il er TIERS
	SING.	PLUR.	SING./PLUR.	SING.	PLUR.	SING./PLUR.
ACC.	mich	uns	sich	dich	euch	sich
DAT.	mir	uns	sich	dir	euch	sich

Sie sonnen **sich** bei jeder Gelegenheit.
Ils prennent des bains de soleil en toute occasion.

Du wäschst **dir** bitte zuerst die Hände.
Commence, s'il te plaît, par te laver les mains.

Er war **seiner** selbst nicht mächtig.
Il n'était pas maître de soi.

Sie war **ihrer** selbst nicht mächtig.
Elle n'était pas maître de soi.

Sie waren **ihrer** selbst nicht mächtig.
Ils/Elles n'étaient pas maître de soi.

Contrairement au français contemporain, l'allemand emploie le **pronom réfléchi** quand celui-ci renvoie au sujet grammatical après une préposition.

Er hatte kein Geld bei **sich**.
Il n'avait pas d'argent sur lui/ soi.

Er war außer **sich**.
Il était hors de lui.

Contrairement au français, les verbes pronominaux allemands se conjuguent, pour la plupart, avec haben aux formes de l'accompli.

Hast du **dir** den Bart geschnitten?
Tu t'es taillé la barbe ?

471 L'expression de la réciprocité

La réciprocité qui nécessite en général un sujet pluriel, s'exprime par le pronom sich, éventuellement complété par gegenseitig (mutuellement).

Sie wünschten **sich (gegenseitig)** gute Fahrt.
Ils se souhaitèrent (mutuellement) bon voyage.

La relation de l'un à l'autre/ des uns aux autres s'exprime aussi par einander, qui est invariable et peut fonctionner comme membre de groupes prépositionnels : aneinander, aufeinander, auseinander, beieinander, gegeneinander...

Sie wünschten **einander** gute Fahrt.
Ils se souhaitèrent l'un à l'autre bon voyage.

Die beiden Mannschaften spielen im Finale **gegeneinander**.
*Les deux équipes joueront l'une contre l'autre en finale
(= se rencontreront en finale).*

LES PRONOMS INDÉFINIS IMPERSONNELS

Was

Was reste invariable. Comme la plupart des pronoms en w-, il est par nature **adéterminé** (il peut être, en contexte, **défini** et/ou **indéfini**). Cette adétermination fait que l'on trouve was comme pronom interrogatif ou exclamatif au nominatif et à l'accusatif.

> **Was** war das?
> *Qu'était-ce ?*
> **Was** du nicht sagst!
> *Que ne me dis-tu pas !*

S'il a un sens **collectif**, was est accompagné de alles.

> **Was** doch **alles** passieren kann!
> *Il en arrive des choses !*

Was sert aussi à introduire des groupes verbaux de définition, comme dans les exemples suivants.

> **Was er sagt**, hat Hand und Fuß.
> *Ce qu'il dit se tient.*
> Ich weiß nicht, **was soll es bedeuten**, dass ich so traurig bin.
> *Je ne sais pas ce que signifie la grande tristesse qui m'envahit.*

Comme **pronom relatif indéfini**, was s'emploie (pour former des groupes verbaux de définition) avec les antécédents neutres alles, das, etwas, einiges, manches, nichts ou avec un **adjectif nominalisé au degré II** (superlatif).

> **Alles, was** ich gekauft hatte...
> *Tout ce que j'avais acheté...*
> Es ist **das Billigste, was** man produzieren kann.
> *C'est le meilleur marché que l'on puisse produire.*
> Ich muss **etwas** finden, **was** mir gefällt.
> *Il faut que je trouve quelque chose qui me plaise.* (subjonctif !)

ATTENTION Was peut alors s'opposer au **relatif défini** das dans des groupes nominaux de reprise dont la base est sous-entendue, précédemment évoquée ou définie comme concrète.

> Hier ist ein schönes Modell, **das schönste, das** man finden kann.
> *Voici un beau modèle, le plus beau que l'on puisse trouver.*
> Ich werde nur **etwas** kaufen, **das** mir gefällt.
> *Je n'achèterai que quelque chose qui me plaît.* (indicatif !)

473 Les déterminants pronominalisés au neutre singulier

Beaucoup de **déterminants de groupes nominaux** peuvent être pronominalisés au **neutre singulier** ou, pour quelques-uns, sous **forme invariable** ; ils
fonctionnent dès lors comme **pronoms indéfinis impersonnels**.

▶ **Au neutre singulier.**

> alles, tout ; anderes, *autre chose* ; beides, *les deux* ;
> einiges, *un certain nombre de choses* ;
> folgendes, *ce qui suit* ; jedes, *chaque chose* ;
> manches, *un certain nombre de/ bien des choses* ;
> sämtliches, *la totalité de* ;
> sonstiges, *d'autres choses/ diverses choses* ;
> vieles, *beaucoup de/ bien des choses* ; weniges, *peu de*

> Bald war **alles** wieder in Ordnung.
> *Tout rentra bientôt dans l'ordre.*

> Wir haben **einiges** geleistet.
> *Nous avons quelques réalisations à notre actif.*

> Er begnügt sich mit **wenigem**.
> *Il se contente de peu.*

▶ **Sous forme invariable.**

> allerhand, *toutes sortes de/ un tas de choses* ;
> allerlei, *toutes sortes de choses* ; etwas, *quelque chose* ;
> irgendetwas, *n'importe quoi* ;
> mancherlei, *toutes sortes de/ maintes choses* ; nichts, *rien* ;
> so (et)was, *une chose pareille* ; zweierlei, *deux sortes de* ;
> allerlei Süßigkeiten, *toutes sortes de sucreries*

LES PRONOMS INDÉFINIS PERSONNELS

474 Wer

Wer fait wen à l'accusatif, wem au datif, wessen au génitif préposé dans un
groupe nominal. Il réfère à des personnes en général ou à une personne
particulière.

Wer fonctionne aussi comme **pronom interrogatif** et, en langue courante,
au sens de jemand.

> **Wer** nicht sehen will, dem hilft keine Brille. (proverbe)
> *Il n'y a pire sourd que celui qui ne veut entendre.*

Wen es juckt, der kratze sich.
On se gratte là où ça démange.
Wem Gott will rechte Gunst erweisen.
Celui à qui Dieu veut accorder une vraie faveur.
Wessen Auto ist das?
C'est la voiture de qui?
Da ist **wer** im Garten.
Il y a quelqu'un dans le jardin.
Suchen Sie **wen**?
Cherchez-vous quelqu'un?

475 *Man*

Man (on) n'existe qu'au nominatif. On peut le remplacer, à l'accusatif, par einen et, au datif, par einem.

Man tut, was man kann.
On fait ce que l'on peut.
Und das soll **einer** glauben!
À qui ferez-vous/ fera-t-on croire cela!
Das kann **einem** auch passieren.
Cela peut vous arriver/ peut arriver à tout le monde.
Was **man** nicht weiß, macht **einen** nicht heiß.
Ce qu'on ignore ne vous dérange pas.

476 *(Irgend)einer/ keiner*

(Irgend)einer/ keiner se déclinent comme le déterminant dieser.
Quand la quantité est indéterminée ou pour le pluriel de einer, eins, eine, on emploie welch-.

Alle Mitglieder des Vereins waren gekommen, nur **einer** fehlte.
Tous les membres du club étaient venus, il n'en manquait qu'un.
Hast du Kleingeld? – Ja, ich habe **welches**.
As-tu de la monnaie? – Oui, j'en ai.
Hast du eine Ansichtskarte? – Ja, ich habe **eine**.
As-tu une carte postale? – Oui, j'en ai une.
Die Ansichtskarten waren schön, ich habe **welche** gekauft.
Les cartes postales étaient belles, j'en ai acheté.
Hier soll es Pilze geben, aber bis jetzt habe ich noch **keine**
gefunden. *Il paraît qu'il y a des champignons ici, mais jusqu'à présent je n'en ai pas trouvé.*

477 *Jemand, irgendjemand, niemand*

Jemand (quelqu'un), irgendjemand (quiconque) et niemand (personne) restent généralement **invariables**. Le génitif, l'accusatif et le datif sont rares.

> Er wartet auf **jemand**/ jemand**en**.
> Il attend quelqu'un.

LES PRONOMS POSSESSIFS

478 La fonction des pronoms possessifs

Les pronoms possessifs identifient quelque chose ou quelqu'un par rapport à un pôle de référence appelé **possesseur**. Celui-ci est soit un **communicant** (le locuteur qui parle ou l'allocuté auquel on s'adresse), soit un **tiers**. Ils sont formés à partir du **radical des déterminants possessifs** (→ 286) et prennent les terminaisons de dies-.

479 Les radicaux des pronoms possessifs

Les radicaux des pronoms possessifs sont les suivants.

PERSONNE GRAMMATICALE PÔLE DE RÉFÉRENCE « POSSESSEUR »	RADICAL
1re pers. du sing.: locuteur je	mein-
2e pers. du sing.: allocuté tu	dein-
3e pers. du plur.: allocuté vous	Ihr-
3e pers. du sing.: tiers masculin ou neutre il	sein-
3e pers. du sing.: tiers féminin elle	ihr-
1re pers. du plur.: locuteur nous	uns(e)r-
2e pers. du plur.: allocutés tutoyés vous	eu(e)r-
3e pers. du plur.: tiers masculins/féminins/neutres ils/elles	ihr-

480 Les terminaisons des pronoms possessifs

Les terminaisons des pronoms possessifs dites marques premières (→ 323-324) sont les suivantes.

CAS	MASCULIN	NEUTRE	FÉMININ	PLURIEL
NOMINATIF	-er	-(e)s	-e	-e
ACCUSATIF	-en	-(e)s	-e	-e
DATIF	-em	-(e)m	-er	-en
GÉNITIF	-es	-(e)s	-er	-er

Kannst du mir dein Buch leihen? Ich habe **meines/ meins** vergessen. *Peux-tu me prêter ton livre? J'ai oublié le mien.*

Das ist meine Jacke. Wo ist **deine**? *Voici ma veste. Où est la tienne?*

Wem gehört der Bleistift? – Das ist **meiner**. *À qui est ce crayon? – C'est le mien.*

Mit welchem Auto kommst du? – Mit **meinem**. *Avec quelle voiture viendras-tu? – Avec la mienne.*

Euer Haus liegt in der Hauptstraße. **Unseres** in der Adenauerallee. *Votre maison est située dans la rue principale. La nôtre dans l'allée Adenauer.*

481 Les autres formes de pronoms possessifs

Les pronoms possessifs ont d'autres formes moins fréquentes.

▸ Avec l'article défini der/das/die meine, die meinen (déclinaison: marques premières + marques secondes: → 323, 328).

Es ist nicht mein Regenschirm, der meine ist nicht so alt.
1re 2^e

Ce n'est pas mon parapluie, le mien n'est pas si vieux.

▸ Avec l'article défini et le suffixe -ig (langue plus recherchée) der/das/die meinige, die meinigen – der/das/die deinige, die deinigen...

Dieses Spielzeug gehört ihm, das andere ist **das meinige**. *Ce jouet lui appartient. L'autre est le mien.*

▸ Die Meinen, die Meinigen (*les miens [les membres de ma famille]*) sont des bases nominales et prennent la majuscule.

LES PRONOMS DÉMONSTRATIFS

482 Der, das, die

Ils se déclinent à peu près comme les pronoms relatifs.

CAS	MASCULIN	NEUTRE	FÉMININ	PLURIEL
NOMINATIF	d-er	d-as	d-ie	d-ie
ACCUSATIF	d-en	d-as	d-ie	d-ie
DATIF	d-em	d-em	d-er	d-enen
GÉNITIF	d-essen	d-essen	d-eren	d-eren/ d-erer

483 *Deren* ou *derer*?

Le pronom démonstratif a deux formes au génitif pluriel.

La forme deren, quand il s'agit de mentionner une seconde fois un groupe nominal déjà évoqué.

Deren est donc **anaphorique**.

> Gestern bin ich meinem Kollegen, seinen Kindern und **deren** Freunden begegnet.
> Hier j'ai rencontré mon collègue, ses enfants et leurs amis
> (= die Freunde der Kinder = les amis de ceux-ci).

La forme derer est obligatoire quand elle correspond à derjenigen et, notamment, quand elle annonce une relative (valeur **cataphorique**).

> Die Zukunft **derer**, die im Lotto gewinnen, ist nicht immer gesichert.
> L'avenir de ceux qui gagnent au loto n'est pas toujours assuré.

484 *Dieser, jener*

Dieser (celui-ci) et jener (celui-là) ont, dans leur déclinaison, les marques premières (→ 263, 323).

Dieser fait référence à quelqu'un ou à quelque chose de connu qu'il mentionne une seconde fois (c'est un **anaphorique**).

Jener fait référence à ce qui va être dit (c'est un **cataphorique**); il peut aussi supposer une opposition, comme dans l'exemple suivant.

> Die beiden Bücher unterscheiden sich grundsätzlich: **dieses** ist ein Roman und **jenes** eine Biographie.
> Les deux livres sont fondamentalement différents: celui-ci est un roman et celui-là une biographie.

485 *Derjenige, derselbe, der gleiche*

Derjenige et derselbe sont composés de deux parties qui sont toutes les deux déclinées.

(→ Marque première, puis marque seconde 323, 328)

CAS	MASCULIN	NEUTRE	FÉMININ	PLURIEL
NOMINATIF	derjenige	dasjenige	diejenige	diejenigen
ACCUSATIF	denjenigen	dasjenige	diejenige	diejenigen
DATIF	demjenigen	demjenigen	derjenigen	denjenigen
GÉNITIF	desjenigen	desjenigen	derjenigen	derjenigen

ENTRE LE VERBAL ET LE NOMINAL

Derjenige est **cataphorique**, c'est-à-dire qu'il annonce ce qui suit.

> Diejenigen, die am meisten reden, tun oft am wenigsten.
> *Ceux qui parlent le plus en font souvent le moins.*

> Zu Hause haben wir zwei Computer. Der(jenige) meines Bruders
> ist der ältere.
> *À la maison, nous avons deux ordinateurs. Celui de mon frère est le
> plus ancien.*

Derselbe/ dasselbe/ dieselbe/ dieselbe (le même/ à l'identique) et der/ das/
die gleiche, die gleichen (le semblable) mentionnent une nouvelle fois quelqu'un ou quelque chose qui a déjà été évoqué ; ils sont donc le plus souvent
anaphoriques. (→ 283, 285)

> Er drehte das Licht aus. Im selben Augenblick hörte er den Knall.
> *Il éteignit la lumière. Au même moment, il entendit la détonation.*

Mais ce n'est pas toujours le cas.

> Er sagte immer ein und dasselbe.
> *Il répétait toujours la même chose.*

> Sie hat sich gestern das gleiche Kleid gekauft wie ich.
> *Hier, elle s'est acheté la même robe que moi/ que la mienne.*

LES PRONOMS RELATIFS

486 *Der, das, die*

Ce sont les pronoms relatifs les plus fréquents. Ils se déclinent comme suit.

CAS	MASCULIN	NEUTRE	FÉMININ	PLURIEL
NOMINATIF	d-er	d-as	d-ie	d-ie
ACCUSATIF	d-en	d-as	d-ie	d-ie
DATIF	d-em	d-em	d-er	d-enen
GÉNITIF	d-essen	d-essen	d-eren/ d-erer	d-eren

> Der Wind, **der** im Alpengebiet weht, reizt die Nerven.
> *Le vent qui souffle dans les Alpes irrite les nerfs.*

> Wer ist der Mann, **dem** dieses wunderschöne Haus gehört?
> *Quel est celui à qui appartient cette magnifique maison ?*

> Die Fabrik, **in der** er gearbeitet hat, wird jetzt abgerissen.
> *L'usine dans laquelle il a travaillé est en cours de démolition.*

Die Wasserkuppe ist der Berg, auf **dessen** Gipfel der erste Segelflug stattfand.

La Wasserkuppe est la montagne sur le sommet de laquelle eut lieu le premier vol à voile.

487 Les pronoms relatifs en *w-*

Ces pronoms sont en soi **adéterminés**, c'est-à-dire susceptibles d'être interprétés en contexte comme **définis** ou **indéfinis**. Ils fonctionnent comme des :

– pronoms relatifs dans des groupes verbaux membres de groupes nominaux et ils ont alors un antécédent ;

Die Stadt, **wo** er wohnt/ in **der** er wohnt…

La ville, où il habite…

– pronoms dans des groupes verbaux de définition qui peuvent ne pas avoir d'antécédents.

Was er sagt/ Das, **was** er sagt, hat Hand und Fuß.

Ce qu'il dit, se tient.

Les pronoms en -w sont :

▸ Welcher/ welches/ welche qui peut remplacer der/ das/ die. Peu fréquent et généralement réservé à l'écrit, il évite les répétitions. Il n'est pas employé au génitif.

Die Stadt, **in welcher** der Kongress stattfindet…

La ville, dans laquelle le congrès a lieu…

▸ Was (→ 472).

Er hatte **alles** ausgegeben, **was er hatte**.

Il avait dépensé tout ce qu'il avait.

Das Schönste, **was** es auf der Welt gibt…

La plus belle chose au monde…

▸ Wo fait référence à une indication de lieu et parfois de temps et il est souvent associé aux particules directives -hin et -her .

Die Stadt, **wo**/ in der er lebt…

La ville, où/ dans laquelle il vit…

Jetzt, **wo** die Tage länger sind.

Maintenant que les jours sont plus longs.

Der Ort, **wohin** wir gehen…

L'endroit, où nous allons…

Wo(r) + **préposition** s'emploie lorsque l'antécédent est alles, das, etwas, einiges, manches, nichts... ou un superlatif nominalisé au neutre et que la préposition est régie par le verbe du groupe verbal relatif.

Das ist **alles, worüber** er gesprochen hat.
C'est tout ce dont il a parlé.

ATTENTION Wo(r) + **préposition** a, comme son correspondant démonstratif da(r) + **préposition**, une structure inversée, car la préposition suit le pronom. Il peut aussi renvoyer à un groupe nominal, sauf quand celui-ci renvoie à un être animé :

Das Thema, worüber er sprach.
Le thème dont il a parlé.

Der Tisch, worauf die Vase stand.
(plus fréquemment Der Tisch, **auf dem** die Vase stand.)
La table sur laquelle se trouvait le vase.

Mais pour un être animé :

Der Freund, **von dem** er sprach.
L'ami dont il parla.

Wie et warum ne sont pronoms relatifs qu'avec de rares bases nominales.

Die Art, wie er singt, ist einmalig.
Sa façon de chanter est unique.

Niemand weiß **(den Grund), warum** er so schnell weggefahren ist.
Personne ne sait pour quelle raison il est parti si vite.

488 Les pronoms en *w-* dans les interrogations

Les pronoms en **w-** fonctionnent aussi comme pronoms dans des interrogations directes et indirectes.

Warum ist er nicht gekommen?
Ich weiß nicht, **warum** er nicht gekommen ist.
Pourquoi n'est-il pas venu? Je ne sais pas pourquoi il n'est pas venu.

Wo ist er? Weißt du nicht, **wo** er ist?
Où est-il? Ne sais-tu pas où il est?

489 Les pronoms en *w-*
        dans des groupes verbaux continuatifs

Quelques pronoms en w- ouvrent comme anaphoriques des groupes verbaux
dits **continuatifs**, parce que, tout en rementionnant ce qui précède (ils sont
anaphoriques), ils permettent d'enchaîner le texte.

> Wir waren früh aufs Land gefahren, **was** uns erfreut hatte
> (= **und das** hatte uns erfreut).
> Nous étions partis très tôt à la campagne, ce qui nous avait réjouis.
>
> Der Schulleiter bezeichnete den Ausflug als abenteuerlich, **wobei** er
> nicht ganz unrecht hatte (= **Dabei** hatte er nicht ganz unrecht).
> Le directeur de l'école dit que l'excursion était aventureuse, en quoi
> il n'avait pas tout à fait tort.

490 *Als* et *da* : bases conjonctionnelles

Quand als et da ouvrent un groupe verbal avec forme variable du verbe à
la fin, ils sont considérés comme des **bases de groupes conjonctionnels**
(conjonctions de subordination) plutôt que des pronoms relatifs invariables.

> An dem Mittwoch, **als/ da** er ankam.
> Le mercredi, quand/ où il arriva. Le mercredi de son arrivée.

Les groupes
à base invariable

Bescherelle

ALLEMAND

Les numéros renvoient aux paragraphes.

Le groupe prépositionnel

491 Définition du groupe prépositionnel

Le groupe prépositionnel est constitué d'une **base** invariable et d'au moins un **membre** dont la nature peut être variable. On trouvera en annexe le tableau de toutes les prépositions avec leur(s) cas (→ 648).

492 La base du groupe prépositionnel

La **base** du groupe prépositionnel peut être:
- un élément **préposé** (préposition qui ouvre le groupe prépositionnel);

    aus der Schule, *de l'école*; **mit** ihm, *avec lui*;
    gegen 10 Uhr, *vers 10 heures*

- un élément **postposé** (préposition qui suit le membre et clôture le groupe prépositionnel);

    meiner Meinung **nach**, *à mon avis*;
    mir **gegenüber**, *à mon égard/ en face de moi*

- une **circumposition** constituée d'un élément préposé et d'un élément postposé au membre (donc d'un ensemble circumposé).

    von Anfang **an**, *depuis le début*

493 Le membre du groupe prépositionnel

Le **membre** du groupe prépositionnel est obligatoire; il s'agit le plus souvent d'un **groupe nominal** ou d'un **pronom** assimilable à un groupe nominal:

    auf **der Straße**, *dans la rue*; mit **meinem Freund**, *avec mon ami*;
    mit **ihm**, *avec lui*; infolge**dessen**, *en conséquence (de cela)*;
    außer**dem**, *en outre*; **des**wegen, *à cause de cela*

Plus rarement, le membre du groupe prépositionnel peut être:
- un lexème **invariable** (un adverbe);

    nach **rechts**, *à droite*; ab **heute**, *dès aujourd'hui*; **dar**auf, *sur cela*;
    worüber, *sur quoi*; **hier**mit, *avec cela*

- un groupe **infinitif** avec ohne (*sans*), anstatt ou statt (*au lieu de*) et um (*pour*);

ohne **lange zu zögern**, sans hésiter longtemps ;
um **mit meinen Eltern einkaufen zu gehen**,
pour aller faire les courses avec mes parents

– un groupe **adjectival**.

seit **langem**, depuis longtemps ; vor **kurzem**, il y a peu de temps ;
von (ganz) **klein** auf, depuis tout petit

LE CAS DANS LE GROUPE PRÉPOSITIONNEL

494 La préposition et le cas dans le groupe prépositionnel

Quand le membre du groupe prépositionnel est un **groupe nominal** ou un **pronom** qui se décline, celui-ci apparaît à un des **quatre cas** : accusatif, datif, génitif ou, rarement, nominatif.

Parfois plusieurs cas sont possibles, avec ou sans changement de sens, avec ou sans possibilité de postposition.

in **den**/ **dem** Tram, *dans le tramway* ;
während **der**/ **den** Ferien, *pendant les vacances* ;
gegenüber **dem Bahnhof**/ **mir** gegenüber,
face à la gare/*en face de moi*

→ L'essentiel des lexèmes prépositionnels de l'allemand actuel 648. (Les traductions proposées sont approximatives.)

495 Les prépositions qui se construisent toujours avec l'accusatif

Les prépositions qui se construisent toujours avec l'accusatif sont les suivantes :

betreffend (concernant), bis (jusqu'à), durch (à travers),
für (pour), gegen (contre), ohne (sans), per/ pro (par),
um (autour, à), wider (vieilli) (contre)

496 *Pro* et *per*

▶ Pro veut dire par au sens distributionnel de *chaque*.

8 Euro **pro** angefangenen Tag, *8 euros par jour entamé*

▶ Per s'emploie plutôt dans la langue administrative pour un complément de moyen.

per eingeschriebenen Brief, *par lettre recommandée*

497 ## Les prépositions qui se construisent toujours avec le datif

(Le symbole ←/→ indique que l'élément fonctionne aussi en postposition et le symbole /→ qu'il ne fonctionne qu'en postposition.)

aus	marque l'idée de sortie	nahe	près de
außer	en dehors de	samt	accompagné de
bei	marque une proximité	seit	depuis
entgegen ←/→	à l'encontre de	von	marque l'origine
entsprechend ←/→	conformément à	von... ab	à partir de
fern (von)	loin de	von... an	à partir de
gegenüber ←/→	en face de	zu	sens variés le plus
gemäß ←/→	conformément à		souvent directifs
mit	avec		
nach ←/→	après/ d'après/ vers	zu'liebe /→	par amour pour
nächst (vieilli)	près de	zu'wider	contre (la loi)
			(dem Gesetz)
			zuwider

498 ## *Gegenüber* et *entlang*

▶ Gegenüber avec le datif est:
- **préposé** ou **postposé** avec un groupe nominal;

  gegenüber **dem** Bahnhof/ **dem** Bahnhof gegenüber, *face à la gare*
- **postposé** uniquement avec un pronom.

  dir gegenüber, *face à toi*

▶ Entlang a un cas différent suivant que l'élément est en:
- **préposition** (entlang + **génitif**);

  entlang de**s** Wege**s**, *le long de la route*
- **postposition** (**accusatif** entlang);

  de**n** Weg entlang, *le long de la route*
- **préposition** ou **postposition** (entlang + **datif**/ **datif** entlang).

  entlang de**m** Weg/ de**m** Weg entlang, *le long de la route*

499 ## Les prépositions qui se construisent avec le génitif

Les prépositions qui se construisent avec le génitif sont les plus nombreuses.

Un certain nombre d'entre elles se construisent aussi avec **le datif** ou avec von **(+ datif)**. Dans le tableau suivant, elles sont signalées par un D ou (von).

abseits (von)	à l'écart de	laut (D)	selon, d'après
abzüglich (D)	en moins	links (von)	à gauche de
angesichts	vu/ étant donné	mangels (D)	à défaut de
an'hand (von)	à l'aide de	mit'hilfe (von)	à l'aide de
anlässlich	à l'occasion de	mittels (von)	au moyen de
an'statt (D)	au lieu de	namens	au nom de
an'stelle (von)	à la place de	nebst	en plus de
auf'grund (von)	en raison de	oberhalb (von)	au-dessus de
außerhalb (von)	en dehors de	rechts (von)	à droite de
ausschließlich (D)	sauf	seitens/vonseiten	du point de vue de/ de la part de
beiderseits (von)	de chaque côté de		
betreffs	concernant	seitlich (von)[2]	sur le côté de
bezüglich	concernant	statt	au lieu de
binnen (D)	dans un délai de	trotz (D)	malgré
dank (D)	grâce à	um... willen	pour l'amour de
diesseits (von)	de ce côté de	unfern (von)	non loin de
einschließlich (D)	y compris	ungeachtet	sans tenir compte de
gelegentlich	à l'occasion de	unterhalb (von)	en dessous de
halber[1] (postposé)	pour des raisons de	unweit (von)	non loin de
hinsichtlich	en ce qui concerne	von... wegen	en vertu de
in'folge (von)	par suite de	während (D)	pendant
inklu'sive (D)	y compris	wegen (D)	à cause de
in'mitten (von)	au milieu de	zeit	du temps de
innerhalb (von)	à l'intérieur de	zu'gunsten (von)	en faveur de
jenseits (von)	au-delà de	zu'ungunsten (von)	au désavantage de
längs (D)	le long de		
längsseits (von)	le long de	zwecks (D)	dans le but de

500 ## *Halber* et *seitlich* (→ notes 1 et 2 du tableau ci-dessus)

◗ Halber ne fonctionne qu'en **postposition**.

der Sicherheit **halber**, pour des raisons de sécurité

◗ Seitlich (*de côté*) fonctionne comme indiqué avec le **génitif** ou avec von **(+ datif)**. Un certain nombre d'adjectifs d'orientation ont le même fonctionnement.

nördlich, au nord ; östlich, à l'est ; westlich, à l'ouest ; südlich, au sud

◗ D'autres adjectifs ne s'emploient qu'avec le génitif.

vorbehaltlich, sous réserve ; hinsichtlich, en ce qui concerne...

LES GROUPES À BASE INVARIABLE

Le datif plutôt que le génitif

Quand une préposition se construit **soit avec le génitif, soit avec le datif** sans changement de sens, on a en général recours **au datif** :

– lorsqu'il s'agit d'un groupe nominal dont le génitif ne serait pas marqué ;

laut Presseberichten, *d'après des rapports de presse*

– pour éviter une succession de génitifs.

trotz dem schlechten Wetter der vergangenen Woche,
malgré le mauvais temps de la semaine dernière

Les prépositions dites mixtes

Les prépositions construites **soit avec l'accusatif, soit avec le datif**, mais avec changement de sens, sont au nombre de neuf : in, an, auf, vor, hinter, über, unter, neben, zwischen. On les appelle aussi **prépositions mixtes**.

● In marque la portion, l'espace ou le paramètre intérieur d'un point de repère.

im Garten, *dans le jardin* ; im Gebirge, *à la montagne* ;
im Zeitalter, *à l'époque* ; im Sinn, *au sens*

● An souligne le contact avec un point de repère.

am Boden, *au sol/ par terre* ;
an der Decke hängen, *pendre au plafond* ; an der Wand, *au mur* ;
am Arm, *au bras*

● Auf indiquait sans doute à l'origine une direction.

auf jemanden zugehen, *aller à la rencontre de qqn*
von heute auf morgen verschieben, *remettre d'aujourd'hui à demain*

Aujourd'hui, auf exprime très souvent le contact d'en haut ou le point d'appui avec un repère :

auf der Straße, *dans la rue* ; auf dem Berg, *sur la montagne* ;
auf dem Gemälde, *sur le tableau*

● Vor (*devant*) et hinter (*derrière*).

Vor und hinter dem Haus stehen Bäume.
Devant et derrière la maison, il y a des arbres.

● Über (*au-dessus de*) a toujours l'accusatif quand il s'agit d'indiquer le passage sur un repère (avec ou sans contact).

Sie kamen über die Brücke. *Ils vinrent par le pont.*
Sie fuhr ihm über die Haare. *Elle lui passa la main dans les cheveux.*

▶ Unter (sous [avec ou sans contact avec le repère], mais aussi : parmi, entre).

   unter der Brücke, sous le pont ; unter den Leuten, parmi les gens

▶ Neben (à côté de).

   Sein Haus steht neben dem Rathaus.
   Sa maison est à côté de la mairie.

▶ Zwischen (entre [deux]).

   zwischen den Zeilen lesen, lire entre les lignes

503 Le choix du cas accusatif/datif après les prépositions dites mixtes

Le choix du cas accusatif/datif se fait en fonction de la relation qui s'établit entre un terme, d'une part, et la portion d'espace ou le paramètre d'un repère, d'autre part. Cette relation est dite :

▶ **Directive** ; elle est alors marquée par l'**accusatif**, quand le repère est un point d'orientation, de direction d'une dynamique.

   in die Stadt fahren, aller en ville ;
   auf ihn zugehen, s'approcher de lui ;
   über die Straße laufen, traverser la rue

▶ **Locative** ; elle est alors marquée par le **datif**, quand le repère est simplement situé et le plus souvent délimité.

   in der Stadt leben, vivre en ville ;
   in der Stadt einkaufen, faire des achats en ville ;
   auf dem Hof spielen, jouer dans la cour ;
   über dem Bett hängen, être suspendu au-dessus du lit

504 Les exceptions lexicalisées

Le groupe nominal membre du groupe prépositionnel reste invariable dans un certain nombre d'expressions plus ou moins lexicalisées.

   laut Vertrag, selon les termes du contrat ;
   inklusive Porto, port compris

Dans les exemples suivants, il n'y a pas la marque du masculin faible.

   laut Paragraph 10, d'après le paragraphe 10 ;
   von Mensch zu Mensch, d'homme à homme

Dans le déterminant was für (ein-), la préposition für ne demande plus nécessairement l'accusatif (→ 291).

505 *Als* et *wie*: prépositions sans cas

On peut entendre parler parfois des prépositions sans cas als et wie. Quand ces éléments sont suivis d'un groupe nominal, celui-ci se met au cas demandé par sa fonction dans l'énoncé (et non à un cas figé). Par exemple :

* Le groupe nominal est à l'**accusatif** quand il est **attribut de l'objet**.

    Ich betrachte ihn **als** meinen Freund.
    Je le considère comme mon ami.

* Le groupe nominal est au **nominatif** quand il est **attribut du sujet**.

    Ich bin **als** erster gegangen.
    Je suis parti le premier.

* Le groupe nominal est au **nominatif** quand il est **sujet dans un groupe verbal membre de groupe conjonctionnel et élidé de sa base**.

    Er spricht **wie** ein Minister (spricht).
    Il parle comme un ministre.

* Le groupe nominal est à l'**accusatif**, quand il est **objet dans un groupe verbal membre d'un groupe conjonctionnel et élidé de sa base**.

    Er liebt ihn **wie** einen Sohn.
    Il l'aime comme (on aime) un fils.

506 L'article défini *der/das/die* contracté avec la préposition

L'article défini der/das/die s'amalgame couramment avec la préposition. Ces contractions sont très fréquentes :

– au datif masculin et neutre ;

    am (an dem), **beim** (bei dem), **im** (in dem),
    vom (von dem), **zum** (zu dem)...

– au datif féminin ;

    zur (zu der)...

– à l'accusatif neutre ;

    ans (an das), **ins** (in das)...

– à d'autres formes plus familières.

    hinterm (hinter dem), **aufs** (auf das), **vors** (vor das),
    untern (unter den)...

Beaucoup de ces contractions sont **obligatoires** dans des expressions lexicalisées figées.

    hinters Licht führen, *berner qqn*; **zum** Glück, *par chance*;
    im Jahre, *en l'an*; **am** Sonntag, *le dimanche*; **am** 10. Mai, *le 10 mai*;

am besten, au mieux; **beim** Eislaufen, en faisant du patin à glace;
Frankfurt **am** Main, Francfort sur le Main;
Gasthof **Zum** Kleinen Prinzen, Auberge du Petit Prince...

LES FONCTIONS DU GROUPE PRÉPOSITIONNEL

507 ## Le groupe prépositionnel en fonction d'énoncé

Le groupe prépositionnel peut constituer à lui seul **un énoncé**.

Bis bald! À bientôt!
Zum Wohl! À votre santé!
(Und nun) zur Sache! (Et maintenant) au fait!

508 ## Le groupe prépositionnel membre d'un groupe d'accueil

Le groupe d'accueil peut diverger. Il peut être:

• Membre d'un **groupe verbal**.

Vor ein paar Tagen kam er **mit seinen Eltern zu uns**.
Il y a quelques jours il vint chez nous avec ses parents.

• Membre d'un **groupe nominal**.

der Wunsch **nach mehr Freiheit**, le souhait d'une plus grande liberté
die Begegnung **mit seinen Eltern**, la rencontre avec ses parents

• Membre d'un **groupe adjectival**.

Sie sind **zu allem** bereit.
Ils sont prêts à tout.

• Membre d'un **groupe adverbial**.

morgen **in vierzehn Tagen**, demain en quinze

• Membre d'un groupe **infinitif** ou **participial**.

Er will **am Samstag um vier Uhr** wieder abfahren.
Il veut repartir samedi à quatre heures.

509 ## Les groupes prépositionnels figés et autres fonctions

Il n'est pas rare que le groupe prépositionnel ait une **forme figée** et entre comme tel dans une expression verbale.

nach Hause gehen, aller à la maison;
außer Kraft setzen, mettre hors-jeu;
in Panik geraten, paniquer.

D'autres groupes prépositionnels plus ou moins figés assurent **d'autres fonctions**, par exemple celles :

- de particule verbale ;

    zu'sammenfallen, *tomber en ruines*

- d'appréciatif ;

    zum Glück, *par chance*

- de modalisateur ;

    in der Tat, *effectivement*

- de connecteur ;

    außerdem, *en outre*

- de commentaire ;

    mit anderen Worten, *en d'autres termes*

- de base de groupe conjonctionnel.

    nachdem, *après que* ; seitdem, *depuis que*

SYNTAXE ET SÉMANTIQUE DES GROUPES PRÉPOSITIONNELS

510 Du point de vue syntaxique

On peut distinguer principalement deux grands types de prépositions qui sont plutôt en continuité qu'en opposition.

Les **prépositions** qui fonctionnent surtout librement et ne sont **pas imposées** par une unité ou une base linguistique extérieure ; leur choix est essentiellement sémantique.

Les groupes prépositionnels qui présentent ce type de prépositions sont des membres libres dans le programme de construction valenciel des groupes d'accueil.

    Er wartet **im Auto** auf dich.
    Il t'attend dans la voiture.

Ils peuvent aussi apporter, sous une forme plus ou moins figée, des indications non-demandées par la correction syntaxique minimale du groupe d'accueil.

    Im Grunde hat er schon recht. *Au fond, il a bien raison.*
    Meiner Ansicht nach/ Für mich/ Vor allem muss ein Unfall
    verhindert werden.
    À mon avis/ Pour moi/ Avant tout, il faut éviter l'accident.

Les **prépositions** dont **l'emploi est imposé** par une unité ou base lexicale extérieure ; elles dépendent donc de la construction (du régime, de la valence, etc.) d'autres lexèmes (→ 170-173).

> Er wartet im Auto **auf dich**. *Il t'attend dans la voiture.*
>
> Kümmere dich **um deine Sachen**. *Occupe-toi de tes affaires.*
>
> Sie waren böse <u>auf dich</u>. *Ils t'en voulaient.*
>> groupe prépositionnel complément de l'adjectif
>
> die Suche <u>nach den Gründen</u> : *la recherche des raisons*
>> groupe prépositionnel complément du nom

511 Pas de prépositions sans fonction

Les prépositions prévues dans le programme de construction d'une base d'un groupe d'accueil ne sont pas toutes obligatoires, ni surtout, comme on le dit souvent, dénuées de sens. Suivant précisément le sens que l'on veut exprimer, elles ont souvent des concurrents.

> sich freuen **auf** (+ accusatif), *se réjouir à l'idée de*
>
> sich freuen **über** (+ accusatif), *se réjouir de/ disposer de*
>
> sich freuen **an** (+ datif), *se réjouir au contact de*

Ou bien elles présentent des alternatives de construction sémantiquement :
– proches ;

> erwarten ↔ warten **auf** (+ accusatif), *attendre*

– plus ou moins éloignées.

> kämpfen **für** (+ accusatif)/ **gegen** (+ accusatif),
> *combattre pour/ contre*

512 Du point de vue sémantique

Les problèmes sémantiques posés par les bases syntaxiques prépositionnelles sont beaucoup plus délicats, du fait de l'hétérogénéité de ces éléments.

Par rapport au membre du groupe prépositionnel qui est le plus souvent un groupe nominal, la base prépositionnelle peut fournir un paramètre. Ainsi, **in** renvoie au paramètre intérieur autant dans son sens **spatial** im Garten (*l'intérieur du jardin*) que dans son sens **temporel** in der Nacht (*dans la nuit*) ou dans un domaine plus **notionnel** sich in einer Sache täuschen (*se tromper dans une affaire*).

Dans d'autres cas, la préposition exprime par rapport au membre-repère seulement :
– une relation **directive**, par exemple le zu moderne ;

> Ich gehe **zum** Bahnhof. *Je me rends à la gare.*

– une **situation** plus ou moins délimitée.

> Er lebt **bei** seinen Eltern. *Il vit chez ses parents.*

Von n'a souvent que ce rôle d'un simple marqueur de relation.

> die Einfuhr **von** Waren, *l'importation de marchandises.*

Dans cette grammaire, nous présentons uniquement les prépositions qui relèvent du domaine spatial (→ 518-543), temporel (→ 544-557) ainsi que de la construction des bases verbales et des adjectifs.

L'EXPRESSION PRÉPOSITIONNELLE DES DOMAINES NOTIONNELS

Parmi les groupes prépositionnels en **fonction de membre-complément**, on distingue les groupes prépositionnels de **manière**, de **cause**, de **but** et de **conséquence**.

513 Les groupes prépositionnels de manière

MANIÈRE (QUESTION : *WIE ?*)	
CO-PRÉSENCE	
• bei (+ dat.)	**bei** Gelegenheit, *à l'occasion;* **bei** Wind und Schnee, *par vent et neige;* **beim** Essen, *en mangeant*
• unter (+ dat.)	**unter** diesen Umständen/ Bedingungen, *dans ces circonstances/ conditions*
OPPOSITION	
• trotz (+ gén.)	**trotz** der widrigen Wetterverhältnisse, *en dépit des conditions météorologiques contraires*
• bei (+ dat.)	**bei** allem Respekt für Ihre Leistung, *en dépit de tout le respect dû à votre performance*
INTERMÉDIAIRE/MOYEN	
• durch (+ acc.)	**durch** seine Sekretärin, *par sa secrétaire* **durch** die Zeitung, *par le journal* **durch** Gewalt, *par la violence*
• zu (+ dat.)	**zu** Fuß, *à pied;* **zu** Pferd, *à cheval*
• mit (+ dat.)	**mit** der Bahn, *en chemin de fer* **mit** lauter Stimme, *à haute voix* **mit** Absicht, *intentionnellement* **mit** vierzig Jahren, *à quarante ans* **mit** einer Zange, *avec des pinces*
• auf (+ acc.)	**auf** diese Art und Weise, *de cette façon*

514 Les groupes prépositionnels de cause, but, conséquence

CAUSE – BUT – CONSÉQUENCE	
WARUM? WESHALB?	
• aufgrund/ auf Grund (+ gén.)	**aufgrund** einer langen Untersuchung, *en raison d'une longue recherche*
• aus (+ dat.)	**aus** dem einfachen Grund, *pour la simple raison* **aus** Liebe/ Eifersucht/ Angst, *par amour/ jalousie/ peur* (motivation interne)
• vor (+ dat.)	**vor** Freude/ Angst/ Hunger, *de joie/ peur/ faim* (motivation extérieure: mise devant le fait accompli)
• wegen (+ gén. ou dat.)	**wegen** des schlechten Wetters, *en raison/ à cause du mauvais temps*
WOZU?	
• zu (+ dat.)	**zu** welchem Zweck, *dans quel but* **zum** Spaß, *pour rire*
WORUM?	
• um (+ acc.)	sich **um** die Zukunft Sorgen machen, *se faire du souci pour l'avenir* **um** jeden Preis, *à tout prix*
WOFÜR?	
• für (+ acc.)	der Grund **für** den Regierungswechsel, *la raison du changement de gouvernement*

515 Les groupes prépositionnels exprimant l'appartenance à un ensemble

L'APPARTENANCE À UN ENSEMBLE	
ASSOCIATION/DEVENIR	
• zu (+ dat.)	**zu** den besten Spielern zählen, *compter parmi les meilleurs joueurs;* Was gibt es **zum** Fleisch? *Qu'est-ce qui est servi avec la viande?* **zu** Eis werden, *se transformer en glace;* **zum** Direktor gewählt werden, *être élu directeur*
ENTRÉE DANS	
• in (+ acc.)	**in** Panik geraten, *paniquer;* **in** eine Fremdsprache übersetzen, *traduire dans une langue étrangère*

Suite du tableau page suivante.

L'APPARTENANCE À UN ENSEMBLE	
CO-PRÉSENCE • bei (+ dat.)	**bei** der Arbeit/ **bei** einer Sache bleiben, rester à son travail/ sur une affaire
PRÉSENCE DANS • in (+ dat.)	**im** Dienst/ **in** Gefahr sein, être en service/ en danger
PROVENANCE/EXTRACTION • aus (+ dat.)	Was ist **aus** ihm geworden? Qu'est-il advenu de lui? eine Kette **aus** Silber, une chaîne en argent
ORIGINE/SÉPARATION • von (+ dat.)	Was erwartest du **von** mir? Qu'attends-tu de moi?
SÉLECTION • unter (+ dat.) • als	der schlechteste **unter** den schlechten, le plus mauvais parmi les mauvais Er ist **als** Held gestorben. Il est mort en héros. **als** Trost, en guise de consolation
EXCLUSION/INCLUSION • außer (+ dat.) • bis auf (+ acc.)	Er weiß das Gedicht auswendig, **bis auf** die letzte Strophe. Il sait le poème par cœur, sauf (à l'exclusion de) la dernière strophe (ou encore, y compris la dernière strophe).
ADJONCTION • mit (+ dat.) • ohne (+ acc.)	ein Auto **mit** oder **ohne** Schiebedach, une voiture avec ou sans toit ouvrant
SUBSTITUTION • durch (+ acc.) • gegen (+ acc.) • für (+ acc.)	ersetzen **durch**, remplacer par tauschen **gegen**, échanger contre danken **für**, remercier pour

516 Les groupes prépositionnels appréciant ou évaluant une qualité ou quantité

APPRÉCIATION / ÉVALUATION D'UNE MESURE / QUANTITÉ	
MESURE : ACCUSATIF SEUL	neun Meter (lang), d'une longueur de neuf mètres ; vierzehn Tage, quinze jours ; hundert Euro (kosten), coûter cents euros
APPROXIMATION • an/ um die (+ acc. plur.)	Wir waren **an** die 50. Nous étions près de 50. Wir waren **um** die 100. Nous étions autour de 100/ dans les cent.

APPRÉCIATION / ÉVALUATION D'UNE MESURE / QUANTITÉ	
FOURCHETTE	
• zwischen (+ dat.)	Das Ganze kostet **zwischen** 10 und 11 000 Euro.
	L'ensemble coûte entre 10 et 11 000 euros.
REPÈRE INFÉRIEUR	
• ab (+ dat. ou acc.)	Jugendliche **ab** 18 Jahre(n),
	des jeunes gens à partir de 18 ans ;
• von (+ dat.) an	Waren **ab** 10 €/ **von** 10 € **an**,
	des marchandises à partir de 10 €
REPÈRE SUPÉRIEUR	
• bis zu (+ dat.)	Es dauert **bis zum** 6. Mai. Cela durera jusqu'au 6 mai.
	von neun (Uhr an) **bis (zu)** 17 Uhr, de 9 à 17 heures
RAPPORT	
• zu (+ dat.)	eins **zu** eins, un partout
• pro/ je	80 € **pro**/ am Tag, 80 € par jour
	10 € **pro**/ **je** Meter, 10 € le mètre
DÉPASSEMENT VERS LE HAUT/ VERS LE BAS	
• über (+ acc.)	**über/ mehr als/ unter** eine Million Profit,
• mehr als	plus de/ moins de un million de profit
• unter (+ acc.)	

517 Les groupes prépositionnels indiquant une variation de quantité

LA VARIATION DE QUANTITÉ	
DIFFÉRENCE EN JEU	
• um (+ acc.)	Sie war **(um)** drei Jahre älter. Elle avait trois ans de plus.
	Die Temperatur ist **um** 2 Grad gestiegen/ gesunken.
	La température est montée/ descendue de 2 degrés.
VARIATION D'UN REPÈRE À UN AUTRE	
• von... auf	Die Steuern sind **von** 2 **auf** 4% gestiegen/ gesunken.
	Les impôts ont augmenté/ baissé de 2 à 4%.

➜ Le tableau de toutes les prépositions avec leur(s) cas 648.

LES GROUPES À BASE INVARIABLE

L'expression du lieu par des groupes prépositionnels

518 L'expression du lieu

Comme le français, l'allemand se réfère à l'espace et au lieu en employant des unités lexicales qui sont :

– des **bases verbales** (surtout des verbes de position) ;

> bleiben, *rester* ; stehen, *être debout* ; liegen, *être situé* ;
> sitzen, *être assis* ; stecken, *être (dans)*

– des **groupes verbaux** ;

> (dort,) wo er sich aufhält, *là où il séjourne* ;
> (das Haus,) wo/ in dem er lebt, *la maison où il vit*

– des **adjectifs** et des **adverbes** (→ 591) ;

> dortig, *de là-bas* ; da, *là* ; hier, *ici*

– des **groupes nominaux** et des **groupes prépositionnels**.

> **Er ging** die Treppe **hinunter.**
> *Il descendit l'escalier.*
>
> **Er ging** ins Wohnzimmer.
> *Il se rendit au salon.*

Ces groupes nominaux et prépositionnels font l'objet de ce chapitre.

519 Le choix des prépositions

En allemand, les prépositions qui expriment le lieu sont aussi employées pour renvoyer à d'autres domaines temporels ou notionnels. Elles diffèrent souvent de celles du français en raison d'un autre regard posé sur la réalité.

> **auf** dem Land, *à la campagne* ;
> **im** Gebirge, *à la/ en montagne* ;
> **am** Meer, *à la mer* ; **am** Strand, *à la plage*
>
> **aus** der Flasche trinken, *boire à la bouteille*
>
> Er nahm die Post **aus** dem Briefkasten.
> *Il prit le courrier de/ dans la boîte aux lettres.*

██ 520 ██ Relations, oppositions, repères

Pour décrire l'emploi et le sens des prépositions **spatiales**, on distingue couramment :

▸ Quatre **relations**.
- **locative** (où l'on est)
- **directive** (vers où l'on se dirige)
- **d'origine** (d'où l'on vient)
- **de passage** (par où l'on passe)

▸ Différentes **oppositions**.
- **intérieur/éxtérieur** (in/ aus)
- axe **bas/haut** (unter/ über)
- axe **droite/gauche** (rechts neben/ links neben)
- axe **avant/arrière** (vor/ hinter)
- **contact/non-contact** (an/ auf)

▸ Un ou des **repères** qui renvoient éventuellement à des portions d'espace.
Par exemple, in dem Wald vise l'intérieur du repère *forêt*, zwischen den Wänden renvoie à l'espace entre deux repères *murs*.

██ 521 ██ La distinction locatif ↔ directif

Contrairement au français qui ne marque guère la différence, l'allemand distingue :

▸ **L'espace délimité qui localise** un événement, un déplacement, un être ou un état. On parle de relation **locative**.

> Er ist/ lebt/ arbeitet **auf dem Lande**. *Il est/ vit/ travaille à la campagne.*

▸ **Le lieu présenté comme point de direction**, comme but d'un déplacement ou d'une orientation. On parle de relation **directive** ou **directionnelle**.

> Er geht/ fährt **auf das Land**. *Il va/ se rend à la campagne.*

LES RELATIONS LOCATIVE ET DIRECTIVE

██ 522 ██ Distinctions et plan

On distingue :
- l'expression de la relation pure et simple par le **sens des prépositions** ;
- l'expression des **axes** par le sens de prépositions différentes ;
- l'expression du **contact** ;
- la prise en compte de **plusieurs repères**.

La relation locative ou directive exprimée par les prépositions

523 *Bei* et *zu*

Dans la langue actuelle, ces relations sont exprimées :

– pour le **locatif** par bei (+ datif), près de.../ à (côté de)... (lieu)/ chez... (personnes) ;

> Er wohnt **bei** Genf.
> Il habite près de Genève.
> Sie saß **bei** mir.
> Elle était assise auprès de moi.
> Er wohnt noch **bei** seinen Eltern.
> Il habite encore chez ses parents.

– pour le **directif** par zu (+ datif), à... (lieu)/ chez/ auprès de... (personnes).

> Sie fahren **zum** Zoo.
> Ils vont au zoo.
> Sie kommt **zu** mir.
> Elle vient chez moi.
> Er fährt **zu** seinen Eltern.
> Il va chez ses parents.

524 ## Les usages anciens ou régionaux

Des restes de fonctionnement de langue ancienne et des usages régionaux font que l'opposition locatif/directif s'exprime aussi par d'autres prépositions. On notera que le membre du groupe prépositionnel n'a pas d'article dans ce cas.

LOCATIF	DIRECTIF
• **zu** (+ dat.) : à (+ nom sans article)	• **nach** (+ dat.) : à, en, au (vers, en direction de) (+ nom sans article)
Wir bleiben **zu** Hause.	Wir gehen **nach** Hause.
Nous restons à la maison.	Nous allons à la maison.
Der Dom **zu** Köln	Wir fahren **nach** Köln.
La cathédrale de Cologne	Nous allons à Cologne.
zu Wasser und **zu** Lande	Das Zimmer liegt **nach** Norden.
sur terre et sur mer	La chambre est exposée au Nord.
zu Bett liegen, être au lit	• **zu** Bett gehen, aller au lit

LOCATIF	DIRECTIF
• Ø (pas de préposition) Er sitzt vorn/ rechts. Il est assis devant/ à droite.	• **nach:** en, vers (avec un membre adverbial) Er läuft **nach** vorn/ **nach** rechts. Il court vers l'avant/ à droite.
• **in:** à, en Sie wohnen **in** Hamburg/ **in** Deutschland. Ils habitent à Hambourg/ en Allemagne.	• **nach:** à, en (avec un nom géographique sans article) Sie fahren **nach** Hamburg/ **nach** Deutschland. Ils se rendent à Hambourg/ en Allemagne.

525 ## La relation locative et directive avec un nom de pays comprenant un article

Avec un nom de pays comprenant un article, l'opposition **directif/locatif** est exprimée par in (+ accusatif) et in (+ datif).

> Sie fliegen **in den** Iran/ **in die** Schweiz/ **in die** USA.
> Ils s'envolent pour l'Iran/ la Suisse/ les USA.
>
> Sie leben **im** Iran/ **in der** Schweiz/ **in den** USA.
> Ils vivent en Iran/ en Suisse/ aux USA.
>
> Comparer avec:
> **ins** Bett gehen, aller au lit;
> **im** Bett liegen, être au lit

Les prépositions exprimant les axes

526 ## Le datif pour le locatif, l'accusatif pour le directif

Avec in, vor, hinter, neben, unter, über, an, auf et zwischen, la relation **locative** est exprimée par le **datif** alors que la relation **directive** est rendue par **l'accusatif**.

▶ **L'intérieur** du repère est indiqué par in.

> Wir baden **in** kaltem Wasser.
> Nous nous baignons dans l'eau froide.
>
> **Ins** Wasser mit ihm!
> (Jetons-le) À l'eau!
>
> Er ist **in** seinem Arbeitszimmer.
> Il est dans son bureau.
>
> Er tritt **in das** Arbeitszimmer (hinein).
> Il entre dans son bureau.

▶ **L'axe avant-arrière** est visé par vor (devant) ↔ hinter (derrière).

> Der Bus hält **vor/ hinter der** Kirche.
> *Le bus s'arrête devant/ derrière l'église.*

> Sie hat sich **vor/ hinter mich** gesetzt.
> *Elle s'est assise devant/ derrière moi.*

▶ **L'axe droite-gauche** s'exprime par (rechts/ links) neben (à côté de).

> Das Buch liegt **neben dem** Telefon.
> *Le livre est à côté du téléphone.*

> Setze dich **neben mich**!
> *Assieds-toi à côté de moi!*

▶ **L'axe vertical** est visé par unter (sous, en dessous de) ↔ über (sur, au-dessus de).

> Der Schlüssel liegt **unter** dem Fußabstreicher.
> *La clef est sous le paillasson.*

> Der Hund kriecht **unter** den Tisch.
> *Le chien se glisse sous la table.*

> Der Mond scheint **über** den Wolken.
> *La lune brille au-dessus des nuages.*

527 *Über*

Il n'est pas rare que über, qui renvoie à l'espace au-dessus ou sur le dessus d'un repère, marque aussi une **position recouvrante** (+ datif) ou un **mouvement** du même ordre (+ accusatif):

> **Über** allen Wipfeln ist Ruh. (Goethe)
> *Au-dessus de toutes les cimes, c'est le calme.*

> Sie breitete eine Decke **über das** Sofa.
> *Elle étendit une couverture sur le canapé.*

ATTENTION Ne pas confondre cet emploi de über avec celui qui exprime la relation de **passage** et qui ne se construit qu'avec l'**accusatif** (→ 543):

> Die Kinder liefen **über die** Straße.
> *Les enfants traversèrent la rue.*

> Der Mann hing **über die** Brüstung.
> *L'homme se penchait par-dessus le parapet.*

L'expression du contact

528 *Auf* et *an*, deux prépositions spécifiques de la relation de contact

Dans les trois axes précités, l'allemand ne fait pas toujours de différence entre le contact avec le repère et le non-contact. Deux prépositions spécifiques expriment cependant le contact : auf (+ accusatif ou datif) *(sur)* et an (+ accusatif ou datif) *(contre, à, au...)*.

▸ Auf implique un contact de **surface**.

> Wir saßen eine Stunde **auf der** Bank.
> *Nous sommes restés une heure sur le banc.*
>
> Er mußte **aufs** Dach steigen.
> *Il dut monter sur le toit.*

▸ An marque un contact plus **indéterminé**.

> **An der** Wand hängt ein modernes Gemälde.
> *Au mur, il y a un tableau moderne.*
>
> Sie saß lange Stunden **an ihrem** Schreibtisch.
> *Elle était assise de longues heures durant à sa table de travail.*
>
> Es klopft **an der** Tür (**an die** Tür).
> *On frappe à la porte.*
>
> **am** Boden, au sol ; **ans/ am** Telefon, au téléphone ;
> **ans/ am** Meer, à la mer ; **an die/ der** Oder, sur l'Oder... ;
> **an die/ der** Riviera, sur la côte d'Azur ;
> **an den/ am** Strand, sur la plage ; **an die/ der** Decke, au plafond

529 *Auf* (+ accusatif ou datif) concurrent de *zu* et *bei*

Auf peut être aussi une préposition directive et locative correspondant au zu et au bei actuels, notamment avec des bâtiments ou institutions de la vie publique.

> **auf die** Bank/ **auf die** Post/ **aufs** Gericht/ **auf den** Markt gehen
> **auf der** Bank/ **auf der** Post/ **auf dem** Gericht/ **auf dem** Markt arbeiten
> *aller/ travailler à la banque, à la poste, au tribunal, au marché*

Auf, terme extensif dans des expressions toutes faites

L'emploi de auf est fréquent dans des expressions toutes faites où il a des sens différents.

> **auf** dem Lande, *à la campagne* (opposé à **im** Lande, *dans le pays*)
> **auf** dem Dachboden, *au grenier*
> **auf** dem Dorf, *au village*
> **auf** meinem Zimmer, *dans ma chambre*
> **auf** dem Schloss, *au château*
> **auf** dem Gemälde, *sur/ dans le tableau*
> **auf** der Treppe, *dans l'escalier*
> die Hände **auf** dem Rücken, *les mains dans le dos...*

Innerhalb, außerhalb, oberhalb, unterhalb

Innerhalb (dans), außerhalb (en dehors de), oberhalb (en amont de) et unterhalb (en aval de) impliquent un repère précis et délimité, présenté lui-même comme limite. Ces prépositions sont suivies du **génitif** ou de von (+ datif).

> Wir blieben **innerhalb (von)** der Stadt.
> Nous restâmes dans (les limites de) la ville.

La prise en compte de plusieurs repères

Entre plusieurs repères

Zwischen (+ datif) ou (+ accusatif) (entre deux) suppose au moins **deux repères**, alors que unter (+ datif) ou (+ accusatif) (parmi) marque l'appartenance ou l'association à un groupe.

> Er saß einfach **zwischen** zwei Stühlen.
> Il était tout simplement pris entre deux chaises.
>
> **Unter** uns waren viele Kinder.
> Parmi nous, il y avait beaucoup d'enfants.
>
> Ich folgte ihm mitten **unter** die Menschen.
> Je le suivis au milieu des hommes.

Le rapport entourant/entouré

Um (+ accusatif) (herum) marque un **rapport d'entourant à entouré**.

> **Um** den Tisch (**herum**) saßen alte Spieler.
> (Tout) autour de la table étaient assis de vieux joueurs.
>
> Er fiel ihr **um** den Hals. Il lui sauta au cou. Il l'embrassa.

534 ## Le rapprochement en vue du face à face

Ce **rapprochement** s'exprime par les bases prépositionnelles suivantes :
– le groupe nominal au datif + entgegen ;

> Sie lief **den Kindern** entgegen. *Elle courut à la rencontre des enfants.*

– auf (+ accusatif) + zu ;

> Die Demonstranten marschierten **auf** das Rathaus **zu**.
> *Les manifestants marchèrent sur la mairie.*

– gegen (+ accusatif) ou (in) Richtung ;

> Es ging flussabwärts, **gegen** die Stadtmitte **(hin)/ (in) Richtung** Stadtmitte.
> *On se dirigea vers l'aval du fleuve, en direction du centre-ville.*

En plus de l'idée d'aller à la rencontre de/ vers, gegen exprime aussi le contre-courant et la collision.

> Wir kämpften **gegen** den Strom.
> *Nous luttions contre le courant.*

> Der Regen klatscht **gegen** die Fensterscheiben.
> *La pluie bat contre les vitres.*

– nach (+ datif) (vers) ;

> Er drehte sich **nach** mir um! *Il se tourna vers moi !*

– gegenüber (+ datif) (en face de/ vis-à-vis).

> **Gegenüber** der Kirche lag das Rathaus.
> *La mairie était en face de l'église.*

Quand gegenüber a comme membre un pronom, celui-ci est préposé :

> Er setzte sich **mir gegenüber**. *Il s'assit en face de moi.*

535 ## Le déplacement de plusieurs participants dans un même sens

Le déplacement de plusieurs partcipants dans un même sens peut se décrire avec les combinaisons suivantes :

– neben (+ datif) (her) (à côté de) et zwischen (+ datif) (her) (entre deux) ;

> Der Hund lief **neben** den Kindern/ **zwischen** den beiden Kindern **(her)**. *Le chien courait à côté des enfants/ entre les deux enfants.*

– vor (+ datif) (her) se dit de celui qui est devant, hinter (+ datif) (her) de celui qui est derrière ;

> Lotte lief **vor** ihnen **(her)/ hinter** ihnen **(her)**.
> *Lotte courait devant/ derrière eux.*

– (datif) + voran se dit de celui qui précède ou est en tête et (datif) + nach de celui qui suit;

> Fahr mir **nach**!
> Suis-moi en voiture!
> Der Leibwächter ging ihn**en voran**.
> Le garde du corps les précédait.

– (datif) + voraus exprime l'idée de devancer.

> Er sollte allen **vorausgehen** und prüfen, ob der Pfad passierbar sei.
> Il devait tous les devancer pour vérifier s'il était possible de passer par ce sentier.

LA RELATION D'ORIGINE

536 ### Définition de la relation d'origine

La relation d'origine concerne le lieu d'où l'on vient; on l'appelle aussi **relation de provenance**. Elle implique toujours la **directivité**. La question à laquelle elle répond est Woher? (D'où?).

Les prépositions qui expriment cette relation mettent en jeu les axes d'oppositions spatiales déjà évoqués.

537 ### L'opposition intérieur-extérieur dans la relation d'origine

L'intérieur du repère est marquée par in (+ datif ou accusatif) (à l'intérieur de/ dans) et l'origine, provenance ou sortie par aus (+ datif) (idée de sortir).

> Er stieg **in** den Wagen/ **aus** dem Wagen.
> Il monta/ descendit de la voiture.
> Der Brief/ Der Gast kommt **aus** Berlin.
> La lettre/ L'invité vient de Berlin.
> Er hat sonst nichts **im** Sinn.
> Il n'a rien d'autre en tête.
> **Aus** den Augen, **aus** dem Sinn.
> Loin des yeux, loin du cœur.

Le français traduit parfois la provenance en employant les prépositions dans ou à.

> **aus** der Flasche/ dem Glas trinken, boire à la bouteille/ dans un verre
> **aus** dem Teller essen, manger dans l'assiette
> ein Buch **aus** dem Regal nehmen, prendre un livre dans le rayon...

538 Le groupe prépositionnel locatif + particule verbale directive de la relation d'origine

La provenance peut aussi être marquée par la combinaison d'un groupe prépositionnel à valeur locative avec une particule verbale qui exprime le **jaillissement** ou **l'apparition.**

> Eine Eidechse kroch **hinter/ unter/ zwischen** den Steinen **hervor/ heraus.** *Un lézard sortit de derrière/ de dessous/ d'entre les pierres.*

539 L'opposition contact/non-contact dans la relation d'origine

C'est l'opposition contact/non-contact qui est en jeu quand, en allemand, on emploie von (+ datif) (idée de [pro]venir de).

> Nimm die Vase **vom** Tisch. (Die Vase steht **auf** dem Tisch.)
> *Enlève le vase de la table.*
>
> Nimm das Bild **von** der Wand. (Das Bild hängt **an** der Wand.)
> *Enlève ce tableau du mur.*

540 *Aus* ou *von* ou *ab* (+ datif) dans la relation d'origine

Comparé à aus, von est le terme le plus large pour exprimer la relation de provenance :

> Er kommt **von/ aus** Straßburg. *Il vient de Strasbourg.*

À ce titre, von peut exprimer aussi la simple séparation, partition ou le simple point de départ (très souvent en combinaison avec her, aus ou ab/ an), de même que bis marque en général le point d'arrivée.

> Ich hole dich **vom** Bahnhof **ab.** *Je te prendrai à la gare.*
>
> Nimm noch **von** dem Kuchen! *Prends encore un bout de gâteau !*
>
> **Vom** Süden **her** weht ein warmer Wind.
> *Un vent chaud souffle du Sud.*
>
> **Von** da oben **aus/ Vom** ersten Stock **aus** hat sie uns beobachtet.
> *Elle nous a observés depuis là-haut/ depuis le premier étage.*
>
> **Von** der Grenze **an/ ab** (**bis** nach Barcelona)
> war die Reise angenehmer.
> *Depuis la frontière (jusqu'à Barcelone) le voyage fut plus agréable.*

Ab (+ datif) est employé, en général, avec un membre sans article.

> **ab** Frankfurt, *à partir de Francfort.*
> (aussi **ab** heute, *à partir d'aujourd'hui*)

LA RELATION DE PASSAGE

541 Définition de la relation de passage

La relation de passage concerne le lieu par où l'on passe. Comme la relation de provenance, elle implique toujours la **directivité**. La question à laquelle elle répond est variable suivant la préposition et l'axe d'oppositions en jeu Wodurch? Worüber? (Par où?).

542 L'accusatif du lieu ou de l'espace parcouru dans la relation du passage

Le groupe nominal à l'accusatif peut marquer le lieu ou l'espace parcouru. On peut l'appeler aussi accusatif du siège du procès. Cet accusatif ancien existe aussi pour l'expression du temps.

> Er ist **die Treppe** hinaufgestiegen.
> Il a monté l'escalier.

> Er hat **den ganzen Tag** gearbeitet.
> Il a travaillé tout le jour.

> Er kommt **jeden Dienstag**.
> Il vient tous les mardis.

543 Les passages différents suivant les portions d'espace du repère concerné

▶ **L'intérieur** est marqué par durch (+ accusatif) (durch/ hindurch), à travers/ par.

> Wir hörten **durch** die Wand (**hindurch**), wie das Baby weinte.
> Nous entendions le bébé pleurer à travers la cloison.

▶ L'axe **haut-bas** est exprimé par über (+ accusatif) (hin/ hinweg/ her...) (passage par-dessus) et unter (+ datif, voire accusatif) (hindurch/ durch) (passage par-dessous).

> Sie sind **über** die Grenze/ **über** Paris gefahren.
> Ils ont passé la frontière. Ils sont passés par Paris.

> Wir sind **unter** zahlreichen Brücken durchgefahren.
> Nous sommes passés sous de nombreux ponts.

Über dans l'expression de la relation de passage (qu'il s'agisse d'un espace ou d'un obstacle franchi, voire d'une simple étape de transition) n'est possible qu'avec l'**accusatif**.

En revanche, la présentation des autres lieux sous lesquels ou entre lesquels on peut passer peut se faire au datif (c'est le cas le plus fréquent) ou à l'accusatif.

> Sie steckte die Hände unter **den** Kni**en**/ unter die Kni**e** durch.
> *Elle fit passer ses mains sous ses genoux.*

▶ **Le passage entre deux repères** est exprimé par zwischen (+ datif ou accusatif) (hindurch/ durch).

> Der Stürmer schoss den Ball **zwischen** den Beinen des Torhüters **hindurch**. *L'attaquant fit passer la balle entre les jambes du gardien.*

▶ **Le contournement** est exprimé par um (+ accusatif) (herum).

> Die Erde dreht sich **um** die Sonne. *La Terre tourne autour du Soleil.*

▶ L'expression du **passage devant** ou **derrière le repère** ou **l'observateur** est plus difficile pour les francophones, car l'allemand emploie pour cela la préposition an (+ datif) en combinaison avec :

– les particules vorbei/ vorüber pour le **simple passage** ;

> Wir mussten links **am** Bahnhof **vorbei**fahren.
> *Il nous fallait passer à gauche devant la gare.*

> Wir mussten hinten **am** Bahnhof **vorbei**fahren.
> *Il nous fallait passer derrière la gare.*

> Er ging stolz **an** ihm **vorüber**, ohne zu grüßen.
> *Il passa fièrement à côté de lui sans le saluer.*

– entlang pour le **longement à l'extérieur et à l'intérieur du repère**.

> **Am** Ufer **entlang** entdeckten wir wunderbare Bäume.
> *Le long de la rive nous découvrîmes des arbres merveilleux.*

▶ Outre le cas qui vient d'être mentionné où entlang est une particule verbale, le **longement** s'exprime aussi – bien que rarement – par la préposition längs (+ génitif), ou par la préposition entlang (+ génitif) et surtout par le **groupe nominal à l'accusatif** (comme espace parcouru) en combinaison avec entlang.

> Wir gingen **die** Grenze **entlang**.
> *Nous avons longé la frontière (à l'extérieur).*

> Wir schwammen **den** Fluß **entlang**.
> *Nous avons suivi le fleuve à la nage (à l'intérieur).*

L'expression du temps par des groupes prépositionnels

544 L'expression du temps

Comme le français, l'allemand évoque le temps chronologique en employant des unités lexicales et/ou grammaticales.

Dans le groupe verbal, les **marques grammaticales** qui concernent le temps sont raccrochées au complexe verbal (→ 128-140).

Les unités lexicales qui expriment le temps sont :

– des **adjectifs** et des **adverbes** (→ 592-595) ;

  gleichzeitig, en même temps ; dann, puis...

– des groupes **conjonctionnels** (→ 570-574) ;

  Als/ wenn er ankam...
  Quand il arriva/ arrivait...

– des groupes **nominaux** et des groupes **prépositionnels**.

  Er blieb den **ganzen Tag** zu Hause.
  Il resta toute la journée à la maison.

  Er kommt **in einer Woche**.
  Il viendra dans une semaine.

Ces groupes nominaux et prépositionnels font l'objet de ce chapitre.

545 Date précise, date approximative et durée

Le groupe prépositionnel (et plus rarement le groupe nominal à l'accusatif ou au génitif) date un événement ou une action en situant :

– soit un **moment précis** ou **approximatif** ;

– soit une **durée**.

L'INDICATION PRÉCISE DU TEMPS

546 *Wann?* et un membre groupe nominal

Les prépositions qui indiquent un temps précis et qui répondent à la question *Wann?* (*Quand?*) sont toujours employées avec un membre groupe nominal (contrairement à celles qui peuvent aussi avoir un membre adverbial); comparer l'impossibilité de an suivi de gestern (*hier*) avec seit gestern (*depuis hier*).

Le choix de la préposition dépend du sens du membre du groupe prépositionnel.

547 *Um* (+ accusatif)

Pour l'indication précise de **l'heure**, on a um (+ accusatif).

> **um** drei Uhr, *à trois heures*; **um** 12 (Uhr), *à douze heures*;
> **um** halb 10, *à 9 heures et demi*; **um** Mitternacht, *à minuit*;
> **um** zehn vor halb sechs, *à cinq heures vingt*

Avec les autres indications de temps, um indique **l'approximation**.

> **um** die Jahrhundertwende, *au tournant du siècle*;
> **um** den 16. Mai, *aux environs du 16 mai*;
> **um** Ostern (herum), *vers Pâques*;
> **um** die Mitte des Jahres, *vers le milieu de l'année*

548 *An* (+ datif)

An se met pour le **jour** et le **moment du jour**.

> **am** Tag, *le jour mais* **in** der Nacht/ nachts, *la nuit*
> **am** Tag nach seinem Geburtstag, *le lendemain de son anniversaire*;
> **am** Sonntag, *le dimanche*;
> **am** nächsten/ vorigen Donnerstag, *jeudi prochain/ dernier*;
> **am** Nachmittag, *l'après-midi*;
> **am** 20. (zwanzigsten) März, *le 20 mars*

549 *Zu* (+ datif)

Zu se met:

– avec Zeit et Mal;

> **zur** Zeit, *en ce moment*; **zur** gleichen Zeit, *au même moment*
> **zu** Napoleons Zeiten, *du temps de Napoléon*;
> **zum** ersten/ dritten/ letzten Mal,
> *pour la première/ troisième/ dernière fois*

– avec les **noms de fêtes** ;

> **zu** Allerheiligen/ Ostern/ Pfingsten,
> à la Toussaint/ à Pâques/ à la Pentecôte

– dans des **expressions**.

> **zu** Beginn, au début (*mais* **am** Anfang)
> **zu** Ende gehen, finir (*mais* **am** Ende der Strecke, au bout du trajet)
> **zu** Mittag/ Abend essen, déjeuner/ dîner (*mais* **um** Mittag, à midi ;
> **am** Abend, le soir)

550 *In* (+ datif)

In se met avec la plupart des autres repères temporels restants.

> **in** diesem Jahr, au cours de cette année ;
> **im** 21. Jahrhundert, au XXIe siècle
> **im** Zeitalter der Reformation, au temps de la Réforme ;
> **im** Frühling, au printemps ;
> **im** (Monat) Mai, au mois de mai/ en mai ;
> **im** Augenblick, en ce moment ;
> **in** letzter Minute, à la dernière minute ; **im** Krieg, pendant la guerre ;
> **in** den Ferien, pendant les vacances ; **im** Jahre 2000, en l'an 2000
> heute **in** acht Tagen (ou **über** acht Tage), aujourd'hui en huit jours ;
> Er kommt **in** vierzehn Tagen. Il viendra dans quinze jours.

551 *Während* (+ génitif ou datif)

Während (+ génitif ou datif) (pendant que, durant) ou im Laufe (+ génitif)
(au cours de) s'emploient pour une portion de temps envisagée dans son
déroulement.

> **Während** der letzten Nacht (ou **In** der letzten Nacht/ Letzte Nacht)
> ist die Kleine dreimal aufgewacht.
> Au cours de la nuit dernière/ La nuit dernière, la petite s'est réveillée
> trois fois.
> **Während** dieser Zeit lebte er auf dem Land.
> Pendant ce temps, il vivait à la campagne.

552 L'omission de la préposition

Il n'est pas rare que, dans ces indications de temps, la préposition puisse être
omise, à l'oral surtout :

> Ich bin **(um) Punkt zwölf** zu Hause.
> Je serai à la maison à midi pile.

Fährst du **(am) Montag/ (zu) Ostern** zu deinen Eltern?
Te rendras-tu lundi/ à Pâques chez tes parents?
Er starb **(im Jahre) 1970**.
Il est mort en 1970.

553 ## Le groupe nominal au simple accusatif ou génitif

Le groupe prépositionnel peut aussi être remplacé par un groupe nominal à l'accusatif ou au génitif:

Er kann **in der nächsten Woche/ nächste Woche** nicht kommen.
Il ne peut pas venir la semaine prochaine.

Bist du **zum ersten Mal/ das erste Mal** hier?
Es-tu là pour la première fois?

Die Feier findet **Anfang/ Mitte/ Ende April** statt.
La célébration aura lieu début/ milieu/ fin avril.

Dieses Jahr fahren wir nicht in Ferien.
Cette année, nous ne partons pas en vacances.

Er kommt **jeden Tag**.
Il vient chaque jour.

Alle Jahre wieder kommt das Christuskind.
Chaque année revient l'enfant Jésus.

Montag, **den** 6. (sechsten) November, *lundi 6 novembre;*
eines Tages, *un jour;* jederzeit, *à tout moment;*
montags, *le lundi;* nachts, *la nuit...*

L'INDICATION APPROXIMATIVE DU TEMPS

554 ## *Wann etwa?*

Les prépositions employées qui répondent à la question Wann etwa? (*Quand à peu près?*) sont gegen et um.

555 ## *Gegen* et *um*

Gegen (+ accusatif) est employé pour indiquer l'heure (*vers/ aux environs de*) et fournir d'autres indications de temps (généralement sans article).

gegen 12 (Uhr), *vers midi*
gegen Abend/ Mittag/ Monatsende/ Ende des Jahrhunderts,
vers le soir/ midi/ la fin du mois/ la fin du siècle

Um (+ accusatif) sert pour la date imprécise (vers, aux environs de) et pour les autres repères temporels.

> **um** die Jahrhundertwende, au tournant du siècle;
> **um** den 11. (elften) April, aux environs du 11 avril;
> **um** Pfingsten (herum), vers la Pentecôte;
> **um** die Mitte des Jahres, vers le milieu de l'année.

L'EXPRESSION DE LA DURÉE

La durée peut être indiquée comme:
- portion de temps délimitée globalement (Wie lange? Combien de temps?);
- durée relative à un autre moment (Seit wann? Depuis quand? Bis wann? Jusqu'à quand?).

556 La durée comme portion de temps globale

La durée comme portion de temps globale s'exprime par le **groupe nominal à l'accusatif** (dit accusatif de mesure) avec ou sans hindurch, lang ou über postposés.

> Wir haben den ganzen Vormittag **(hindurch)** gearbeitet.
> Nous avons travaillé toute la matinée.
>
> Sie hatten drei Tage **(lang)** keinen Strom.
> Ils n'ont pas eu d'électricité pendant trois jours.
>
> Er war den ganzen Tag **(über)** nicht zu Hause.
> Il n'était pas à la maison de toute la journée.

Les prépositions in (+ accusatif) (en = durée mise pour faire quelque chose), innerhalb (+ génitif) ou innerhalb von (+ datif) (en l'espace de) et binnen (+ datif) (dans un délai de) servent à délimiter une durée à l'intérieur de limites précises.

> Wir sind **in** zwei Stunden nach Genf gefahren.
> Nous sommes allés à Genève en deux heures.
>
> **In** zwei Jahren/ **Innerhalb** von zwei Jahren ist der Umsatz um 20% gestiegen.
> En (l'espace de) deux ans, le chiffre d'affaires a augmenté de 20%.
>
> Das Formular muss **binnen** zwei Wochen an uns zurückgeschickt werden.
> Le formulaire doit nous être renvoyé dans (un délai de) deux semaines.

Avec quelques repères, la durée est aussi exprimée par für (+ accusatif), remplaçable par auf (+ accusatif) ou über (+ accusatif) (temps visé).

> Er verschwand **auf** einen Augenblick/ **für** einen Augenblick.
> *Il disparut l'espace d'un instant.*

Voir aussi :

> **auf** Wiedersehen, *au revoir* ;
> **auf** immer, *pour toujours...*

> Wir fahren **übers** Wochenende nach Hannover.
> *Nous allons pour le week-end à Hanovre.*

557 La durée comme portion de temps limitée

La durée comme portion de temps limitée est relative à un autre repère.

Le temps antérieur et ultérieur à un repère temporel fourni par le membre du groupe prépositionnel est indiqué par vor (+ datif) et nach (+ datif).

> **vor/ nach** sechs Uhr, *avant/ après six heures* (repère ponctuel)
> **vor/ nach** sechs Stunden, *six heures avant/ après* (repère durée)
> **kurz vor/ nach** den Ferien, *peu avant/ après les vacances*

Quand le repère implicite est le moment de l'énonciation, c'est-à-dire le moment de la prise de parole, on a l'opposition vor (+ datif), traduit par il y a, et in (+ datif), traduit par dans.

> **Vor** ein paar Tagen ist er abgereist. *Il est parti il y a quelques jours.*
> **vor** kurzem, *il y a peu*
> **In** ein paar Tagen kommt er wieder. *Il revient dans quelques jours.*
> **in** einiger Zeit, *dans quelque temps*

L'expression d'une limite diffère selon qu'elle est :

– **antérieure** marquant un point de départ : **Seit** wann ? (rétrospective) ;

> **seit** kurzer Zeit/ **seit** kurzem, *depuis peu (de temps)* ;
> **seit** November, *depuis novembre* ; **seit** gestern, *depuis hier*

– **ultérieure** marquant un point d'arrivée : **Bis** wann ? (prospective).

> **bis** bald, *à bientôt* ; **bis** nächste Woche, *à la semaine prochaine*
> **Bis** kommenden Samstag bleiben wir hier.
> *Nous resterons jusqu'à samedi prochain.*

Bis peut être suivi d'autres prépositions.

> bis **zum** nächsten Tag, *jusqu'au lendemain* ;
> bis **vor** einem Jahr, *jusqu'il y a un an* ;
> bis **gegen** Morgen, *jusque vers le matin* ;

bis **spät in** die Nacht hinein, jusque tard dans la nuit ;
bis **nach** den Ferien, jusqu'après les vacances ;
bis **auf** weiteres, jusqu'à nouvel ordre...

▶ **Le point de départ** est fourni par von (+ datif) an ou ab (+ accusatif ou datif).

von nun **an**, à partir de maintenant, désormais ;
von Anfang **an**, dès le début... ; **ab** heute, à partir d'aujourd'hui ;
ab kommenden/ kommendem Samstag, à partir de samedi
prochain...

▶ **Les points de départ** et **d'arrivée** sont fournis par von (+ datif) bis ou von
(+ datif) auf.

Das Geschäft ist **von** 9 (Uhr an) **bis** 18 (Uhr) geöffnet.
Le magasin est ouvert de 9 à 18 heures.

Das geht nicht **von** heute **auf** morgen. (proverbe)
Ce n'est pas si simple.

▶ **Le dépassement d'une limite** est signalé par über (+ accusatif) hinaus.

Wir bleiben nicht **über** den 30. August **hinaus**.
Nous ne resterons pas au-delà du 30 août.

Le groupe conjonctionnel

558 Les subordonnées et les groupes conjonctionnels

Les grammaires de l'allemand traitent généralement les groupes conjonctionnels dans le chapitre des propositions grammaticales subordonnées, qui contient:

▶ **Les relatives** (→ les groupes verbaux relatifs membres du groupe nominal, 353-354).

> Die Leute, <u>die da waren</u>... *Les gens qui étaient là...*
> groupe verbal relatif

▶ **Les infinitives et participiales** (avec sujet logique propre; → 374-406).

> Wir hören <u>die Glocken läuten.</u>
> groupe infinitival
> *Nous entendons les cloches sonner/ sonner les cloches.*
>
> <u>Abgesehen vom Preis</u>, gefällt mir die Farbe nicht.
> groupe participial
> *Abstraction faite du prix, le coloris ne me plaît pas.*

▶ **Les interrogatives indirectes** (surtout des groupes verbaux en w-; → 463-490, → le discours indirect 141-160).

> Ich frage dich, <u>wohin er gegangen ist.</u> *Je te demande où il est allé.*
> groupe verbal interrogatif indirect

▶ **Les complétives avec ou sans conjonction** (→ dass ou ob).

> Sie erklärten, <u>dass die Feier nicht stattfinden werde.</u>
> groupe conjonctionnel **dass** objet
>
> Sie erklärten, <u>die Feier werde nicht stattfinden.</u>
> groupe verbal objet avec verbe en deuxième position
> *Ils déclarèrent que la cérémonie n'aurait pas lieu.*

▶ **Certaines propositions dépendantes** avec la forme variable du verbe en deuxième ou première position (→ 200-205).

> <u>Kommt er</u>, so fahren wir ans Meer. *S'il vient, nous irons à la mer.*
> groupe verbal dépendant

▶ **Les propositions subordonnées circonstancielles**.

> Ich bin froh, <u>weil sie kommen.</u> *Je suis content parce qu'ils viennent.*
> groupe conjonctionnel

Les groupes verbaux membres d'un groupe d'accueil et les groupes conjonctionnels

Parmi les groupes verbaux membres d'un groupe d'accueil, il est nécessaire de distinguer :

▶ Les subordonnées dans lesquelles l'élément introducteur assure, dans le groupe verbal membre, une fonction grammaticale :

– les groupes verbaux **relatifs** ;

Das Buch, **das er gekauft hat**. *Le livre qu'il a acheté.*

– les groupes verbaux **interrogatifs indirects** ;

Ich möchte gern wissen, **wo er wohnt**. *J'aimerais savoir où il habite.*

– les groupes verbaux de dénomination **en** w- ou **en** d-.

Wer wagt, gewinnt. *La fortune sourit aux audacieux* (= à qui ose).

▶ Les subordonnées dans lesquelles l'élément introducteur n'a pas de fonction grammaticale dans le groupe verbal qui le suit. On y range **les groupes conjonctionnels**, dont il est question dans ce chapitre. Ils sont appelés aussi parfois **groupes subjonctionnels**.

LA FORMATION DU GROUPE CONJONCTIONNEL

La base syntaxique :
conjonction de subordination simple ou complexe

La base syntaxique du groupe conjonctionnel est

– une conjonction de subordination **simple** ;

dass/ ob/ wenn/ als/ 'außer/ bis/ da/ 'ehe/ 'während/ weil/ falls
ou

– une conjonction de subordination **complexe**.

da'mit/ in'dem/ nach'dem/ trotz'dem/ zu'mal

als °dass/ als °ob/ als °wenn/ wie °wenn

be'vor/ ob'gleich/ ob'schon/ ob'wohl/ so'bald/ so'fern/ so'lange/ so'oft/ so'weit/ so'wenig

Cette base syntaxique précède toujours un groupe verbal membre, dans lequel elle n'assure pas de fonction grammaticale.

→ Liste des bases conjonctionnelles : 647.

561 La place de la forme variable du verbe

La forme verbale conjuguée du groupe verbal membre est, dans l'immense majorité des cas, en **dernière position**.

> Kolumbus brachte es fertig, **dass ein Ei aufrecht stand.**
> Christophe Colomb arriva à faire tenir un œuf debout.

562 L'(Les) élision(s) dans le groupe verbal membre du groupe conjonctionnel

Une partie du groupe verbal membre du groupe conjonctionnel peut être élidée :

> Der Arzt muss, **wenn nötig**, auch nachts Dienst tun. (= wenn es nötig ist) Le médecin doit, s'il le faut/ en cas de nécessité, accomplir aussi son service de nuit.

563 Position du groupe conjonctionnel dans l'énoncé verbal d'accueil

Dans un énoncé verbal d'accueil, le groupe conjonctionnel peut occuper aussi bien **la première** que la **dernière**, **l'avant-première** que **l'après-dernière position** (→ 188-217).

> <u>Falls wir das Auto nicht kaufen</u>, brauchen wir die Reise nicht zu planen.   première position
>
> <u>Falls wir das Auto nicht kaufen</u>, so brauchen wir die Reise nicht zu planen.   avant-première position
>
> Wir brauchen die Reise nicht zu planen, <u>falls wir das Auto nicht kaufen.</u>   après-dernière position
> Si nous n'achetons pas cette voiture nous n'avons pas besoin de projeter ce voyage.
>
> Wir haben die Reise nicht geplant, <u>da wir das Auto nicht kaufen.</u>
>   après-dernière position
> Nous n'avons pas prévu ce voyage, puisque nous n'achetons pas la voiture.

Le groupe conjonctionnel peut être également placé **en incise à l'intérieur de l'énoncé verbal d'accueil**.

> Ist es vernünftig, <u>falls wir das Auto nicht kaufen</u>, eine so lange Reise zu planen?   groupe conjonctionnel en incise
>
> Est-il raisonnable, si nous n'achetons pas cette voiture, de projeter un si long voyage?

LES GROUPES À BASE INVARIABLE

LES GROUPES CONJONCTIONNELS DASS ET OB

564 Les conjonctions de subordination simplement structurales

Le point commun des groupes conjonctionnels dass et ob est que leur base syntaxique n'a pas de désigné en soi. Ces conjonctions de subordination (ou subjonctions) sont simplement structurales.

▶ Dass signale en général simplement que le groupe verbal qui suit est intégré à un groupe d'accueil.

> Er hatte immer gewünscht, **dass** sein Sohn aufs Gymnasium kommt. *Il avait toujours souhaité que son fils aille au lycée.*

▶ ATTENTION Dans certains contextes, dass peut avoir en raison de certaines élisions un sens :

– consécutif ;

> Er sang, dass (= so, dass) es eine Lust war, ihm zuzuhören.
> *Il chantait (si bien) que cela faisait plaisir à entendre.*

– final.

> Nimm eine Uhr mit, dass (= auf dass, damit) du dich nicht verspätest. *Prends une montre pour ne pas être en retard.*

▶ Ob marque une virtualité (possibilité, éventualité, interrogation indirecte, doute, alternative).

> Ich frage, **ob** er versteht. *Je demande s'il comprend.*

565 *Dass* et *ob* complétifs

Quand ils sont membres d'un groupe verbal d'accueil, les groupes conjonctionnels dass et ob sont **complétifs** : ils peuvent assurer les fonctions grammaticales essentielles de :

– sujet ;

> **Dass er vergesslich ist**, ist schon lange bekannt.
> *Qu'il soit distrait, nous le savons depuis longtemps.*
> **Ob er sein Versprechen hält**, ist fraglich.
> *On peut se demander s'il tiendra sa promesse.*

– objet.

> Ich kann nicht verstehen, **dass der Bus samstags nicht fährt**.
> *Je n'arrive pas à comprendre que le bus ne circule pas le samedi.*
> Er weiß nicht, **ob das möglich ist**. *Il ne sait pas si c'est possible.*

Mais dass et ob peuvent aussi être membres de certains groupes nominaux et groupes adjectivaux.

> Die <u>Tatsache</u>, **dass** das Fieber fällt...
> *Le fait que la fièvre tombe...*
>
> Die <u>Frage</u>, **ob** er krank ist...
> *La question de savoir s'il est malade...*
>
> Ich bin <u>sicher</u>, **dass** er bald wieder auf die Beine kommt.
> *Je suis sûr qu'il sera bientôt remis sur pieds.*
>
> <u>Es ist fraglich</u>, **ob** er das schafft.
> *Il n'est pas certain qu'il y arrive.*

566   La nécessité d'un relais en *da*

Quand ils sont membres d'un groupe prépositionnel dépendant d'une base verbale ou adjectivale, les groupes conjonctionnels dass et ob exigent parfois, en relais, un groupe en da.

> Er freut sich **darüber**, **dass** es schneit.
> *Il est content qu'il neige.*
>
> Er rechnet nicht **damit**, **dass** sie das Große Los gewinnen.
> *Il ne prévoit pas qu'ils gagneront le gros lot.*
>
> Sie sind stolz **(darauf)**, **dass** sie die Goldmedaille gewonnen haben.
> *Ils sont fiers d'avoir gagné la médaille d'or.*

567   Les groupes conjonctionnels *dass* et *ob* en fonction d'énoncé

Les groupes conjonctionnels dass et ob peuvent aussi constituer à eux seuls **un énoncé** qui est le plus souvent :

– **exclamatif** pour dass ;

> **Dass** er mir nur nicht mehr ins Haus kommt!
> *Qu'il ne mette (surtout) plus les pieds chez moi !*

– une **question reprise en écho** pour ob.

> **Ob** wir es schaffen? *Allons-nous y arriver ?*

En français, la question-écho se traduit souvent par un énoncé interrogatif direct.

> **Ob** man vernünftiger wird, wenn man heiratet?
> *Est-ce que l'on devient plus raisonnable quand on se marie ?*

ATTENTION Noter l'emploi de Und ob dans le sens de *Et comment/ Bien sûr/ Mais si!*

**L'alternative de construction
pour le groupe conjonctionnel *dass***

Quand il est objet dans un énoncé verbal dont la base est un verbe du type
dire, penser, communiquer ou membre d'un groupe nominal de sens analogue,
le groupe conjonctionnel dass peut être remplacé par une autre construction: **un groupe verbal avec forme variable en deuxième position.**

> Er hofft, **er wird in der Lotterie gewinnen.**
> *Il espère qu'il va gagner à la loterie. Il espère gagner à la loterie.*
> **Wir müssen uns jetzt langsam entscheiden,** denke ich.
> *Je pense qu'il est maintenant grand temps que nous nous décidions.*
> Ich habe gehört, **du kommst mit.**
> *J'ai appris que tu nous accompagnais.*

**L'alternative de construction
pour le groupe conjonctionnel *ob* ou *wenn***

Il n'est pas rare que le groupe conjonctionnel comprenant ob ou wenn puisse
être remplacé par une construction sans ob ou sans wenn. La forme variable
du verbe (quand elle n'est pas omise) prend alors la place de ob ou wenn.

> **Ob** du einverstanden bist oder nicht, ich fahre in die Ferien.
> **Bist** du einverstanden oder nicht, ich fahre in die Ferien.
> *Peu importe que tu sois d'accord ou non, moi, je pars en vacances.*
> **Ob** jung, **ob** alt, alle sangen mit.
> Jung **oder** alt, alle sangen mit.
> *Jeunes ou vieux, tous chantaient.*
> Er bestaunte das Baby, **als ob** er noch nie eins gesehen hätte.
> Er bestaunte das Baby, **als hätte** er noch nie eins gesehen.
> *Il admirait le bébé comme s'il n'en avait encore jamais vu.*
> **Wenn** es regnet, bleibe ich zu Hause.
> **Regnet** es, (so/ dann) bleibe ich zu Hause.
> *Quand il pleut, je reste chez moi.*
> **Wenn** ich Zeit gehabt hätte, so wäre ich gekommen.
> **Hätte** ich Zeit gehabt, so wäre ich gekommen.
> *Si j'avais eu le temps, je serais venu.*

LES GROUPES CONJONCTIONNELS WENN ET ALS

570 *Wenn* opérateur d'hypothèse

Wenn permet de formuler une hypothèse. En contexte, il a un sens **condi-tionnel** (si) ou **temporel** (quand, si, lorsque, toutes les fois que).

L'interprétation de wenn en allemand n'est pas toujours facile, car on ne distingue pas comme en français.

> S'il pleut, je reste chez moi. **Quand** il pleut, je reste chez moi.
> **Wenn** es regnet, bleibe ich zu Hause.

En français aussi, quand peut exprimer la condition.

> Quand l'occasion s'en présentait, elle allait au théâtre.

571 *Wenn* conditionnel

Dans un sens conditionnel, wenn (en français si) marque l'hypothèse posée comme réelle (indicatif) ou comme irréelle (subjonctif II).

> **Wenn** Sie wollen, können Sie bleiben.
> Si vous le voulez, vous pouvez rester.

> **Wenn** es Gott nicht gäbe, müsste man ihn erfinden.
> Si Dieu n'existait pas, il faudrait l'inventer.

L'expression du souhait et du **regret** ne sont en réalité que différents types d'hypothèses.

> Ach, **wenn** ich doch als Mann auf diese Welt gekommen wäre!
> Ah, si seulement j'étais née homme!

> **Wenn** er nur kommt!
> Pourvu qu'il vienne!

> **Wenn** ich doch bloß mit dir fahren könnte!
> Si je pouvais seulement t'accompagner!

572 *Wenn* temporel

Dans un sens temporel, wenn (en français quand) sert à marquer un temps de l'actualité ou de l'avenir. Il peut s'agir:

• **D'un moment unique** ou **d'un temps répété**.

> **Wenn** ich heimkomme, wartet mein Hund auf mich.
> Quand je rentre/ rentrerai, mon chien m'attend/ m'attendra.

> **Wenn** du morgen wiederkommst, wird die Kleine da sein.
> Quand tu reviendras demain, la petite sera là.

- **D'un temps révolu.** Wenn marque alors uniquement le temps répété, le moment unique étant exprimé par le sélecteur als.

> **(Immer) wenn** ich aus der Schule kam, wartete der Hund auf mich.
> À chaque fois que je rentrais de l'école, mon chien m'attendait.

> **Als** er heimkam, wartete sein Hund auf ihn.
> Au moment (unique) de rentrer, son chien l'attendait.

> **Als** er zum dritten Mal wiederkam, war die Kleine da.
> Quand il revint pour la troisième fois, la petite était là.

> **Als** Deutschland noch geteilt war...
> Quand l'Allemagne était encore divisée...

> **Als** ich jünger war...
> Quand j'étais plus jeune...

L'unicité du moment sélectionné par als est importante surtout dans le récit, qu'il soit au passé ou au présent dit historique.

> **Als** er kam, stand der Kirschbaum in Blüte.
> Quand il arriva, le cerisier était en fleurs.

> **Als** der Krieg zu Ende geht, liegt die Stadt in Trümmern.
> À la fin de la guerre, la ville est en ruines.

573 Remarques complémentaires sur *wenn* opposé à *wann, dass, als* et *wie*

▶ Ne pas confondre la conjonction de subordination wenn avec l'interrogatif wann.

> **Wann** kommst du? Schreibe mir, **wann** du kommst.
> Quand viendras-tu? Écris-moi quand tu viendras.

▶ L'**alternative de construction** (avec la forme variable du verbe en première position) pour le groupe conjonctionnel en wenn fonctionne pour l'hypothétique comme pour le temporel.

> **Wenn** du kommst, gibt es ein großes Fest.
> Kommst du, **(so/ dann)** gibt es ein großes Fest.
> Si tu viens/ Quand tu viendras, (alors) il y aura une grande fête.

▶ Dass et als/ wenn peuvent être déterminés par un élément qui peut être:
– une **préposition** pour dass;

> **außer** dass, à moins que, hormis que, si ce n'est que
> **ohne** dass, sans que
> **statt** dass/ **anstatt** dass, au lieu que
> **bis** (dass), jusqu'à ce que

– des **modulateurs** de nature diverse pour als et wenn.

> **selbst** (dann) wenn/ **auch** (dann) wenn, *même si/ quand*
> **nur** (dann) wenn/ **erst** (dann) wenn, *seulement si*
> **außer** (dann) wenn, *sauf si*
> **jedesmal**, wenn, *toutes les fois que*
> **immer** (dann), wenn, *toujours lorsque...*

▶ Il arrive que als soit remplacé dans la langue courante par wie.

> **Wie** ich ausgehen wollte, klingelte das Telefon.
> *Comme j'allais sortir, le téléphone sonna.*

LES AUTRES BASES DE GROUPES CONJONCTIONNELS

574 ## Les bases conjonctionnelles temporelles

▶ bevor/ ehe, *avant que*; nachdem, *après que*; während, *pendant que/ tandis que*

> **Nachdem** es vier Tage lang ununterbrochen geregnet hatte,
> verließen alle Touristen die Gegend. *Après qu'il eut plu pendant*
> *quatre jours sans interruption, tous les touristes quittèrent la région.*
> **Nachdem** er sein Studium beendet hat, will er ein Jahr Pause
> machen. *Après avoir fini ses études, il veut faire une pause d'un an.*
> **Bevor** er sich an die Arbeit macht, nimmt er ein kräftiges Frühstück
> ein. *Avant de se mettre au travail, il prend un solide petit déjeuner.*
> **Während** er bügelte, mähte sie den Rasen.
> *Pendant qu'il repassait, elle tondait le gazon.*

ATTENTION Nachdem et bevor ne peuvent pas avoir comme membre un groupe infinitif comme après et avant en français.

▶ seit(dem) (*depuis que*), bis (*jusqu'à ce que*)

> **Seitdem** er sie kennen gelernt hat, interessiert er sich für Sport.
> *Depuis qu'il a fait sa connaissance, il s'intéresse au sport.*
> Ich bleibe zu Hause, **bis (dass)** der Regen aufgehört hat.
> *Je reste à la maison jusqu'à ce que la pluie ait cessé.*

▶ sobald (*aussitôt que/ dès que*), solange (*tant que/ aussi longtemps que*), sooft (*aussi souvent que/ tant que*)

> **Sobald** er von dem Skandal erfuhr, trat er zurück.
> *Dès qu'il fut au courant du scandale, il démissionna.*

Schmiede das Eisen, **solange** es heiß ist.
Il faut battre le fer tant qu'il est chaud.

Komm bei uns vorbei, **sooft** du willst.
Passe nous voir aussi souvent que tu le voudras.

▶ En plus du sens temporel, während, comme wohingegen, peut avoir un sens argumentatif (*alors que, tandis que*).

Der Süden Deutschlands ist gebirgig, **während/ wohingegen** der Norden ein Tiefland darstellt. *Le sud de l'Allemagne est montagneux, alors que le nord est un pays de basses terres.*

▶ Indem peut avoir un sens temporel, mais il a le plus souvent une valeur instrumentale. Comparer **Indem** (Dadurch, dass...) ich klingelte, weckte ich ihn.

En sonnant, je l'ai réveillé.
mais **Als** ich klingelte, weckte ich ihn. (*au moment où*)

575 Les bases conjonctionnelles hypothétiques

Outre wenn, on a :

▶ falls.../ im Falle, dass.../ gesetzt den Fall, dass... (*au cas où../ pour le cas où..*)
Falls er anruft, bin ich nicht zu sprechen. *S'il appelle, je ne suis pas là.*

▶ vorausgesetzt, (dass)... (*à supposer que...*)
Wir treffen uns in Köln, **vorausgesetzt, dass** der Zug keine Verspätung hat/ **vorausgesetzt**, der Zug hat keine Verspätung (indicatif!)
Nous nous rencontrerons à Cologne, à supposer que le train n'ait pas de retard. (subjonctif!)

▶ angenommen, (dass)... (*en admettant/ en supposant que...*)
Ist es möglich, **angenommen, dass** sich der Wind legt/ **angenommen**, der Wind legt sich, einen Rundflug zu machen?
Est-il possible, en admettant que le vent tombe, de faire un tour en avion?

▶ es sei denn, (dass)... (*à moins que...*)
Er wird kommen, **es sei denn, dass** er krank ist/ **es sei denn**, er ist/ wäre krank. *Il viendra, à moins qu'il ne soit malade.*

576 Les bases conjonctionnelles comparatives

▶ wie (*comme*)
Wolfgang ist Deutscher, **wie** schon der Name sagt.
Wolfgang est allemand, comme l'indique déjà son nom.

‣ (genau) so/(nicht) so... wie (parfois so est élidable, parfois wie) (aussi/ n'est pas aussi)

> Sie ist **genauso/ nicht so** alt, wie du denkst.
> Elle est précisément aussi/ n'est pas aussi vieille que tu penses.

> Er kam **so** schnell, **(wie)** er konnte. Il arriva aussi vite qu'il put.

‣ Degré 1 (¨er) + als.

> Er ist **größer, als** ich dachte. Il est plus grand que je ne le pensais.

‣ insofern (als), insoweit (als) (dans la mesure où/ pour autant que)

> Ich komme gern, **insofern** es mir möglich ist.
> Je viendrai volontiers dans la mesure où cela me sera possible.

‣ je... desto.../ um so... (plus/ moins...)

> **Je öfter** ich mir diese CD anhöre, **desto besser** gefällt sie mir.
> Plus j'écoute ce CD, plus il me plaît.

> **Je mehr** wir Auto fahren, **um so weniger** haben wir Lust, zu Fuß zu gehen.
> Plus nous faisons de la voiture, moins nous avons envie de marcher à pied.

‣ je nachdem... wie/ ob/ wann/ wo (selon/ suivant que...)

> Wir essen im Restaurant oder zu Hause, **je nachdem, wann** sie ankommt.
> Nous mangerons au restaurant ou à la maison, selon l'heure à laquelle elle arrivera.

‣ nicht (so)/ nicht (...) genug/ zu..., als dass

> Es ist nicht warm **genug, als dass** man baden könnte.
> Il ne fait pas assez chaud pour qu'on puisse se baigner.

‣ als ob/ als wenn (comme si), ou als + **verbe en deuxième position** exprime une comparaison avec une donnée d'un monde irréel, le verbe est au subjonctif II ou I.

> Sie taten, **als ob** sie ihn nicht gesehen hätten/ als hätten sie ihn nicht gesehen.
> Ils firent comme s'ils ne l'avaient pas vu.

Als wenn peut aussi avoir le sens de comme quand et peut alors être suivi de l'indicatif.

> Vom Fernsehturm hat man einen Ausblick, **als wenn** (également parfois als ob ou wie wenn) man aus einem Flugzeug sieht.
> De la tour de la télévision, on a une vue comme quand on est en avion.

577 ## Les bases conjonctionnelles causales

▶ weil (parce que), da (étant donné que/ puisque/ comme)

> **Weil** diese Straße gefährlich ist,
> muss man besonders gut aufpassen.
> Parce que cette route est dangereuse/ En raison du danger que
> présente cette route, il faut faire particulièrement attention.

> **Da** du kein Opernfan bist, habe ich Theaterkarten bestellt.
> Étant donné que/ comme tu n'es pas un fan d'opéra,
> j'ai réservé des places de théâtre.

▶ zumal/ um so... als/ um so mehr als/ um so weniger als (d'autant que/ d'autant plus que/ d'autant moins que) sont des **argumentatifs**.

> Die Sache war mir wichtig, **um so mehr als** es um eine Arbeitsstelle
> ging. L'affaire était d'autant plus importante pour moi qu'il s'agissait
> d'un emploi.

> Das ist kaum zu glauben, **zumal** Ilona mir eben das Gegenteil
> gesagt hat. C'est à peine croyable, d'autant plus qu'Ilona vient de
> me dire le contraire.

▶ wo/ da... doch (d'autant plus que) est un argumentatif **justificatif** et **oppositif**.

> Ich kann nicht glauben, dass er durchgefallen ist, **wo** er **doch** so
> hart gearbeitet hat.
> Je ne peux pas croire qu'il ait échoué, d'autant qu'il a travaillé dur.

578 ## Les bases conjonctionnelles finales et consécutives

▶ damit (afin que/ pour que) (l'allemand ne met plus le subjonctif).

> Er tut sein Bestes, **damit** es besser geht.
> Il fait tout ce qu'il peut pour que cela aille mieux.

▶ so..., dass.../ so dass... (de manière que.../ de sorte que...) (indicatif)

> Du sprichst **so** leise, **dass** dich keiner versteht.
> Tu parles si bas que personne ne te comprend.

> Du sprichst leise, **so dass** dich keiner versteht.
> Tu parles bas, si bien que/ de telle sorte que personne ne te
> comprend.

▶ nicht so/ nicht (...) genug/ zu..., als dass...

> Der Hase war **zu** weit, **als dass** der Jäger ihn treffen konnte/
> könnte.
> Le lièvre était trop loin pour que le chasseur puisse l'atteindre.

Le degré de l'excès peut aussi avoir comme complément un groupe prépositionnel avec um... zu (+ infinitif).

> Es ist zu kalt, **um** baden **zu** können.
> *Il fait trop froid pour pouvoir se baigner.*

579 Les bases conjonctionnelles concessives ou oppositives

obgleich, obschon, obwohl (+ indicatif), bien que (+ subjonctif)
Plus rarement, wenngleich (*bien que*), trotzdem (*malgré que*).

> Er hilft ihm, **obwohl** er immer weniger Zeit hat.
> *Il l'aide, bien qu'il ait de moins en moins de temps.*

Les éléments avec ob- ont aussi un emploi **argumentatif** (*quoique, encore que*).

> Er ist nicht groß, **obschon** er Basketball spielt.
> *Il n'est pas grand, quoiqu'il joue au basket-ball. (Il n'est donc pas si petit que cela.)*

Sont aussi argumentatifs les groupes conjonctionnels avec wenn auch, selbst wenn (*même si*), wenn... auch, (so) (*même s'il est vrai que...*)

Les groupes verbaux concessifs en w- ou en so + **adjectif** peuvent apparaître :

– en avant-première position ;

> <u>**Was** auch immer geschehen mag/ möge</u>, ich bleibe bei dir.
> avant-première position
> *Quoi qu'il arrive/ Peu importe ce qui arrivera/ Arrivera ce que pourra, je resterai avec toi.*

> <u>**So schlau** er auch (immer) ist</u>, ich überliste ihn.
> avant-première position
> *Aussi rusé qu'il soit/ Il a beau être rusé, je l'attraperai.*

Comparer avec le groupe verbal en w- en première position.

> <u>**Was** wir auch (immer) tun</u>, tun wir zu zweit.
> première position
> *Ce que nous ferons, nous le ferons à deux.*

– en juxtaposant deux énoncés verbaux avec la forme variable du verbe en deuxième position.

> Er mag/ kann noch **so schlau** sein, ich überliste ihn.
> *Il a beau être rusé, je l'attraperai.*

LES GROUPES À BASE INVARIABLE

La complétive objet ou circonstancielle de manière avec *wie*

Le groupe conjonctionnel wie membre d'une **base verbale de perception** est rendu, en français, par un groupe infinitif.

Ich hörte, **wie** er kam und ich sah, **wie** er die Tür aufmachte.
Je l'entendis arriver et je le vis ouvrir la porte.

REMARQUE

wie ne doit pas être confondu avec :

– wie, complément de manière ;

Ich fragte, **wie** er das machen würde. *Je demandais comment il ferait cela.*

– ou le wie du commentaire.

Wir waren, **wie** gesagt, ausgegangen. *Comme cela vient d'être dit, nous étions sortis.*

Les adverbes

Dans ce chapitre, il est question de la formation, des fonctions et des classes des adverbes. L'ensemble que l'on appelle **les particules** est traité dans un autre chapitre (→ 604-638).

581 Les caractéristiques des adverbes

▶ Du point de vue de leur **forme**, les adverbes sont des éléments **invariables**, c'est-à-dire ni déclinables, ni conjugables. Ils ne s'accordent donc pas avec les unités sur lesquelles ils portent.

▶ Du point de vue de leur **rôle** ou de leur **fonction**, ils permettent de modifier, préciser ou situer le sens d'un verbe quand ils sont membres d'un groupe verbal.

> Er kommt **heute**. *Il vient/ viendra aujourd'hui.*
> Sie tanzt **gern**. *Elle aime danser.*
> Er liebt sie **sehr**. *Il l'aime beaucoup.*

Mais ils modifient aussi d'autres éléments que les verbes.

- Des **adjectifs** (ils sont alors membres du groupe adjectival).

> ein <u>**sehr** schöner</u> Tag, *une très belle journée*
>   groupe adjectival

> Sehr détermine schön et forme avec lui un groupe adjectival.

- Des **adverbes** (ils sont alors membres d'un groupe adverbial).

> Sie tanzt <u>**sehr** gern</u>. *Elle aime beaucoup danser.*
>   groupe adverbial

- Des **énoncés.**

> **Vielleicht** ist er zu Hause und spielt mit seinem Computer.
> *Peut-être est-il à la maison en train de jouer avec son ordinateur.*

▶ Du point de vue de leur comportement **syntaxique**, les adverbes sont **autonomes**, ce qui permet de les distinguer :

- des prépositions (→ 491-557) et des conjonctions de subordination (→ 558-580), qui sont des bases syntaxiques de groupe ;

- des particules et des conjonctions de coordination (→ 604-638), qui ne fonctionnent pas en première position ;

- des particules verbales (→ 76-80).

L'adverbe présente la caractéristique de pouvoir être déplacé seul en première position devant la forme conjuguée du verbe.

Ainsi on peut dire :

> Du hörst **bald** von mir.
> Tu auras bientôt de mes nouvelles.

ou bien

> **Bald** hörst du von mir.
> Bientôt tu auras de mes nouvelles.

Bald est donc bien un adverbe.

LA FORMATION DE L'ADVERBE

Il existe des adverbes simples, composés et dérivés.

583 Les adverbes simples

Les adverbes simples peuvent être :

- Des adverbes **courants** sans forme spécifique ;

> bald, bientôt ; gern, volontiers ; gestern, hier ; heute, aujourd'hui ;
> immer, toujours ; kaum, à peine ; noch, encore ; schon, déjà...

- Des adverbes **spécifiques**.

- en w- qui peuvent être interrogatifs

> wann ? quand ? wo ? où ? wie ? comment ?...

- en d- qui marquent la détermination

> dann, puis ; da, là/ alors ; dort, là-bas...

- en n- qui sont des négateurs

> nicht, ne... pas ; nie, niemals, ne... jamais

584 Les adverbes composés

Ils sont d'une grande diversité. On distingue :

Les **adverbes** formés à l'aide des éléments hin ou her qui indiquent une **direction**.

> 'daher, à partir de là ; wo'hin, vers où ; 'hierher, par ici ;
> 'bisher, jusque-là ; He°rein ! Entrez !

▶ Des **groupes figés** (ensemble invariable écrit en un mot) **comprenant une préposition**.

> darüber, au-dessus de cela ; darum, c'est pourquoi ;
> womit, avec quoi ; trotzdem, malgré tout/ pourtant ;
> daraufhin, à la suite de quoi/ peu après ; demnach, en conséquence ;
> beinahe, presque ; beiseite, de côté ;
> zweifelsohne, sans aucun doute ; geradeaus, tout droit...

▶ D'**autres adverbes**, écrits en un mot, ou parfois des locutions adverbiales, écrites en plusieurs mots.

> also, donc ; dennoch, pourtant ; sobald, tout de suite/ dès que...
> vor allem (locution adverbiale), avant tout ;
> zum Glück (locution adverbiale), par chance/ heureusement...

585 Les adverbes dérivés

Les adverbes dérivés sont fréquents dans la langue actuelle. Il s'agit :

▶ D'**éléments simples** auxquels a été ajouté -s.

> abends, le soir ; links, à gauche ; nachts, la nuit...

▶ D'**unités complexes** figées auxquelles a été ajouté -s.

> (viel + mal) + s → vielmals, souvent
> (unter + weg) + s → unterwegs, en route
> (einer Seit[e]) + s → einerseits, d'un côté
> (best + en) + s → bestens, au mieux

▶ D'**adverbes** qui sont en réalité des groupes figés se terminant par :
– -falls ;

> jedenfalls (génitif figé du groupe jeder Fall), en tout cas ;
> allenfalls, tout au plus

– -mal ;

> einmal, une fois ; keinmal, jamais

– -maßen ;

> einigermaßen (génitif pluriel figé), dans une certaine mesure

– -wärts ;

> vorwärts, en avant ; rückwärts, en arrière

– -weise.

> ausnahmsweise (génitif singulier figé), exceptionnellement ;
> glücklicherweise (adjectif au génitif figé), heureusement ;
> kiloweise (nom + suffixe weise), par kilo/ au kilo...

LES FONCTIONS DE L'ADVERBE

586 Définition du groupe adverbial

L'adverbe peut être accompagné de compléments. Il constitue alors un **groupe adverbial**.

> sehr **früh**/ ganz **früh**, très tôt; morgen **früh**, demain matin;
> **früh** am Morgen/ **früh** morgens, tôt le matin

587 Les fonctions syntaxiques

Le groupe adverbial – avec ses membres ou réduit à sa seule base – a des fonctions syntaxiques (des intégrations) diverses. Il peut:

▶ Constituer à lui seul un **énoncé**.

> Wann kommt er? – **Morgen** (früh).
> Quand arrivera-t-il? – Demain (matin).

▶ Être **membre d'un énoncé verbal**, c'est-à-dire porter sur toute l'information de l'énoncé (adverbe d'énoncé).

> **Hoffentlich** kommt er bald.
> J'espère qu'il viendra bientôt.

▶ Être **membre d'un autre groupe** qu'il modifie ou complète. Ainsi, il peut être membre d'un groupe:

– **verbal**;

> Ich werde morgen **etwas länger** bleiben.
> groupe adverbial complément de temps
> Je resterai un peu plus longtemps demain.

– **infinitif**;

> Er konnte nicht **allein** in die Stadt fahren.
> groupe infinitif objet
> Il ne pouvait pas se rendre seul en ville.

– **participial**;

> **anders** ausgedrückt, autrement dit
> groupe participial

– **nominal**;

> Das weiß nur Gott **allein**.
> Dieu seul le sait.

> Der Minister **selbst** war gekommen.
> Le ministre lui-même était venu.

– **prépositionnel**;

> seit **vorgestern**, *depuis avant-hier*;
> **mitten** auf dem Platz, *au milieu de la place*
> **draußen** vor der Tür, *dehors devant la porte* (W. Borchert);
> **oben** auf dem Berg, *là-haut sur la montagne*

– **adverbial**;

> dort °**oben**, *là en-haut*; morgen °**früh**, *demain matin*;
> **unten** im °Keller, *en bas dans la cave*

– **adjectival**.

> Für eine Wanderung ist es <u>nicht warm</u> **genug**.
> *Il ne fait pas assez chaud pour une randonnée.*

588 ## Les fonctions sémantiques

Dans l'échange de la communication, le rôle de l'adverbe est de :

▸ **Fournir une information sur une circonstance**, situer le lieu, préciser le temps, la manière, marquer l'opposition... On peut parler de **fonction informative**.

> Leben Sie °**wohl**! (wohl est accentué)
> *Adieu ! Portez-vous bien !*

▸ **Marquer une intervention ou un jugement du locuteur**. L'adverbe donne alors une appréciation qui module l'information globalement ou partiellement. On peut parler de **fonction communicative**.

> Er wird mir **wohl** °böse sein. (wohl n'est pas accentué)
> *Il va sans doute m'en vouloir.*

LE CLASSEMENT DES ADVERBES

589 ## L'exemple de *da* : fonctions et significations diverses

Suivant le contexte, un même élément invariable peut avoir des fonctions et des sens différents. Ainsi da peut être :

– une partie d'une base verbale (particule séparable);

> Wir sind nicht **da**. (base verbale : da sein)
> *Nous ne sommes pas là.*

– un démonstratif de lieu, que l'on peut remplacer par dort ou hier;

> In München, **da**/ dort lebt es sich gut.
> *À Munich, on vit bien.*

– un adverbe de temps;

> Keiner wollte ihm helfen, **da** kam er zu uns.
> *Personne ne voulait l'aider, alors il vint chez nous.*

– une base conjonctionnelle (conjonction de subordination). Il a alors le sens causal de *puisque/ comme*.

> **Da** wir sehr müde waren, gingen wir gleich ins Bett.
> *Comme nous étions très fatigués,*
> *nous nous sommes couchés tout de suite.*

590 Critères de classement des adverbes

Les adverbes peuvent être classés selon leur **forme** (→ la formation de l'adverbe 583-585), leur **fonction** (→ les fonctions de l'adverbe, 586-587) ou leur **sens**.

Ce dernier critère permet de distinguer les adverbes:
– de lieu;
– de temps;
– de manière;
– de connection (connecteurs);
– d'appréciation.

Les adverbes de lieu

591 Les quatre relations

Les adverbes et locutions adverbiales de lieu peuvent exprimer trois relations: la relation **locative**, la relation **directive** et la relation **de provenance** (→ 520-521).

▶ **La relation locative.**

> hier/ da/ dort/ vorn/ hinten...
> *ici/ là/ là-bas/ devant/ derrière...*
>
> **Hier** hat Mozart gewohnt.
> *Mozart a habité ici.*

▶ **La relation directive.**

> hierhin/ dahin/ hinaus/ vorwärts...
> *ici/ là/ dehors/ en avant...*
>
> Er ist schon auf dem Weg **dahin**.
> *Il est déjà en route pour aller là-bas.*

▷ **La relation de provenance.**

> von hier (aus)/ heraus/ von vorn…
> *à partir d'ici/ de dehors/ de devant…*
>
> **Von vorn** sieht das Haus unbewohnt aus.
> *De devant, la maison semble inhabitée.*

▷ **La relation de passage** (wodurch/ worüber? par où?) n'est marquée que par des groupes prépositionnels, essentiellement par **durch** et **über**, et par des particules verbales comme vorbei-, durch-, herüber-, hinüber-.

> Wir fuhren **durch** die Stadt und dann **über** die Grenze.
> *Nous avons traversé la ville et puis la frontière.*
>
> Der Faschingszug zieht hinten **an** unserem Haus **vorbei**.
> *Le cortège de carnaval passe(ra) derrière notre maison.*

Les adverbes de temps

592 ## La précision et la quantité

Les adverbes et locutions adverbiales de temps peuvent être classés d'après plusieurs critères.

▷ Le **degré** de **détermination** ou de **précision**.

– wann? (quand?) est l'interrogatif pour un moment précis ou imprécis.

> **Wann** kommt er? – Jeden Samstag. Am (nächsten) Samstag. Ich weiß es nicht.
> *Quand vient-il? – Chaque samedi. Samedi prochain. Je ne sais pas.*

– jemals (jamais) et nie(mals) (ne… jamais) sont indéterminés.

> Hast du **jemals** so etwas gesehen? – Nein, **niemals**.
> *As-tu jamais vu une telle chose? – Non, jamais! (Je n'ai jamais vu une telle chose.)*

▷ **L'unicité** opposée à la **répétition**.

– einmal (une fois), eines Tages (un jour) indiquent un moment unique.

> **Einmal** ist keinmal. *Une fois n'est pas coutume.*

– d'autres adverbes et locutions adverbiales, quant à eux, renvoient à des **moments répétés**.

> jedesmal, *chaque fois;*
> dann und wann/ ab und zu/ mitunter, *de temps en temps;*
> immer wieder, *sans cesse/ à nouveau;* manchmal, *parfois;*
> meistens, *la plupart du temps;* oft, *souvent;* selten, *rarement;*

montags, le lundi; werktags, les jours ouvrables; morgens, le matin;
vormittags, au cours de la matinée; nachts, la nuit...

Jedesmal, wenn er kommt, freuen wir uns.
Chaque fois qu'il vient, nous sommes contents.

593 Le suffixe -s des adverbes de temps

Le suffixe -s ne renvoie pas toujours à un moment répété.

Wettervorhersage für morgen, den 11. Januar.
Morgen**s**: Nebelschwaden und leicht bewölkt; vormittag**s**:
Sonnenschein; nacht**s**: Tieftstemperaturen zwischen 5 und minus
5 Grad.

Prévision météorologique pour demain 11 janvier.
Le matin: brouillard et légèrement nuageux; au cours de la
matinée: soleil; la nuit: températures minimales entre plus 5 et
moins 5 degrés.

594 Le datage

Le datage peut se faire différemment.

▶ **Par rapport au moment de l'énonciation** (le moment où l'on parle).

– jetzt (maintenant) opposé à früher (naguère/ jadis/ autrefois) pour le passé
et bald (bientôt) pour le futur

– heute (aujourd'hui) opposé à gestern (hier) pour le passé et à morgen
(demain) pour l'avenir

Früher fuhr man mit der Kutsche. **Heute** verbringt man seine Zeit
im Auto. Und **morgen**?
Autrefois, on voyageait en calèche. Aujourd'hui, on passe son temps
en voiture. Et demain?

▶ **Par rapport à un autre moment passé ou futur**, différent de celui de l'énonciation.

Nun (maintenant) opposé à damals (à cette époque là), unterdessen (entre-
temps), zuvor/ vorher (auparavant/ avant), später (plus tard), hinterher
(après coup/ après)...

Damals gab es noch keine Autobahn.
À l'époque, il n'y avait pas encore d'autoroute.

595 La successivité, la durée, la simultanéité

▶ **La successivité** ou le découpage d'un événement ou d'un texte en étapes (pour énumérer, regrouper, ordonner chronologiquement, ajouter une information ou un argument, expliquer ou justifier…).

Zuerst konnte ich seine Handschrift nicht lesen, aber **dann** gewöhnte ich mich daran.
D'abord, je ne pouvais pas lire son écriture, mais par la suite je m'y suis habitué.

▶ **La durée.**

immer, toujours ; immer noch, qui continue à durer ;
immer weiter, qui continue sa route/ qui se prolonge

Das ist **immer** noch so.
Il en est toujours ainsi.

immer noch nicht, toujours pas ;
lange/ nicht lange/ zu lange, longtemps/ pas longtemps/ trop longtemps...

Dauert der Film nicht **zu lange**?
Est-ce que le film ne dure pas trop longtemps ?

▶ **La simultanéité.**

unterdessen/ währenddessen, pendant ce temps ;
inzwischen, entre-temps

Sie hatte die Stadt lange nicht mehr gesehen, **unterdessen** hatte sich vieles geändert.
Elle n'avait pas vu la ville depuis longtemps, entre temps beaucoup de choses avaient changé.

Les adverbes de manière

596 Définition des adverbes de manière

▶ Les adverbes de manière indiquent **comment** ou **par quel moyen se déroulent l'action** ou **le procès**.

Anders geht es nicht.
Ça ne va pas autrement.

Fährt er immer <u>so schnell</u>? – Ja, <u>so</u> fährt er immer.
               groupe adjectival   substitut du groupe adjectival
               de manière   de manière
Conduit-il toujours aussi vite ? – Oui, il conduit toujours comme ça.

▶ L'allemand n'a pas de suffixe adverbial caractéristique comme -ment en français, qui permet de former un adverbe à partir d'un adjectif : *rapide* → *rapidement*. C'est généralement l'adjectif invariable qui sert d'adverbe (→ 408).

    Er ist <u>vorsichtig</u>. *Il est prudent.*
        adjectif attribut

    Er fährt <u>vorsichtig</u>. *Il conduit prudemment.*
        adverbe

    Sie spricht **laut**.
    Elle parle fort.

    Sie atmet **schwer**.
    Elle respire avec difficulté/ difficilement.

Les adverbes connecteurs

597 Définition et caractéristiques des adverbes connecteurs

Les adverbes connecteurs servent à **organiser un texte et à structurer l'argumentation**. Ils explicitent des liens logiques entre énoncés et assurent souvent une fonction relevant de la cohérence textuelle. Fréquemment, ils rappellent ou rementionnent une information déjà donnée et relient donc les énoncés. Ils occupent généralement la première position de l'énoncé déclaratif, devant la partie conjuguée du verbe. On peut leur adjoindre les interrogatifs qui permettent de poser des questions sur la relation concernée.

    Warum ist er nicht weggefahren?
    Pourquoi n'est-il pas parti ?

    Er hatte keine Lust und **außerdem** (hatte er) kein Geld.
    Il n'avait pas envie et en outre (il n'avait) pas d'argent.

    Ich war krank. **Deshalb** konnte ich nicht mitspielen.
    J'étais malade. Voilà pourquoi je n'ai pas pu participer au match.

598 La fonction de cohésion textuelle

La plupart des adverbes connecteurs ont une **fonction de cohésion textuelle** plus ou moins explicite. On peut distinguer :

▶ Les adverbes qui découpent le texte pour en **faciliter la réception**.

    erstens, *premièrement* ;
    zweitens, *deuxièmement* ;
    drittens, *troisièmement* ;
    zum ersten Mal, *pour la première fois* ;
    zum zweiten Mal, *pour la deuxième fois* ;

zum dritten Mal, pour la troisième fois ;
zum letzten Mal, pour la dernière fois
einerseits..., and(e)rerseits... d'une part..., d'autre part...
bald... bald... tantôt... tantôt...
teils... teils... (en) partie

▶ Les adverbes qui découpent le texte **en hiérarchisant les parties**.

anfangs, au début ; zuerst, d'abord ; zunächst, d'emblée ;
dann, ensuite ; danach, après ; darauf, là-dessus ;
endlich (fin attendue), enfin ; schließlich, finalement ;
zum Schluss, pour finir ; letzten Endes, au bout du compte ;
nicht zuletzt, notamment

▶ Les adverbes qui introduisent :

– un **accroissement** (de plus, en outre) ;

auch, aussi ; außerdem, en outre ; daneben, en plus ;
darüber hinaus, au-delà ; ebenfalls, également ;
ferner, de plus ; gleichfalls, également ;
überdies, en outre ; übrigens, d'ailleurs ;
zudem, de surcroît ; zusätzlich, en plus

– une **restriction**.

nur, seulement ; bloß, simplement

▶ Les adverbes qui marquent :

– une **disjonction** ;

andernfalls/ sonst/ ansonsten, sinon

– une **opposition**.

dagegen, par contre ; hingegen, en revanche ;
vielmehr, au contraire

599 Classification sémantique des adverbes connecteurs

Du point de vue du sens, les adverbes connecteurs se classent selon qu'ils expriment :

▶ Un **rapport logique de cause** répondant à la question « pourquoi ? ».

Warum in aller Welt hat er sich so schnell entschieden ?
Pourquoi diable s'est-il décidé si vite ?
Die Busfahrer streikten. **Deshalb/ Deswegen** mußte ich zu Fuß in die Schule gehen.
Les chauffeurs de bus étaient en grève. C'est pourquoi j'ai dû me rendre à l'école à pied.

▶ Une **circonstance** mise en relation avec une autre qui la nuance ou la restreint.

> Ich weiß nicht, ob er kommt. **Jedenfalls** habe ich ihn eingeladen.
> *Je ne sais pas s'il viendra. En tout cas, je l'ai invité.*
> Die Reise war schön. **Allerdings** war sie auch anstrengend.
> *Ce fut un beau voyage. Mais fatigant aussi.*

▶ Une **opposition** ou une **concession**.

> Er ist nicht sehr begabt, **dagegen** hat er ein gutes Gedächtnis.
> *Il n'est pas très doué, en revanche il a une bonne mémoire.*
> Sie ist nicht zu seinem Geburtstag gekommen, hat ihm aber **immerhin** eine Karte geschickt. *Elle n'est pas venue à son anniversaire, mais elle lui a tout de même envoyé une carte.*

▶ Une **conséquence** et une **finalité**.

> Er war nicht vorbereitet. **Also** fiel er durch.
> *Il n'était pas préparé. Donc il échoua.*
> **Wozu** tust du das?
> *Dans quel but fais-tu cela?*

Les adverbes d'appréciation

600 Définition et caractéristiques
des adverbes d'appréciation

Les adverbes d'appréciation permettent à celui qui parle ou qui écrit d'émettre une **appréciation** ou un **jugement** sur la totalité ou une partie de l'information communiquée.

> Es ist **ausgesprochen/ wirklich** schlecht.
> *C'est franchement/ vraiment mauvais.*
> Er wird **wahrscheinlich/ wohl** nicht kommen.
> *Il ne viendra probablement/ sans doute pas (à ce que j'estime).*

Ces éléments se trouvent normalement au milieu de l'énoncé quand ils portent sur toute l'information. Cependant, ils peuvent aussi, pour des raisons de mise en évidence, apparaître ailleurs et notamment en première position.

> **Wahrscheinlich** kommt er nicht.
> *Il ne viendra vraisemblablement pas.*

On distingue plusieurs types d'adverbes d'appréciation selon le sens qu'ils expriment.

601 ## Le jugement de vérité avec ou sans critères des adverbes d'appréciation

L'adverbe d'appréciation exprime **un degré de certitude ou d'assurance**. On appelle souvent **modalisateurs** les mots qui assurent cette fonction.

> zweifellos, sans aucun doute ;
> sicher/ bestimmt/ gewiss, certainement ;
> (höchst) wahrscheinlich, (très) vraisemblablement ;
> vermutlich, probablement (de vermuten, supposer) ;
> vielleicht, peut-être
> **Vielleicht** kann ich dir helfen? Je peux peut-être t'aider ?

▶ Le choix de l'adverbe peut indiquer différents **critères de jugement**.

• Une apparence ou un phénomène extérieur.

> Er hat **offensichtlich** nichts verstanden.
> Visiblement, il n'a rien compris.

• Une évaluation de la source dont émane l'information.

> Er war **vorgeblich** krank. Il prétexta qu'il était malade.

▶ Ces adverbes peuvent aussi faire partie d'une **construction d'argumentation** et exprimer :

– une confirmation ou une demande de confirmation ;

> Er ist da. – (Ist er) wirklich (schon da)?
> Il est là. – Est-il vrai qu'il soit déjà là ?

– une infirmation ou rectification ;

> Sie erklärte, ihr Mann sei noch nicht da. **In Wirklichkeit** aber war er schon wieder weggegangen.
> Elle déclara que son mari n'était pas encore là. Mais en réalité, il était déjà reparti.

– une concession.

> Er ist **zwar** noch jung, aber er ist hochbegabt.
> Certes, il est encore jeune, mais il est très doué.

▶ Les différents degrés d'assurance et de certitude dans l'expression du jugement de vérité peuvent aussi s'exprimer par l'**emploi subjectif des verbes de modalité** (→ 98-103).

> Er **muß** schon längere Zeit krank sein, sonst wäre ich ihm bestimmt auf dem Markt begegnet.
> Il doit déjà être malade depuis longtemps, sinon je l'aurais certainement rencontré au marché.

602   Le jugement de normalité ou d'anormalité des adverbes d'appréciation

Ces appréciatifs portent sur la conformité ou non à une norme ; ils expriment donc un jugement de normalité ou d'anormalité. Ce jugement entraîne souvent l'idée d'évidence ou de non-évidence.

> Das geht **natürlich** immer so.
> *Cela se passe naturellement/ évidemment toujours comme ça.*

> Man kann ja **selbstverständlich** nicht alles wissen.
> *Il va de soi qu'on ne peut pas tout savoir.*

ATTENTION Pour la **non-évidence**, lorsqu'il s'agit d'un **élément complexe**, c'est le premier terme qui fournit le critère du jugement.

> erstaunlicherweise,
> *il est étonnant que/ d'une manière étonnante*

> komischerweise/ seltsamerweise,
> *il est étrange que/ de façon étrange*

> merkwürdigerweise, *curieusement*

> paradoxerweise, *il est paradoxal que (de)/ paradoxalement*

> **Merkwürdigerweise** hat er von der Feier nichts erzählt.
> *Curieusement il n'a pas parlé des festivités.*

603   Les autres adverbes d'appréciation

Le sens des autres adverbes d'appréciation est plus difficile à catégoriser. Il en va ainsi du :

– jugement « moral » qui est souvent à la base de l'expression d'une émotion ;

> **Leider** kann ich nicht mitkommen.
> *Malheureusement je ne peux pas vous accompagner.*

> **Zum Glück** kommt er mit.
> *Heureusement il viendra avec nous.*

– jugement qui fait appel à la notion de plaisir.

> **Bitte**, bringen Sie mir ein Vanilleeis.
> *Apportez-moi, s'il vous plaît, une glace à la vanille.*

Les particules

604 Définition des particules

On trouve, en allemand, beaucoup de mots invariables habituellement classés parmi les « adverbes ». Cependant, ils ne fonctionnent pas comme les adverbes, parce que, même dans un groupe verbal, ils ne sont pas autonomes et ne peuvent pas occuper seuls la première position dans un énoncé verbal avec verbe en deuxième position (→ 582).

Dans Die Kirschen sind **bald** reif. (*Les cerises seront bientôt mûres.*), **bald** peut se placer en première position **Bald** sind die Kirschen reif. Il s'agit donc d'un adverbe autonome.

Mais dans Ich glaube es **einfach** nicht. (*Je ne le crois pas, un point c'est tout.*), einfach n'est pas un adverbe, car il ne peut pas se mettre en première position sans changer de sens.

On appelle **particules** de tels mots **invariables** mais **non-autonomes** pour les distinguer des adverbes autonomes.

Ne pas confondre ces particules avec les **préverbes** appellés aussi « particules verbales » (→ 69-103).

605 La classification

Dans ce chapitre, on distingue les particules :
- de **mise en relief** ;
- d'**interactivité** ;
- d'**organisation** du discours et du texte (que sont, par exemple, les conjonctions de coordination) ;
- et autres mots **de l'affirmation et de la négation** et, en particulier, nicht opposable à kein.

→ Éléments qui expriment le degré de qualification et d'intensité : 438-462

LES PARTICULES DE MISE EN RELIEF

606 ## Les caractéristiques des particules de mise en relief

Les particules de mise en relief servent à mettre en valeur un groupe ou un élément de l'information, généralement marqué d'un accent contrastif. L'interprétation sémantique de ces particules dépend du contexte.

Ainsi, quand on dit **Nur °Paul** war gekommen. (*Seul Paul était venu.*) c'est Paul qui est accentué et mis en relief par la particule nur. Il est également présenté comme la réduction d'un ensemble plus important de personnes (sens de nur) dont on attendait implicitement la venue.

Les particules de mise en relief sont aussi appelées focalisateurs.

607 ## La place des particules de mise en relief

Le plus souvent, les particules (ou locutions) de mise en relief se trouvent devant l'unité qu'elles mettent en valeur et qui est marquée par un accent d'insistance.

> **Allein °er** kann die Lösung finden. *Seul lui peut trouver la solution.*

Parfois elles se trouvent après l'élément mis en relief et même parfois à distance de cet élément. Ce groupe mis en valeur porte alors généralement un accent de démarcation.

> **Er a°llein** kann die Lösung finden. *Lui seul peut trouver la solution.*
> **Er** kann **a°llein** die Lösung finden. *Il peut trouver seul la solution.*

Classification des particules de mise en relief

608 ## Une plus ou moins grande précision

> annähernd, *approximativement*; beinahe/ nahezu/ fast, *presque*;
> circa/ (in) etwa/ ungefähr/ rund, *à peu près*;
> schätzungsweise, *à vue d'œil*; kaum, *à peine*;
> nicht (partiel), *ne/ non pas*; genau, *exactement*

> Ich habe **fast/ genau/ rund/ kaum** zwei Stunden geschlafen.
> *J'ai dormi presque/ exactement/ environ/ à peine deux heures.*

Autres exemples:

> **gut** zwei Stunden, *deux bonnes heures*;
> **knapp** ein Jahr, *à peine un an/ une petite année.*

609 La restriction ou réduction d'un ensemble

allein, seul ; ausschließlich, exclusivement ;
nur/ bloss/ lediglich, simplement/ seulement

Das hat mich **bloss/ nur/ lediglich** hundert Euro gekostet.
Cela ne m'a coûté que cent euros.

610 L'ajout à une donnée ou à un présupposé

auch, aussi

Auch der Preis war günstig.
Le prix aussi était avantageux.

Si la donnée est inattendue, **sogar/ selbst** (même) est placé devant le groupe
sur lequel il porte :

Sogar/ Selbst der Kapi°tän wurde seekrank.
Même le capitaine eut le mal de mer.

Sogar beim °Essen musst du lesen!
Même à table, il faut que tu lises !

On ne confondra pas ce selbst, remplaçable par sogar avec **selbst/ selber**
(même) postposés :

Der Präsident **selber/ selbst/ persönlich** war gekommen.
Le président lui-même/ en personne était venu.

Sie wurden im Dorf **selbst** untergebracht.
Ils furent hébergés au village même.

611 La mise en valeur d'un élément par rapport à un ensemble

besonders/ insbesondere, particulièrement ; hauptsächlich,
principalement ; gerade/ geradezu/ eben/ ausgerechnet, justement/
précisément ; namentlich, notamment ; zumal, surtout

Diese Maßnahmen treffen **besonders** die °Arbeiter.
Ces mesures frappent surtout les travailleurs.

Gerade/ ausgerechnet °heute muss es regnen!
Juste aujourd'hui il faut qu'il pleuve !

La mise en relief d'une limite par rapport à laquelle se situe l'énonciateur

Schon (déjà) opposé à noch nicht (pas encore) et à noch (encore) ; nur (ne... que/ seulement [restriction absolue]) opposé à erst (ne... que/ seulement [restriction relative ou provisoire])

> Er ist **schon** da. ↔ Er ist **noch** nicht da.
>
> Il est déjà là. ↔ Il n'est pas encore là.
>
> Er ist **schon** zehn Jahre alt. ↔ Er ist **erst** zehn Jahre alt.
>
> Il a déjà dix ans. ↔ Il n'a que dix ans !
>
> Er hat **nur** zwei Stunden geschlafen. ↔ Er hat **erst** zwei Stunden geschlafen.
>
> Il n'a dormi que deux heures (en tout et pour tout). ↔ Il ne dort que depuis deux heures (et l'on s'attend à ce qu'il continue).

Aussi

> spätestens/ frühestens, au plus tard/ au plus tôt
>
> wenigstens/ höchstens, au moins/ tout au plus

LES PARTICULES D'INTERACTIVITÉ

Les caractéristiques des particules d'interactivité : l'exemple de bien

Un mot invariable peut, selon le contexte, avoir des fonctions différentes.

Ainsi Tu le fais **bien**, toi peut être interprété au moins de deux façons :

– bien peut avoir la fonction d'adverbe déterminant le verbe faire (Le contraire serait Tu le fais mal, toi.) ;

– bien peut être paraphrasé par aussi : Tu le fais aussi, toi. (sous-entendu : Pourquoi ne le ferais-je pas ?).

Dans le deuxième cas, l'acte de langage change, l'énoncé n'est plus un compliment, mais devient un reproche. L'élément bien marque ici le désir d'un des locuteurs d'**influer sur l'autre.** Sa fonction est alors celle d'une particule d'**interactivité.** Les particules d'interactivité sont également appelées particules **modales** ou **illocutoires.**

614 ## La place des particules d'interactivité

Les particules d'interactivité n'apparaissent jamais en avant-première ni en première position devant la forme variable du verbe. Sinon ces éléments ont une autre fonction.

Il faut donc distinguer des emplois comme :

> Das war <u>einfach</u> nicht zu verstehen!
> particule d'interactivité

> C'était tout simplement incompréhensible !

> <u>Einfach</u> **war** es nicht, das zu verstehen.
> adjectif attribut

> Il n'était pas simple de comprendre cela.

> Ich war <u>ja</u> zum Glück nicht zu schnell gefahren.
> particule d'interactivité

> Heureusement, je n'avais pas roulé trop vite.

> <u>Ja</u>, zum Glück war ich nicht zu schnell gefahren.
> particule d'affirmation

> Oui, par bonheur, je n'avais pas roulé trop vite.

Fonctions des particules d'interactivité

615 ## La connivence entre communicants

Les particules d'interactivité expriment une **connivence entre communicants** et soulignent l'argumentation ou encore l'acte de langage. Il existe un rapport entre elles et le type d'énoncé dans lesquels elles sont employées.

▸ Denn se rencontre surtout dans les énoncés **interrogatifs**.

> Was machst du **denn**?
> Que fais-tu donc ?

▸ Aber et vielleicht sont fréquents dans l'**exclamative**.

> Der hat mir **vielleicht** Nerven!
> Il est drôlement gonflé, celui-là !

> Das war **aber** nett von dir!
> C'était rudement gentil de ta part !

▸ Überhaupt est particulièrement lié aux énoncés **interrogatifs et déclaratifs**.

> Hören Sie mir **überhaupt** zu?
> Dites, je vous parle, vous m'écoutez au moins ?

> Er ist **überhaupt** unausstehlich.
> De toute façon, il est insupportable.

616 ## Une relation de cause

Dans un texte suivi, les particules d'interactivité peuvent aussi exprimer une **relation logique entre énoncés**. Ainsi **ja** et **doch** peuvent contribuer à exprimer une relation de **cause** ou de **justification**.

> Lass ihn in Ruh; er ist **ja** schon krank!
> *Laisse-le tranquille, (tu vois bien qu') il est déjà malade!*
> Lass das sein; das ist **doch** blöd!
> *Laisse ça, veux-tu, (tu sais que) c'est idiot!*

617 ## La fonction interactive d'autres éléments

D'autres éléments, dont des **adverbes connecteurs** (→ 597-599), peuvent assurer, quand ils sont placés à l'intérieur de l'énoncé verbal, une fonction proche de celle des particules d'interactivité.

> allerdings, certes/ assurément; immerhin, au moins;
> jedenfalls, en tout cas; sowieso, de toute façon;
> schließlich, finalement/ en fin de compte; übrigens, du reste
> Das war **immerhin** schon besser als das letzte Mal.
> *C'était tout de même mieux que la dernière fois. (C'est déjà ça!)*

Il en va de même pour quelques éléments comme:
– ruhig;
> Bleiben Sie **ruhig** sitzen! Ne vous dérangez donc pas!
– schön;
> Jetzt gehst du mal **schön** ins Bett.
> *Maintenant, (tu vas être gentil et) tu vas au lit.*
– gefälligst;
> Bleib **gefälligst** hier. *Tu resteras ici, je te dis/ s'il te plaît!*
– bitte.
> Kommen sie **bitte**! *Venez s'il vous plaît!*

LES PARTICULES ORGANISATRICES DU DISCOURS ET DU TEXTE

Ces particules peuvent assurer une fonction de **contact**, une fonction de **commentaire** et une fonction **d'organisation** du texte. Il n'est pas rare que ces fonctions soient aussi assurées par des groupes autres que l'élément invariable.

La fonction de contact entre les communicants

618 ## Les contactifs et expressions plus ou moins rituelles

Fréquents dans le dialogue, les **contactifs** et **expressions rituelles** sont codifiés socialement. Ils dépendent du moyen de communication (lettre, téléphone...), varient suivant les régions et établissent des procédures de communication. Ils assurent des rôles divers.

Prise de contact
- (Guten) Tag! (Guten) Morgen! (standard) *Bonjour!*
- Grüß Gott! (Sud), Gruezi! (Suisse), Servus! (Autriche)
- Meine Damen und Herren! (conférence) *Mesdames et Messieurs!*
- Lieber Hans! (lettre) *Cher Jean!*; Hallo! (téléphone) *Allo!*
- He, Sie/ Du da! Schau mal her! Hören Sie mal... *He, vous/ toi là-bas! Regarde! Écoutez!*

Le maintien du contact peut être exprimé par ja et hm au cours d'une conversation téléphonique.

Rupture du contact
- (Auf) Wiedersehen! (standard), Wiederschauen! (Sud), Auf Wiederhören! (téléphone) *Au revoir!*
- Tschüs, (wir sehen uns ja noch)! (familier) *Salut, (on se reverra)!*, Ciao! Bye! (jeunes)
- Mit freundlichen Grüßen. (lettre) *Bien cordialement.*
- Herzlichst. *Amicalement.*

Rites et comportements conventionnels
- Guten Appetit! (Gesegnete) Mahlzeit (vieilli) *Bon appétit!*
- Zum Wohl! Prosit! Prost! *Santé! Tchin!*
- Bitte! S'il te/ vous plaît, *je vous en prie.*
- Danke! *Merci!*
- Haruck... *Ho hisse...*

Procédures de communication
- Weißt du.../ Weißt du was? *Tu sais quoi?*
- Und dann... *Et puis...*
- äh/ euh/ also... *donc...*
- Moment (mal)! *Un instant!*
- Nicht (wahr)? *Pas vrai?*
- Gell(t)? *Hein?*
- Oder? *Sinon...*
- Na, wie war's denn? *Alors, c'était comment?*

La fonction de commentaire

Divers types de commentatifs et de commentaire

Une deuxième fonction de ces particules organisatrices est de **signaler un commentaire**.

Les particules et expressions qui assurent cette fonction sont placées juste avant ou après les éléments commentés. Elles signalent, par exemple :

– **une explication ou une énumération** ;

> besonders, en particulier ; etwa, à savoir ;
> und zwar, c'est-à-dire/ à savoir ; (oder) gar, voire ;
> hauptsächlich, principalement ; namentlich, notamment ;
> nämlich, à savoir ; so, ainsi ; vor allem, avant tout ;
> wie, comme/ tel ; zumal, surtout ; zum Beispiel, par exemple ;
> das heißt, c'est-à-dire ; das ist, soit ;
> geschweige denn, pour ne pas parler de...

– **une reprise, une correction ou un résumé** ;

> oder (besser), ou mieux ; (oder) vielmehr, plutôt ; also, donc ;
> genug, je m'arrête ; im großen und ganzen, en gros/ grosso modo ;
> kurz(um), bref ; (ich) will sagen, je veux dire
> mit anderen Worten/ in einem Wort, en d'autres mots/ en un mot

– **un commentaire métalinguistique sur le choix d'un mot ou d'une expression** ;

> auf gut deutsch, en bon allemand ; geradezu, proprement/ justement ;
> gewissermaßen, d'une certaine façon ;
> gleichsam/ sozusagen, pour ainsi dire ; praktisch, pratiquement ;
> nicht eben/ nicht gerade, pas vraiment
> Sie ist nicht gerade hübsch. On ne peut pas dire qu'elle soit jolie.
> Elle n'est pas vraiment jolie.

– **un commentaire émotionnel par des onomatopées ou des interjections diverses** ;

> Hurra! Juchhe! Prima! Bravo!
> Oh! Uh! Pfui! Puh! Aua! Oho! Oje(mine)!
> Verdammt (noch mal)!
> Mensch! Mein Gott! Meine Güte!
> Zuck! Brr! Bumms! Dalli! Husch! Peng! Tjuff!...

– **d'autres commentaires ou incises**.

> so (sagte x), d'après x/ dit x ;
> meiner Meinung nach/ meines Erachtens, à mon avis ;
> wie gesagt/ erwähnt/ geplant,
> comme cela a été dit/ mentionné/ prévu...
> um... zu (+ infinitif) : um es gleich zu sagen,
> pour le dire tout de suite...

La fonction d'organisation du texte

Une troisième fonction concerne l'organisation du texte de manière plus générale.

620 Les conjonctions de coordination

Les conjonctions de coordination jouent un rôle important d'orientation de l'auditeur ou du lecteur dans le texte. Elles relient entre autre des éléments et des groupes de même niveau. Dans l'énoncé verbal, elles occupent l'**avant-première position**.

Elles peuvent occuper d'autres fonctions, auxquelles correspondent alors d'autres positions. Par exemple, denn peut aussi être employé comme particule d'interactivité ; dans ce cas, il n'occupe plus l'avant-première position.

On compte parmi les conjonctions de coordination 'aber, a'llein, denn, doch, entweder... oder, jedoch, oder, beziehungsweise (souvent abrégé en bzw.), sondern, und, weder... noch, sowie, sowohl... als/ wie auch.

621 *Aber*

Aber (mais) signale une rectification et peut occuper diverses places.

– l'avant-première position (en tant que conjonction de coordination)

> Ich werde dir helfen, **aber** ich muss um fünf Uhr wieder °weg.
> Je t'aiderai, mais il faut que je reparte à cinq heures.

– après l'unité mise en relief

> Alle blieben, °ich **aber** musste wieder weg.
> Tous restèrent, quant à moi il fallut que je reparte.

– après le verbe conjugué

> Meine Eltern fuhren weg, ich hatte **aber** noch zu tun.
> Mes parents partirent, mais (moi) j'avais encore des choses à faire.

622 *Allein*

Allein (mais) est d'un emploi plus rare comme conjonction de subordination. Il peut aussi être particule de mise en relief (→ 609).

Ich hätte ihn gern eingeladen, **al°lein** ich hatte keinen Platz mehr.
Je l'aurais volontiers invité, mais je n'avais plus de place.

Comparer avec :

°Ich **allein** hatte keinen Platz. *J'étais le seul à n'avoir pas de place.*

623 *Denn*

Denn (car, en effet) ne se place comme conjonction de coordination qu'en avant-première position. Il peut aussi être particule d'interactivité (→ 615).

Ich komme nicht mit, **denn** ich habe noch zu tun.
Je ne viens pas car j'ai encore à faire.

Comparer avec :

Was hast du <u>denn</u>?
particule d'interactivité

624 *Doch*

Doch (pourtant, cependant) se place en avant-première position et parfois aussi, comme adverbe, en première position. Il peut être aussi mot d'affirmation au sens de si.

Er versuchte dreimal, **doch** er vermochte es nicht,
die Tür zu öffnen.
Er versuchte dreimal, **doch** vermochte er es nicht,
die Tür zu öffnen.
Il essaya trois fois, pourtant il ne parvint pas à ouvrir la porte.

Comparer avec :

Nein, er kommt nicht. – Aber **doch**, er kommt.
Non, il ne viendra pas. – Mais si : bien sûr qu'il viendra. (mot
d'affirmation en avant-première position)

625 *Ent'weder... 'oder*

Ent'weder... 'oder (ou bien... ou bien/ soit...soit) marque une alternative. Entweder se place en avant-première ou en première position, oder toujours en avant-première position.

Entweder er kommt, **oder** er ruft an. *Soit il viendra, soit il appellera.*
Entweder kommt er, **oder** er ruft an. *Soit il viendra, soit il appellera.*

626 *Je'doch*

Je'doch (*pourtant/ cependant*) comme doch se place en avant-première position et parfois aussi en première position, voire après le verbe conjugué.

> Er wollte gern Jockei werden, **jedoch** er war zu schwer.
> Er wollte gern Jockei werden, **jedoch** war er zu schwer.
> Er wollte gern Jockei werden, er war **jedoch** zu schwer.
> Il aurait bien voulu devenir jockey, *cependant il était trop lourd.*

627 *Oder*

Oder (*ou/ ou bien*) marque le choix possible, sens du choix binaire ou mul-
tiple.

> Er liest **oder** er hört Musik.
> *Il lit, ou bien il écoute de la musique.*
> Kommst du **oder** (kommst du) nicht?
> *Viens-tu ou non?*

628 *Beziehungsweise*

Beziehungsweise (*ou bien/ ou plutôt/ respectivement*) est interchangeable
avec oder pour exprimer **l'alternative**.

> Das Modell gibt es in Blau, **beziehungsweise** in Grün.
> *Le modèle existe en bleu ou en vert.*

Mais il ne peut pas être remplacé par oder quand il apporte une rectification. Il est alors commentatif et signifie *c'est-à-dire/ ou plutôt/ éventuelle-
ment/ peut-être aussi.*

> Er wohnt in München, **beziehungsweise** in einem Vorort von
> München.
> *Il habite à Munich ou plutôt dans un faubourg de Munich.*

629 *Sondern*

Sondern (*mais/ au contraire*) marque une **opposition** avec un élément antérieur qui est obligatoirement nié ou de sens négatif.

> Sie geht nicht aus, **sondern** sie setzt sich vor den Fernseher.
> *Elle ne sort pas, mais s'installe devant la télévision.*

Mais on dira:

> Er ist nicht groß, **aber** (dafür ist er) sehr sportlich.
> *Il n'est pas grand mais (il est) très sportif.*

car il n'y a pas d'opposition entre grand et sportif.

630 *Und*

Und (et) **coordonne** deux éléments ou deux groupes.

> Du mähst den Rasen(,) **und** ich kaufe ein.
> *Tu tonds le gazon et (moi) je fais les courses.*

631 *Sowie, sowohl... als/ wie auch*

Sowie, sowohl... als/ wie auch (aussi bien que) peut remplacer und quand on attache autant d'importance au second élément qu'au premier.

> Wir fahren **sowohl** in die Schweiz, **als (auch)** nach Österreich.
> *Nous allons en Suisse autant qu'en Autriche.*

632 *Weder... noch*

Weder... noch (ni... ni) est la forme négative de ent'weder... oder.

> Er kam **weder** am Sonntag **noch** am Montag.
> *Il ne vint ni dimanche ni lundi.*

LES PARTICULES ET MOTS DE L'AFFIRMATION ET DE LA NÉGATION

633 Les mots-phrases

Les **mots-phrases** (appelés parfois « phrasillons ») tels que nein (non), keineswegs (en aucun cas), ja (oui), jawohl (bien sûr), doch (si [réponse affirmative à une question posée négativement]) servent à refuser ou à accepter des propos tenus ou une situation présupposée.

> Kommst du mit? – Nein/ Ja.
> *Tu nous accompagnes ? – Non/ Oui.*
> Kommst du nicht mit? – Nein/ Doch.
> *Tu ne nous accompagnes pas ? – Non/ Si.*
> Ach nein, so was!
> *Ah non ! Que diable !*

634   ## Les négateurs indéfinis

Les négateurs indéfinis nichts (rien), keiner (aucun [pronom décliné]), nie/ niemals (ne... jamais), niemand (personne), nirgends/ nirgendwo (nulle part), nirgendwohin ([vers] nulle part), nirgendwoher (de nulle part) signalent le vide d'une catégorie sémantique, qui, elle, est introduite positivement dans l'information communiquée.

Ainsi, dans les exemples :

> Ich habe **nichts** gefunden. *Je n'ai rien trouvé.*
> Er kommt **nie**. *Il ne vient jamais.*

Nichts pose la catégorie des objets inanimés, mais dit qu'elle est vide, et nie pose la catégorie du temps, mais dit qu'elle est vide.

En revanche, etwas (quelque chose), einer (décliné)/ man (quelqu'un), je/ immer (jamais/ toujours), jemand (quelqu'un), irgendwo/ -wohin/ -woher ([vers/ de] quelque part) indiquent à chaque fois, de la façon la plus indéterminée, que la catégorie sémantique correspondante n'est pas vide.

635   ## *Nicht* dans l'expression du degré

Une double négation syntaxique n'est plus possible dans l'allemand d'aujourd'hui. Ainsi pour *Il ne peut pas ne pas venir*, on a Er muss unbedingt kommen. (*Il faut absolument qu'il vienne*).

En revanche, les préfixes et suffixes privatifs qui inversent le sens du lexème-base peuvent se combiner avec un négateur pour exprimer une nuance de degré.

> ein **nicht un**interessantes Buch, *un livre qui n'est pas inintéressant*
> das ist **nicht** grund**los**, *ce n'est pas sans raison*
> **nicht ohne** Vergnügen, *non sans plaisir*

636   ## *Nicht* est le négateur pur et simple

▸ Nicht peut servir à maintenir le contact ou à relancer la conversation au sens de nicht wahr (n'est-ce pas).

> Das hat er doch wirklich gut gemacht, **nicht**?
> *Il l'a vraiment bien fait, non/ n'est-ce pas ?*

▸ En tant que **négateur partiel** ou de membre, nicht rejette comme inadéquat ou non-pertinent, la partie de l'information sur laquelle il porte, le reste de l'énoncé demeurant valable. Dans ce cas, nicht précède le plus souvent le membre rejeté, qui porte alors un accent d'insistance (→ La particule de mise en relief 608).

Ich komme **nicht** am °Mittwoch, (sondern am °Donnerstag).
Je ne viens pas mercredi, (mais jeudi).

Sie ist nicht °meinetwegen gekommen, (sondern wegen meiner °Eltern).
Elle n'est pas venue pour moi, (mais pour mes parents).

Il arrive cependant que nicht ne soit pas placé à côté du membre accentué qui est rejeté comme non-pertinent.

°Den habe ich °**nicht** gesehen. Celui-là, je ne l'ai pas vu.

▶ En tant que **négateur global**, nicht refuse la validité de l'action, du procès ou de l'état, donc la validité de l'ensemble de l'information.

Ich sehe ihn °**nicht**. Je ne le vois pas. (pas de vision)
Heute ist sie °**nicht** gekommen. Aujourd'hui, elle n'est pas venue.

Dans ce cas, **nicht** est souvent accentué et occupe sa place normale devant le seul groupe verbal en structure régressive, c'est-à-dire avec verbe à la fin (→ 188-217).

Er ist °**nicht** nach Hause gekommen.
Il n'est pas rentré à la maison.

(weil) er °**nicht** nach Hause gekommen ist,
(parce qu') il n'est pas rentré à la maison

▶ Dans une proposition interronégative ou exclamative, nicht est souvent rhétorique.

Wollen Sie sich **nicht** setzen?
Vous ne voulez pas vous asseoir?

Was °der **nicht** alles weiß!
Il en sait des choses, celui-là!

637 Les déterminations de *nicht*

Le négateur nicht peut être lui-même déterminé.

auch nicht/ auch noch nicht, pas non plus
durchaus nicht/ gar nicht/ überhaupt nicht/ absolut nicht, pas du tout
nicht mehr, ne... plus ↔ noch, encore
°nicht einmal, pas même ↔ sogar, même
nicht nur... sondern auch, pas seulement... mais encore
noch nicht, pas encore
noch immer nicht/ immer noch nicht, toujours pas
noch lange nicht, encore loin de
unbedingt nicht, absolument pas
sozusagen nicht/ praktisch nicht, pour ainsi dire/ pratiquement pas

638 L'article négatif *kein*

Si l'on excepte le pronom keiner, keine comme équivalent de niemand (kein Mensch, keine Frau), l'article négatif kein- est le négateur du groupe nominal : il signale comme vide la classe des objets que l'on peut désigner par le groupe nominal. Nicht est donc remplacé par kein quand le groupe nominal signale le vide d'un ensemble.

> Ich trinke **keinen** Wein (sondern Wasser).
> *Je ne bois pas de vin (mais de l'eau).*
>
> Ich habe **keine** Zeit.
> *Je n'ai pas le temps.*
>
> Sie ist **keine** gute Köchin.
> *Elle n'est pas (une) bonne cuisine*

▸ Lorsque kein précède un nombre, il fonctionne comme graduatif.

> Er verdient **keine** fünfhundert Euro.
> *Il ne gagne (même) pas cinq cents euros.*

▸ Lorsque le groupe nominal fait partie d'une locution à sens générique, c'est nicht qu'il faut utiliser (et non kein).

> Er hat uns **nicht** Bescheid gesagt. (négation de **Bescheid sagen**)
> *Il ne nous a pas mis au courant.*
>
> Er kann **nicht** Maschine schreiben. (négation de **Maschine schreiben**)
> *Il ne sait pas dactylographier.*
>
> °So benimmt sich ein °Gentleman °**nicht**. (négation de **sich so** wie ein Gentlemann **benehmen**)
> *Ce n'est pas le comportement d'un gentleman.*

Comparer à :

> So benimmt sich °**kein** Gentleman.
> *Aucun gentleman ne se comporte comme cela.*

▸ L'allemand emploie cependant nicht devant ein, le chiffre accentué.

> **Nicht** °ein Haus ist übrig geblieben.
> *Il n'est même pas resté une maison. (moins que rien)*

Annexes

Besc
ner
elle

ALLEMAND

Les formes de l'épithète (déclinaisons) dans le groupe nominal

639 Les formes de l'épithète (déclinaisons) dans le groupe nominal

CAS	SINGULIER			PLURIEL
	MASCULIN	NEUTRE	FÉMININ	
NOM.	Stoff	Leder	Seide	Kleider
	der Stoff	das Leder	die Seide	die Kleider
	leichter Stoff	echtes Leder	reine Seide	schöne Kleider
	ein leichter Stoff	ein echtes Leder	eine reine Seide	die schönen Kleider
	der leichte Stoff	das echte Leder	die reine Seide	keine schönen Kleider
ACC.	Stoff	Leder	Seide	Kleider
	den Stoff	das Leder	die Seide	die Kleider
	leichten Stoff	echtes Leder	reine Seide	schöne Kleider
	einen leichten Stoff	ein echtes Leder	eine reine Seide	die schönen Kleider
	den leichten Stoff	das echte Leder	die reine Seide	keine schönen Kleider
DAT.	Stoff	Leder	Seide	Kleider
	dem Stoff	dem Leder	der Seide	den Kleidern
	leichtem Stoff	echtem Leder	reiner Seide	schönen Kleidern
	einem leichten Stoff	einem echten Leder	einer reinen Seide	den schönen Kleidern
	dem leichten Stoff	dem echten Leder	der reinen Seide	keinen schönen Kleidern
GÉN.	des Stoffs	des Leders	der Seide	der Kleider
	leichten Stoffs	echten Leders	reiner Seide	schöner Kleider
	eines leichten Stoffs	eines echten Leders	einer reinen Seide	der schönen Kleider
	des leichten Stoffs	des echten Leders	der reinen Seide	keiner schönen Kleider

Tableaux de conjugaisons (bases verbales)

Les auxiliaires *sein, haben, werden*

INDICATIF PRÉSENT

ich bin	ich habe	ich werde
du bist	du hast	du wirst
er/es/sie ist	er/es/sie hat	er/es/sie wird
wir sind	wir haben	wir werden
ihr seid	ihr habt	ihr werdet
sie/Sie sind	sie/Sie haben	sie/Sie werden

INDICATIF PRÉTÉRIT

ich war	ich hatte	ich wurde
du warst	du hattest	du wurdest
er/es/sie war	er/es/sie hatte	er/es/sie wurde
wir waren	wir hatten	wir wurden
ihr wart	ihr hattet	ihr wurdet
sie/Sie waren	sie/Sie hatten	sie/Sie wurden

INDICATIF PARFAIT

ich bin gewesen	ich habe gehabt	ich bin geworden
du bist gewesen	du hast gehabt	du bist geworden
er/es/sie ist gewesen	er/es/sie hat gehabt	er/es/sie ist geworden
wir sind gewesen	wir haben gehabt	wir sind geworden
ihr seid gewesen	ihr habt gehabt	ihr seid geworden
sie/Sie sind gewesen	sie/Sie haben gehabt	sie/Sie sind geworden

INDICATIF PLUS-QUE-PARFAIT

ich war gewesen	ich hatte gehabt	ich war geworden
du warst gewesen	du hattest gehabt	du warst geworden
er/es/sie war gewesen	er/es/sie hatte gehabt	er/es/sie war geworden
wir waren gewesen	wir hatten gehabt	wir waren geworden
ihr wart gewesen	ihr hattet gehabt	ihr wart geworden
sie/Sie waren gewesen	sie/Sie hatten gehabt	sie/Sie waren geworden

ich werde sein	ich werde haben	ich werde werden
du wirst sein	du wirst haben	du wirst werden
er/es/sie wird sein	er/es/sie wird haben	er/es/sie wird werden
wir werden sein	wir werden haben	wir werden werden
ihr werdet sein	ihr werdet haben	ihr werdet werden
sie/Sie werden sein	sie/Sie werden haben	sie/Sie werden werden

INDICATIF FUTUR II

ich werde gewesen sein	ich werde gehabt haben	ich werde geworden sein
du wirst gewesen sein	du wirst gehabt haben	du wirst geworden sein
er/es/sie wird gewesen sein	er/es/sie wird gehabt haben	er/es/sie wird geworden sein
wir werden gewesen sein	wir werden gehabt haben	wir werden geworden sein
ihr werdet gewesen sein	ihr werdet gehabt haben	ihr werdet geworden sein
sie/Sie werden gewesen sein	sie/Sie werden gehabt haben	sie/Sie werden geworden sein

SUBJONCTIF I PRÉSENT

ich sei	ich habe	ich werde
du seist	du habest	du werdest
er/es/sie sei	er/es/sie habe	er/es/sie werde
wir seien	wir haben	wir werden
ihr seiet	ihr habet	ihr werdet
sie/Sie seien	sie/Sie haben	sie/Sie werden

SUBJONCTIF I PASSÉ

ich sei gewesen	ich habe gehabt	ich sei geworden
du seist gewesen	du habest gehabt	du seist geworden
er/es/sie sei gewesen	er/es/sie habe gehabt	er/es/sie sei geworden
wir seien gewesen	wir haben gehabt	wir seien geworden
ihr seiet gewesen	ihr habet gehabt	ihr seiet geworden
sie/Sie seien gewesen	sie/Sie haben gehabt	sie/Sie seien geworden

SUBJONCTIF I FUTUR

ich werde sein	ich werde haben	ich werde werden
du werdest sein	du werdest haben	du werdest werden
er/es/sie werde sein	er/es/sie werde haben	er/es/sie werde werden
wir werden sein	wir werden haben	wir werden werden
ihr werdet sein	ihr werdet haben	ihr werdet werden
sie/Sie werden sein	sie/Sie werden haben	sie/Sie werden werden

SUBJONCTIF II PRÉSENT

ich wäre (wär')	ich hätte (hätt')	ich würde (würd')
du wärest (wärst)	du hättest	du würdest
er/es/sie wäre (wär')	er/es/sie hätte (hätt')	er/es/sie würde
wir wären	wir hätten	wir würden
ihr wäret (wärt)	ihr hättet	ihr würdet
sie/Sie wären	sie/Sie hätten	sie/Sie würden

SUBJONCTIF II PASSÉ

ich wäre gewesen	ich hätte gehabt	ich wäre geworden
du wärest gewesen	du hättest gehabt	du wärest geworden
er/es/sie wäre gewesen	er/es/sie hätte gehabt	er/es/sie wäre geworden
wir wären gewesen	wir hätten gehabt	wir wären geworden
ihr wäret gewesen	ihr hättet gehabt	ihr wäret geworden
sie/Sie wären gewesen	sie/Sie hätten gehabt	sie/Sie wären geworden

SUBJONCTIF II FUTUR

ich würde sein	ich würde haben	ich würde werden
du würdest sein	du würdest haben	du würdest werden
er/es/sie würde sein	er/es/sie würde haben	er/es/sie würde werden
wir würden sein	wir würden haben	wir würden werden
ihr würdet sein	ihr würdet haben	ihr würdet werden
sie/Sie würden sein	sie/Sie würden haben	sie/Sie würden werden

IMPÉRATIF

2e pers. du singulier :	sei...!	hab(e)...!	werde...!
1re pers. du pluriel :	seien wir...!	haben wir...!	werden wir...!
2e pers. du pluriel :	seid...!	habt...!	werdet...!
2e pers. du pluriel politesse :	seien Sie...!	haben Sie...!	werden Sie...!

INFINITIF

Infinitif I :	sein	haben	werden
Infinitif II :	gewesen sein	gehabt haben	geworden sein

PARTICIPE

Participe I (présent) :	seiend	habend	werdend
Participe II (passé) :	gewesen	gehabt	geworden

können, dürfen, müssen, sollen, mögen, wollen, wissen

Wissen n'est pas un verbe de modalité, mais suit la même conjugaison qu'eux (prétérito-présents). Bedürfen se conjugue comme dürfen et vermögen comme mögen.

INDICATIF PRÉSENT

ich	kann	darf	muss	soll	mag	will	weiß
du	kannst	darfst	musst	sollst	magst	willst	weißt
er/es/sie	kann	darf	muss	soll	mag	will	weiß
wir	können	dürfen	müssen	sollen	mögen	wollen	wissen
ihr	könnt	dürft	müsst	sollt	mögt	wollt	wisst
sie/Sie	können	dürfen	müssen	sollen	mögen	wollen	wissen

INDICATIF PRÉTÉRIT

ich	konnte	durfte	musste	sollte	mochte	wollte	wußte
du	konntest	durftest	musstest	solltest	mochtest	wolltest	wußtest
er/es/sie	konnte	durfte	musste	sollte	mochte	wollte	wußte
wir	konnten	durften	mussten	sollten	mochten	wollten	wußten
ihr	konntet	durftet	musstet	solltet	mochtet	wolltet	wußtet
sie/Sie	konnten	durften	mussten	sollten	mochten	wollten	wußten

PARTICIPE II

gekonnt/	gedurft/	gemusst/	gesollt/	gemocht/	gewollt/	gewußt
können	dürfen	müssen	sollen	mögen	wollen	

La forme infinitive est une 2e forme du participe II des verbes de modalité quand il est précédé lui-même d'un infinitif: Er hat das gekonnt, mais Er hat das tun können. De même: Er hat das tun dürfen, er hat das tun müssen, er hat das tun sollen, er hat das tun wollen, er hat das tun mögen.

SUBJONCTIF I PRÉSENT

er/es/sie	könne	dürfe	müsse	solle	möge	wolle	wisse

SUBJONCTIF II PRÉSENT

er/es/sie	könnte	dürfte	müsste	sollte	möchte	wollte	wüsste

642   Les verbes faibles (exemple : *fragen*, demander)

IND.	PRÉSENT	PRÉTÉRIT	FUTUR I
	ich frage	ich fragte	ich werde fragen
	du fragst	du fragtest	du wirst fragen
	er/es/sie fragt	er/es/sie fragte	er/es/sie wird fragen
	wir fragen	wir fragten	wir werden fragen
	ihr fragt	ihr fragtet	ihr werdet fragen
	sie/Sie fragen	sie/Sie fragten	sie/Sie werden fragen

IND.	PARFAIT	PLUS-QUE-PARFAIT	FUTUR II
	ich habe gefragt	ich hatte gefragt	ich werde gefragt haben
	du hast gefragt	du hattest gefragt	du wirst gefragt haben
	er/es/sie hat gefragt	er/es/sie hatte gefragt	er/es/sie wird gefragt haben
	wir haben gefragt	wir hatten gefragt	wir werden gefragt haben
	ihr habt gefragt	ihr hattet gefragt	ihr werdet gefragt haben
	sie/Sie haben gefragt	sie/Sie hatten gefragt	sie/Sie werden gefragt haben

SUBJ. I	PRÉSENT	PASSÉ	FUTUR I
	ich frage	ich habe gefragt	ich werde fragen
	du fragest	du habest gefragt	du werdest fragen
	er/es/sie frage	er/es/sie habe gefragt	er/es/sie werde fragen
	wir fragen	wir haben gefragt	wir werden fragen
	ihr fraget	ihr habet gefragt	ihr werdet fragen
	sie/Sie fragen	sie/Sie haben gefragt	sie/Sie werden fragen

SUBJ. II	PRÉSENT	PASSÉ	FUTUR I
	ich fragte	ich hätte gefragt	ich würde fragen
	du fragtest	du hättest gefragt	du würdest fragen
	er/es/sie fragte	er/es/sie hätte gefragt	er/es/sie würde fragen
	wir fragten	wir hätten gefragt	wir würden fragen
	ihr fragtet	ihr hättet gefragt	ihr würdet fragen
	sie/Sie fragten	sie/Sie hätten gefragt	sie/Sie würden fragen

Au lieu de la forme du subjonctif II présent (ich fragte) qui est la même que celle de l'indicatif prétérit, on a souvent la forme dite du futur en würde + infinitif (ich würde fragen).

À l'accompli, on peut trouver rarement à l'indicatif et/ou au subjonctif des formes surcomposées comme er hat/hatte/habe/hätte gefragt gehabt (*il a/ avait/aurait … eut demandé*).

À l'accompli du subjonctif I et du subjonctif II, le futur II a les formes surcomposées : er werde gefragt haben et er würde gefragt haben (il *aura eu demandé* ; il *aurait eu demandé*).

IMPÉRATIF	INFINITIF	PARTICIPE
2ᵉ pers. sing. : frag(e)!	Inf. I : fragen	Part. I présent : fragend
1ʳᵉ pers. plur. : fragen wir!	Inf. II : gefragt haben	Part. II passé : gefragt
2ᵉ pers. plur. : fragt!		
Politesse : fragen Sie!		

643 Les verbes faibles irréguliers

INFINITIF	PRÉTÉRIT	PARTICIPE II	TRADUCTION
bringen	brachte	gebracht	apporter
denken	dachte	gedacht	penser
brennen	brannte	gebrannt	brûler
kennen	kannte	gekannt	connaître
nennen	nannte	genannt	nommer
rennen	rannte	gerannt	courir
senden	sandte (sendete)	gesandt (gesendet)	envoyer
wenden	wandte (wendete)	gewandt (gewendet)	tourner

644 Les verbes forts (exemple : *geben*, donner)

IND. PRÉSENT	PRÉTÉRIT	FUTUR I
ich gebe	ich gab	ich werde geben
du gibst	du gabst	du wirst geben
er/es/sie gibt	er/es/sie gab	er/es/sie wird geben
wir geben	wir gaben	wir werden geben
ihr gebt	ihr gabt	ihr werdet geben
sie/Sie geben	sie/Sie gaben	sie/Sie werden geben

IND. PARFAIT	PLUS-QUE-PARFAIT	FUTUR II
ich habe gegeben	ich hatte gegeben	ich werde gegeben haben
du hast gegeben	du hattest gegeben	du wirst gegeben haben
er/es/sie hat gegeben	er/es/sie hatte gegeben	er/es/sie wird gegeben haben
wir haben gegeben	wir hatten gegeben	wir werden gegeben haben
ihr habt gegeben	ihr hattet gegeben	ihr werdet gegeben haben
sie/Sie haben gegeben	sie/Sie hatten gegeben	sie/Sie werden gegeben haben

SUBJ. I PRÉSENT	PASSÉ	FUTUR
ich gebe	ich habe gegeben	ich werde geben
du gebest	du habest gegeben	du werdest geben
er/es/sie gebe	er/es/sie habe gegeben	er/es/sie werde geben
wir geben	wir haben gegeben	wir werden geben
ihr gebet	ihr habet gegeben	ihr werdet geben
sie/Sie geben	sie/Sie haben gegeben	sie/Sie werden geben

SUBJ. II PRÉSENT	PASSÉ	FUTUR
ich gäbe	ich hätte gegeben	ich würde geben
du gäbest	du hättest gegeben	du würdest geben
er/es/sie gäbe	er/es/sie hätte gegeben	er/es/sie würde geben
wir gäben	wir hätten gegeben	wir würden geben
ihr gäbet	ihr hättet gegeben	ihr würdet geben
sie/Sie gäben	sie/Sie hätten gegeben	sie/Sie würden geben

IMPÉRATIF	INFINITIF	PARTICIPE
2e pers. sing.: gib!	Inf. I: geben	Part. I présent: gebend
1re pers. plur.: geben wir!	Inf. II: gegeben haben	Part. II passé: gegeben
2e pers. plur.: gebt!		
Politesse: geben Sie!		

645 Le passif du verbe *fragen*

IND. PRÉSENT	PRÉTÉRIT	FUTUR I
ich werde gefragt	ich wurde gefragt	ich werde gefragt werden
du wirst gefragt	du wurdest gefragt	du wirst gefragt werden
er/es/sie wird gefragt	er/es/sie wurde gefragt	er/es/sie wird gefragt werden
wir werden gefragt	wir wurden gefragt	wir werden gefragt werden
ihr werdet gefragt	ihr wurdet gefragt	ihr werdet gefragt werden
sie/Sie werden gefragt	sie/Sie wurden gefragt	sie/Sie werden gefragt werden

IND.	PARFAIT	PLUS-QUE-PARFAIT	FUTUR II
	ich bin gefragt worden	ich war gefragt worden	ich werde gefragt worden sein
	du bist gefragt worden	du warst gefragt worden	du wirst gefragt worden sein
	er/es/sie ist gefragt worden	er/es/sie war gefragt worden	er/sie/sie wird gefragt worden sein
	wir sind gefragt worden	wir waren gefragt worden	wir werden gefragt worden sein
	ihr seid gefragt worden	ihr wart gefragt worden	ihr werdet gefragt worden sein
	sie/Sie sind gefragt worden	sie/Sie waren gefragt worden	sie/Sie werden gefragt worden sein

SUBJ. I	PRÉSENT	PASSÉ	FUTUR I
	ich werde gefragt	ich sei gefragt worden	ich werde gefragt werden
	du werdest gefragt	du seist gefragt worden	du werdest gefragt werden
	er/es/sie werde gefragt	er/sie sei gefragt worden	er/es/sie werde gefragt werden
	wir werden gefragt	wir seien gefragt worden	wir werden gefragt werden
	ihr werdet gefragt	ihr seiet gefragt worden	ihr werdet gefragt werden
	sie/Sie werden gefragt	sie/Sie seien gefragt worden	sie/Sie werden gefragt werden

SUBJ. II	PRÉSENT	PASSÉ	FUTUR I
	ich würde gefragt	ich wäre gefragt worden	ich würde gefragt werden
	du würdest gefragt	du wärest gefragt worden	du würdest gefragt werden
	er/es/sie würde gefragt	er/es/sie wäre gefragt worden	er/es/sie würde gefragt werden
	wir würden gefragt	wir wären gefragt worden	wir würden gefragt werden
	ihr würdet gefragt	ihr wäret gefragt worden	ihr würdet gefragt werden
	sie/Sie würden gefragt	sie wären gefragt worden	sie würden gefragt werden

À l'accompli du subjonctif I et du subjonctif II, le futur II a les formes surcomposées : er werde gefragt worden sein et er würde gefragt worden sein (on lui aurait demandé ; il lui aurait été demandé).

INFINITIF

Inf. I : gefragt werden
Inf. II : gefragt worden sein

646 ## Les temps primitifs des verbes forts

Les verbes en gras se conjuguent avec sein.

La quatrième colonne donne la 2e et la 3e personne du singulier du présent quand il y a changement de voyelle du radical. Les particularités orthographiques sont indiquées. B = voyelle brève ; L = voyelle longue

▶ a - i - a - ä

INFINITIF	PRÉT. 1RE/3E SING.	PARTICIPE II	PRÉS. 2E/3E SING.	TRADUCTION
fangen B	fing B	gefangen B	er fängt B	attraper
hangen/hängen B	hing B	gehangen B	er hängt B	être pendu

▶ a - ie - a - ä

INFINITIF	PRÉT. 1RE/3E SING.	PARTICIPE II	PRÉS. 2E/3E SING.	TRADUCTION
blasen L	blies L	geblasen L	er bläst L	souffler
braten L	briet L	gebraten L	du brätst, er brät L	rôtir
fallen B	fiel L	gefallen B	er fällt B	tomber
halten B	hielt L	gehalten B	du hältst, er hält B	tenir
lassen B	ließ L	gelassen B	du lässt, er lässt B	laisser
raten L	riet L	geraten L	du rätst, er rät L	conseiller, deviner
schlafen L	schlief L	geschlafen L	er schläft L	dormir

▶ a - u - a - ä

INFINITIF	PRÉT. 1RE/3E SING.	PARTICIPE II	PRÉS. 2E/3E SING.	TRADUCTION
backen B	backte B (buk L)	gebacken B	er bäckt B	cuire (au four)
fahren L	fuhr L	gefahren L	er fährt L	conduire, rouler
graben L	grub L	gegraben L	er gräbt B	creuser
laden L	lud L	geladen L	du lädst, er lädt L / du ladest, er ladet L	charger
schaffen B	schuf L	geschaffen B	er schafft B	créer
schlagen L	schlug L	geschlagen L	er schlägt L	frapper, battre
tragen L	trug L	getragen L	er trägt L	porter
wachsen B	wuchs L	gewachsen B	er wächst B	croître
waschen B	wusch L	gewaschen B	er wäscht B	laver

e - a - e - i

INFINITIF	PRÉT. 1ᴿᴱ/3ᴱ SING.	PARTICIPE II	PRÉS. 2ᴱ/3ᴱ SING.	TRADUCTION
essen B	aß L	gegessen B	du isst, er isst B	manger
fressen B	fraß L	gefressen B	du frisst, er frisst B	manger [animal]
geben L	gab L	gegeben L	du gibst, er gibt L	donner
messen B	maß L	gemessen B	er misst B	mesurer
treten L	trat L	getreten L	du trittst, er tritt B	poser le pied
vergessen B	vergaß L	vergessen B	er vergisst B	oublier

e - a - e - ie

INFINITIF	PRÉT. 1ᴿᴱ/3ᴱ SING.	PARTICIPE II	PRÉS. 2ᴱ/3ᴱ SING.	TRADUCTION
geschehen L	geschah L	geschehen L	es geschieht L	se passer, arriver
lesen L	las L	gelesen L	er liest L	lire
gesehen L	sah L	gesehen L	er sieht L	voir

e - a - o - i

INFINITIF	PRÉT. 1ᴿᴱ/3ᴱ SING.	PARTICIPE II	PRÉS. 2ᴱ/3ᴱ SING.	TRADUCTION
bergen B	barg B	geborgen B	er birgt B	cacher, sauver
bersten B	barst B	geborsten B	du birst, er birst B	éclater
brechen B	brach L	gebrochen B	er bricht B	briser
erschrecken B	erschrak L	erschrocken B	er erschrickt B	s'effrayer
gelten B	galt B	gegolten B	er gilt B	valoir
helfen B	half B	geholfen B	er hilft B	aider
nehmen L	nahm L	genommen B	er nimmt B	prendre
schelten B	schalt B	gescholten B	er schilt B	gronder
sprechen B	sprach L	gesprochen B	er spricht B	parler
stechen B	stach L	gestochen B	er sticht B	piquer
sterben B	starb B	gestorben B	er stirbt B	mourir
treffen B	traf L	getroffen B	er trifft B	atteindre
verderben B	verdarb B	verdorben B	er verdirbt B	se gâter, pourrir
werben B	warb B	geworben B	er wirbt B	briguer
werfen B	warf B	geworfen B	er wirft B	lancer, jeter

e - a - o - ie

INFINITIF	PRÉT. 1ᴿᴱ/3ᴱ SING.	PARTICIPE II	PRÉS. 2ᴱ/3ᴱ SING.	TRADUCTION
befehlen L	befahl L	befohlen L	befiehlt L	donner ordre
empfehlen L	empfahl L	empfohlen L	empfielt L	recommander
stehlen L	stahl L	gestohlen L	stiehlt L	voler, dérober

e - o - o - i (ou e)

INFINITIF	PRÉT. 1RE/3E SING.	PARTICIPE II	PRÉS. 2E/3E SING.	TRADUCTION
bewegen L	bewog L	bewogen L	er bewegt L	amener à, convaincre
dreschen B	drosch B	gedroschen B	er drischt L	battre [blé]
fechten B	focht B	gefochten B	er ficht B	faire de l'escrime
flechten B	flocht B	geflochten B	er flicht B	tresser
heben L	hob L	gehoben L	er hebt L	soulever
melken B	molk/melkte B	gemolken B	er melkt B	traire
quellen B	quoll B	gequollen B	es quillt B	jaillir, sourdre
scheren L	schor L	geschoren L	er schert L	tondre
schmelzen B	schmolz B	geschmolzen B	er schmilzt B	fondre
schwellen B	schwoll B	geschwollen B	er schwillt B	enfler
weben L	wob/(webte) L	gewoben L	er webt L	tisser

ei - i - i

INFINITIF	PRÉT. 1RE/3E SING.	PARTICIPE II	PRÉS. 2E/3E SING.	TRADUCTION
beißen L	biss B	gebissen B	du beißt, er beißt	mordre
erbleichen L	erblich B	erblichen B		palir
gleichen L	glich B	geglichen B		ressembler
gleiten L	glitt B	geglitten B	er gleitet	glisser
greifen L	griff B	gegriffen B		saisir
kneifen L	kniff B	gekniffen B		pincer
leiden L	litt B	gelitten B	er leidet	souffrir
pfeifen L	pfiff B	gepfiffen B		siffler
reißen L	riss B	gerissen B	du/er reißt	se déchirer
reiten L	ritt B	geritten B	er reitet	faire du cheval
schleichen L	schlich B	geschlichen B		se faufiler
schleifen L	schliff B	geschliffen B		aiguiser
schmeißen L	schmiss B	geschmissen B	du/er schmeißt	lancer, jeter
schneiden L	schnitt B	geschnitten B	er schneidet	couper
schreiten L	schritt B	geschritten B	er schreitet	marcher, avancer
streichen L	strich B	gestrichen B		enduire, passer
streiten L	stritt B	gestritten B	er streitet	combattre
verschleißen L	verschliss B	verschlissen B	du/er verschleißt	user
weichen L	wich B	gewichen B		céder, se retirer

ei - ie - ie

INFINITIF	PRÉT. 1RE/3E SING.	PARTICIPE II	PRÉS. 2E/3E SING.	TRADUCTION
bleiben L	blieb L	geblieben L	er bleibt	rester
leihen L	lieh L	geliehen L		prêter
meiden L	mied L	gemieden L		éviter
preisen L	pries L	gepriesen L	du/er preist	louer, célébrer
reiben L	rieb L	gerieben L		frotter
scheiden L	schied L	geschieden L		séparer, divorcer
scheinen L	schien L	geschienen L		sembler, briller
schreiben L	schrieb L	geschrieben L		écrire
schreien L	schrie L	geschrieen L		crier
schweigen L	schwieg L	geschwiegen L		se taire
speien L	spie L	gespie(e)n L		cracher
steigen L	stieg L	gestiegen L		monter
treiben L	trieb L	getrieben L	du treibst/er treibt	pousser
verzeihen L	verzieh L	verziehen L		pardonner
weisen L	wies L	gewiesen L	du/er weist	montrer

i - a - o + nn/mm

INFINITIF	PRÉT. 1RE/3E SING.	PARTICIPE II	PRÉS. 2E/3E SING.	TRADUCTION
beginnen B	begann B	begonnen B	er beginnt	commencer
gewinnen B	gewann B	gewonnen B		gagner, vaincre
rinnen B	rann B	geronnen B		couler
schwimmen B	schwamm B	geschwommen B		flotter, nager
sinnen B	sann B	gesonnen B		méditer, songer

i - a - u + nd/ng/nk

INFINITIF	PRÉT. 1RE/3E SING.	PARTICIPE II	PRÉS. 2E/3E SING.	TRADUCTION
binden B	band B	gebunden B	er bindet B	attacher, lier
dringen B	drang B	gedrungen B		pénétrer
finden B	fand B	gefunden B	er findet B	trouver
gelingen B	gelang B	gelungen B		réussir
klingen B	klang B	geklungen B		sonner, résonner
schlingen B	schlang B	geschlungen B		engoutir, avaler
schwingen B	schwang B	geschwungen B		brandir
singen B	sang B	gesungen B		chanter
sinken B	sank B	gesunken B		sombrer, couler
springen B	sprang B	gesprungen B		sauter
stinken B	stank B	gestunken B		puer
trinken B	trank B	getrunken B		boire

INFINITIF	PRÉT. 1ʳᵉ/3ᵉ SING.	PARTICIPE II	PRÉS. 2ᵉ/3ᵉ SING.	TRADUCTION
verschwinden B	verschwand B	verschwunden B	er verschwindet	disparaître
winden B	wand B	gewunden B	er windet	tordre
wringen B	wrang B	gewrungen B		essorer
zwingen B	zwang B	gezwungen B		contraindre, forcer

i - o - o + mm

INFINITIF	PRÉT. 1ʳᵉ/3ᵉ SING.	PARTICIPE II	PRÉS. 2ᵉ/3ᵉ SING.	TRADUCTION
glimmen B	glomm B	geglommen B	es glimmt	rougeoyer, luire
klimmen B	klomm B	geklommen B	er klimmt	grimper, se hisser

ie - o - o

INFINITIF	PRÉT. 1ʳᵉ/3ᵉ SING.	PARTICIPE II	PRÉS. 2ᵉ/3ᵉ SING.	TRADUCTION
biegen L	bog L	gebogen L		plier, tordre
bieten L	bot L	geboten L		offrir
fliegen L	flog L	geflogen L		voler [air]
fliehen L	floh L	geflohen L		fuir
fließen L	floss B	geflossen B		couler
frieren L	fror L	gefroren L		geler, être transi
genießen L	genoss B	genossen B	du/er genießt	savourer, jouir
gießen L	goss B	gegossen B	du/er gießt	verser, arroser
kriechen L	kroch B	gekrochen B		ramper
riechen L	roch B	gerochen B		sentir [odorat]
schießen L	schoss B	geschossen B	du/er schießt	tirer [arme, sport]
schieben L	schob L	geschoben L		pousser
schließen L	schloss B	geschlossen B	du/er schließt	fermer
sieden L	sott B/siedete	gesotten/gesiedet		bouillir
verbieten L	verbot L	verboten L		interdire
verlieren L	verlor L	verloren L		perdre
wiegen L	wog L	gewogen L		peser
ziehen L	zog L	gezogen L		tirer

au/ä/ö/ü - o - o

INFINITIF	PRÉT. 1ʀᴇ/3ᴇ SING.	PARTICIPE II	PRÉS. 2ᴇ/3ᴇ SING.	TRADUCTION
saufen L	soff B	gesoffen B	säufst/säuft	boire [animal]
saugen L	sog L/saugte	gesogen/gesaugt	saugst/saugt	sucer
gären L	gor L/gärte	gegoren/gegärt	gärt	fermenter
erlöschen B	erlosch B	erloschen B	erlischt B	s'éteindre
schwören L	schwor L	geschworen L	schwört L	jurer
lügen L	log L	gelogen L	lügt L	mentir
trügen L	trog L	getrogen L	trügt	tromper, abuser

Verbes irréguliers hors-série

i - a - e

INFINITIF	PRÉT. 1ʀᴇ/3ᴇ SING.	PARTICIPE II	PRÉS. 2ᴇ/3ᴇ SING.	TRADUCTION
bitten B	bat L	gebeten L	er bittet	demander, prier
liegen L	lag L	gelegen L		être étendu
sitzen B	saß L	gesessen B	du/er sitzt	être assis

autres

INFINITIF	PRÉT. 1ʀᴇ/3ᴇ SING.	PARTICIPE II	PRÉS. 2ᴇ/3ᴇ SING.	TRADUCTION
gebären L	gebar L	geboren L		mettre au monde
gehen L	ging B	gegangen B	gehst/geht	aller
haben L	hatte B	gehabt L	hast/hat	avoir
hauen L	hieb L	gehauen L	haust/haut	frapper, cogner
heißen L	hieß L	geheißen L	heißt/heißt	s'appeler
kommen B	kam L	gekommen B	kommst/kommt	venir
laufen L	lief L	gelaufen L	läufst/läuft	courir
sein L	war L	gewesen L	bist/ist	être
rufen L	rief L	gerufen L	rufts/ruft	appeler
stehen L	stand B	gestanden B	stehst/steht	se tenir debout
stoßen L	stieß L	gestoßen L	stößt/stößt	pousser, heurter
tun L	tat L	getan L	tust/tut	faire
werden L	wurde B	geworden B	wirst/wird	devenir
wissen B	wusste B	gewusst B	weißt/weiß	savoir

Les conjonctions de subordination (bases des groupes conjonctionnels)

647 Les conjonctions de subordination (bases des groupes conjonctionnels)

BASE DU GR. CONJ.	EXEMPLE	FONCTION	TRADUCTION
als	Sie ist jünger als er (ist). *Elle est plus jeune que lui.*	comparaison	plus/moins que (comparatif)
	Als ich klein war, weinte ich oft. *Quand j'étais petit, je pleurais souvent.*	temps	quand, lorsque
als ob	Tu so, als ob ich es nicht wüsste/wisse. *Fais comme si je ne le savais pas.*	comparaison irréelle	comme si
als wenn	Tu so, als wenn ich es nicht wüsste. *Fais comme si je ne le savais pas.*	comparaison irréelle	comme si
als + V	Du tust, als wüsste/wisse ich es nicht. *Tu fais comme si je ne le savais pas.*	comparaison irréelle	comme si
(an)statt dass	Anstatt dass der Präsident uns besuchte, kam sein Vertreter. *À la place du président, c'est son représentant qui nous rendit visite.*	substitution	au lieu que/ à la place de (G. prép.)
(an)statt + G. inf.	Er machte den Weg zu Fuß, anstatt mit der Straßenbahn zu fahren. *Il fit la route à pied au lieu de prendre le tramway.*	substitution	au lieu de + G. inf
bevor	Bevor er sich an die Arbeit macht, nimmt er ein kräftiges Frühstück ein. *Avant de se mettre au travail, il prend un solide petit déjeuner.*	antériorité	avant que/ avant de (pas possible bevor + G. inf.)
bis (dass)	Ich warte, bis (dass) der Regen aufhört. *J'attends jusqu'à ce que la pluie s'arrête.*	terme visé	jusqu'à ce que
da	Da er krank war, konnte er nicht kommen. *Comme il était malade, il ne put venir.*	cause évidente	étant donné que, puisque, comme

BASE DU GR. CONJ.	EXEMPLE	FONCTION	TRADUCTION
damit	Er macht alles, damit es besser geht. Il fait tout pour que cela aille mieux. (GV à l'indicatif; possibilité de um... zu + G. inf.)	finalité	*afin que/ pour que, afin de/ pour + G. inf.*
dass	Ich glaube, dass er Recht hat. *Je crois qu'il a raison.*	énonciation/ déclaration	*que (complétive)*
- so dass	Sprich laut, dass sie es auch hört. *Parle fort, afin qu'elle l'entende.*	finalité	*= so dass/ auf dass (afin/ pour que)*
	Er war heiser, dass er nicht sprechen konnte. Il était aphone, de sorte qu'il ne pouvait pas parler.	conséquence	*= so dass (si bien que, de sorte que)*
es sei denn (dass)	Ich werde kommen, es sei denn, dass es zu viel regnet./ Ich werde kommen, es sei denn, es regnet zu viel. *Je viendrai, à moins qu'il ne pleuve trop.*	restriction	*à moins que*
ehe	Ehe er nach Hause geht, kauft er die Zeitung. *Avant de rentrer, il achète le journal.*	temps (antériorité)	*avant que/ avant de (pas: ehe + G. inf.)*
falls	Falls es regnet, bleiben wir zu Hause. *Au cas où/ S'il pleut, nous resterons à la maison.*	hypothèse	*au cas où*
indem	Indem wir üben, lernen wir. *En nous exerçant, nous apprenons.*	instrumental	*tandis que/ en + participe 1*
je (+ ¨er)... - desto/ umso	Je schneller du läufst, desto/umso schneller kommst du an. *Plus vite tu cours, plus vite tu arrives.*	comparaison	*plus... plus*
	Je weniger er isst, umso dünner wird er. *Moins il mange, plus il maigrit.*	comparaison	*moins... moins*
je nachdem ob/wann	Je nachdem ob er arbeitet oder nicht. *Suivant qu'il travaille ou non.*		*selon/ suivant que*
nachdem	Nachdem er das gesagt hatte, ging er ins Bett. *Après avoir dit cela, il alla au lit.*	temps (postériorité)	*après que/ après (pas nachdem + G. inf.)*
ob	Die Frage, ob er kommt... *La question (de savoir) s'il vient...*	interrogatif	*si*
ob... oder	Ob er kommt oder (ob er) nicht kommt. *Qu'il vienne ou non.*	alternative	*que... (ou) que...*

BASE DU GR. CONJ.	EXEMPLE	FONCTION	TRADUCTION
obgleich/ obschon/ obwohl	Er kennt sich nicht in der Stadt aus, obschon er dort wohnt. Il ne connaît pas la ville, bien qu'il y habite/ quoiqu'il y habite.	opposition/ concession/ argumentatif	bien que/ quoique
ohne dass	Ich tat es, ohne dass mich jemand darum gebeten hätte. Je le fis sans que l'on m'en ait prié.		sans que
seit/ seitdem	Seit(dem) er da ist, geht es besser. Depuis qu'il est là, ça va mieux.	temps	depuis que
selbst... wenn	Selbst wenn er zuverlässig ist, sollen wir das Risiko nicht eingehen. Même s'il est fiable, il ne faut pas prendre le risque.	restriction/ concession	même si
sobald/ sowie	Sobald/ sowie er da ist, hole ich ihn ab. Dès qu'il sera là, j'irai le chercher.	temps	dès que
sofern	(In)sofern es dir passt Pour autant que cela te convienne	restriction	dans la mesure où/ pour autant que
solange	Ich werde dich lieben, solange ich lebe. Je t'aimerai tant que je vivrai.	temps	tant que
sooft	Sooft ich Gelegenheit habe, rufe ich an. À chaque occasion/ Aussi souvent que j'en ai l'occasion, je t'appelle(rai).	temps	aussi souvent que
soviel	Soviel ich weiß, ist er zu Hause. Autant que je sache, il est à la maison.	proportion	autant que
soweit	Die Grünen sind wichtig, (in)soweit (als) sie in der Koalition sind. Les Verts sont importants pour autant qu'ils font partie de la coalition.	restriction	(pour) autant que
umso ⁻er, als	Ich mache das umso lieber, als er mein Freund ist. Je fais cela d'autant plus volontiers qu'il est mon ami.	comparaison	d'autant plus/ d'autant moins que
während	Während er sprach, spielten die Kinder weiter. Pendant qu'il parlait, les enfants continuaient de jouer.	temps	pendant que/ tandis que
	Während er Gedichte schreibt, gibt sie Romane heraus. Alors qu'il écrit des poèmes, elle publie des romans.	argumentatif	alors que

BASE DU GR. CONJ.	EXEMPLE	FONCTION	TRADUCTION
weil	Er kommt später, weil er noch Arbeit hat. *Il viendra plus tard parce qu'il a encore du travail.*	cause	parce que/ du fait que
wenn	Wenn die Sonne scheint, fahren wir. *Quand le soleil brille/ brillera, nous partons/ partirons.*	temps	quand/ lorsque
	Wenn die Sonne schien, fuhren wir. *Quand/ chaque fois que le soleil brillait, nous partions.*	itération	chaque fois que
	Wenn wir doch nur ein Auto hätten! *Si seulement nous avions une voiture!*	hypothèse	si
	Wenn er wirklich kommt... *S'il vient vraiment...*	hypothèse	si
wenn... auch	Ich glaube ihm nicht, wenn er auch die Wahrheit sagt. *Je ne le crois pas, même s'il dit la vérité.*	restriction	même si
wie	Ich weiß nicht, wie das war. *Je ne sais pas comment c'était.*	manière	comment
	Nimm das Leben (so), wie es kommt. *Prends la vie comme elle est.*	comparaison	comme/ (telle) que
	Ich sehe, wie er läuft. *Je le vois courir.*	complétive	
wie... auch	Ich kann nicht bleiben, wie das Wetter auch sein wird. *Je ne peux pas rester, quel que soit le temps.*		quel(le) que
wo... doch	Das ist unglaubar, wo er doch neulich das Gegenteil behauptet hat. *C'est incroyable, d'autant plus qu'il a affirmé récemment le contraire.*	argumentatif (justification)	alors que/ d'autant plus que
zu... als dass	Er war zu müde, als dass er den Koffer hätte tragen können. *Il était trop fatigué pour porter la valise.*	conséquence/ finalité	trop... pour
zumal	Ich kann nicht nein sagen, zumal sie immer so nett ist. *Je ne peux pas dire non, d'autant plus qu'elle est toujours si gentille.*	argumentatif	d'autant plus que

Les prépositions (bases des groupes prépositionnels)

Les prépositions
(bases des groupes prépositionnels)

A = accusatif, D = datif, G = génitif, ← = préposé, → = postposé, ←/→ = préposé et postposé. Les traductions proposées sont évidemment non-exhaustives !

à + A (vieilli)	à
ab + A/D	à partir de
'abseits + G	à l'écart de
'abzüglich + G/D	non compris/ exclus
als (sans cas)	en tant que/ comme
an + A/D	(au contact de)
'anfangs + A sans art./ G avec art.	au début de
'angesichts + G	face à
an'hand/-Hand + G	à l'aide de
'anlässlich + G	à l'occasion de
an'statt + G/D	au lieu de
an'stelle + G	à la place de
auf + A/D	(directif ou contact de surface)
auf'grund + G	en raison de
aus + D	(provenance)
'ausgangs + A sans art./ G avec art.	à la fin de
'ausgenommen + A ←/→	exclus
'außer + D (rare : G/A)	hormis/excepté
'außerhalb + G/D	à l'extérieur de
'ausschließlich + G/D	excepté/exclus
'ausweichlich + G	évitable
be'hufs + G (rare)	à cause de
bei + D	(coexistence)
'beiderseits + G	des deux côtés de
be'treffend + A ←/→	concernant
be'treffs + G	concernant

be'züglich + G	relatif/quant à
'binnen + G/D	dans le délai de
bis + A	jusqu'à
contra/kontra + A	contre
dank + G/D	grâce à
'diesseits + G	de ce côté de
durch + A	(passage)
'eingangs + G	à l'entrée de
'einbegriffen + A ←/→	inclus
'eingedenk + G ←/→	en se souvenant de
'einschließlich + G/D	inclus
ent'gegen + D ←/→	à la rencontre/ à l'encontre de
ent'lang + G ←/ +A ←/+D ←/→	le long de
ent'sprechend + D ←/→	correspondant à
fern + D ←/→	loin de
fern'ab + G	à l'écart de
frei + N/A	libre de
für + A	pour
'gegen + A	contre
gegen'über + D ←/→	vis-à-vis de/ face à
ge'legentlich + G	à l'occasion de
ge'mäß + D ←/→	conformément à
'halber + G →	à cause de/ pour raison de
'hinsichtlich + G	quant à/ concernant
'hinter + A/D	derrière
in + A/D	dans/en
in'folge + G	par suite de
inklu'sive + G/D	inclus
in'mitten + G	au milieu de
'innerhalb + G/D	à l'intérieur de
je + A/N	le (mètre)/ par (mètre)
'jenseits + G	de l'autre côté de
kraft + G/D	grâce à/ en vertu de
längs + G/D	le long de
'längsseits + G	le long de (côté)
laut + G/D	selon/ d'après
links + G	à gauche de

'mangels + G/D	par manque de
'minus + N/A/D/G	moins
mit + D	avec
mit'hilfe/-Hilfe + G	à l'aide de
mit'samt + D	joint à (total)
'mittels + G/D	au moyen de
nach + D ←/→	après/ d'après/ selon
nächst + D	en plus de
nahe + D	près de
'namens + G	nommé
'neben + A/D	à côté de/ en plus de
nebst + G	en plus de
ob (rare) + G/D	à cause de (G)/ sur (D)
'oberhalb + G	en amont de
'ohne + A	sans
per + A	per/à
plus + N/A/D/G	plus
pro + A	pour (proportion)
rechts + G	à droite de
samt + D	avec/ y compris
seit + D	depuis
'seitens + G	du côté de
'seitlich + G	du côté de
statt + G	au lieu de
trotz + G/D	en dépit de
'über + A/D	(sur/ par dessus)
um + A	autour de/ à
um + G + willen	pour l'amour de
(')unbe'schadet + G	sans préjudice de
'unfern + G/D	non loin de
(')uner'achtet + G	sans compter
(')unge'achtet + G ←/→	sans tenir compte de
'unter + A/D	sous/parmi
'unterhalb + G	en aval de
'unweit + G/D	non loin de
ver'mittels + G/D	par l'intermédiaire de
ver'möge (rare) + G	en vertu de/ grâce à
'via + A	par (passage)

vis-à-vis + D/G	vis-à-vis/ par rapport à
von + D	de
von + D + ab	à partir de (départ)
von + D + an	à partir de (début)
von + G + 'wegen	en raison de/ selon
vor + A/D	devant/par/de (cause)
'vorbehaltlich + G	sauf/ sous réserve de
'während + G/D	tandis que/ alors que
'wegen + G/D	à cause/ en raison de
'wider + A	contre
wie (sans cas)	comme
zeit + G	au/ du temps de
zu + D ←/→	(directif ou statique)
zu'folge + G ←/+ D→	suite à
zu'gunsten + G/D	en faveur de
zu'ungunsten + G/D	en défaveur de
zu'liebe + D →	pour l'amour de
zu'wider + D →	à l'encontre de/ contre
'zuzüglich + A/G/D	en plus/ en sus
zwecks + G/D	dans le but de
'zwischen + A/D	entre (deux)

Index

Les chiffres **gras** renvoient à des parties ou des chapitres complets de l'ouvrage, les autres aux paragraphes.

→ renvoie à une entrée de l'index.

Achevé d'imprimer par Rotolito Lombarda - Italie
Dépôt légal: 92620 - 4/06 - Juin 2013